ALBERTAINES

Anthologie d'œuvres courtes en prose
présentée et annotée par
Gamila Morcos

Préface de Guy Lecomte

Merci au Conseil des Arts du Canada,
au Conseil des Arts du Manitoba
et à l'Université de l'Alberta
pour l'appui financier apporté à la
publication de cet ouvrage.

Série Études Canadiennes n° 3

Données de catalogage avant publication (Canada)
Bugnet, Georges, 1879-1981
Albertaines de Georges Bugnet : anthologie d'oeuvres
courtes en prose
Comprend des références bibliographiques.
ISBN 1-895173-01-9
I. Bugnet, Georges, 1879-1981. 1. Morcos, Gamila
II. Titre.
PS8503.U36A6 1991 C848/.5209 C90-097212-2
PQ3919.2.B792A6 1991

Directeurs : Annette Saint-Pierre et Georges Damphousse

Dépôt légal à la Bibliothèque Nationale d'Ottawa
2e trimestre 1990

Georges Bugnet

ALBERTAINES

Anthologie d'œuvres courtes en prose
présentée et annotée par
Gamila Morcos

Préface de Guy Lecomte

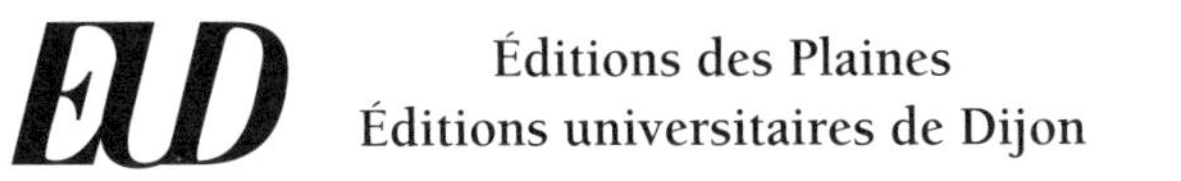

Éditions des Plaines
Éditions universitaires de Dijon

Préface

Les Albertaines : c'est le titre sous lequel Georges Bugnet lui-même a voulu rassembler les vingt textes qui composent le présent recueil. Ce titre à lui seul est une affirmation; il marque la volonté de l'auteur de faire reconnaître une fois de plus l'existence d'une littérature originale, autonome, non seulement canadienne-française, mais canadienne-française de l'Ouest, et plus précisément de sa province, l'Alberta.

Confiant dans la qualité de son écriture et sûr d'être reconnu comme écrivain au plus haut niveau, Bugnet semble ainsi vouloir conforter ses compatriotes de l'Alberta, les inciter à croire en eux-mêmes et en leurs possibilités créatrices; aussi va-t-il insister dans plusieurs articles sur la nécessité d'être soi, de n'imiter personne, ou du moins, de ne pas prendre pour modèles des écrivains ou des courants littéraires dont les choix thématiques et esthétiques seraient susceptibles (comme ceux, pense-t-il, des Romantiques) d'être tôt frappés par l'usure du temps et des modes. «Soyons de notre saine et robuste contrée, de notre climat», écrit-il dans son article «Du Roman» (p. 193). Mais en revendiquant hautement sa qualité d'écrivain albertain, Bugnet ne risque-t-il pas d'enfermer sa production littéraire dans d'étroites perspectives régionalistes? De fait, il n'entend pas que ces fleurs littéraires de l'Alberta relèvent d'une simple écriture régionaliste, voire «terroiriste», telle qu'elle s'est développée jusque-là au Québec. Quand il commence la composition du recueil des Albertaines, Georges Bugnet a déjà fait ses preuves : avec Nipsya, Le Pin du Maskeg et La Forêt, il a montré que la littérature régionaliste pouvait être hissée à un haut niveau artistique, ou plutôt il a conféré à l'adjectif «régionaliste» – trop souvent perçu comme une étiquette dépréciative – une noblesse qui lui manquait au Canada. Ainsi, lorsqu'il développa la thématique tant rebattue du rapport entre la nature et l'homme, Bugnet échappe à la banalité des tirades descriptives et des refrains bucoliques, en faisant de la nature une véritable héroïne dont la présence active accule les autres personnages à des situations limites, les révèle à eux-mêmes et les élève à un niveau de conscience grâce auquel ils prennent une dimension proprement universelle. Bugnet, admirateur de Montaigne (qu'il cite dès sa préface) s'est souvenu de cette phrase des Essais : «Chaque homme porte la forme entière de l'humaine condition». (Essais, L. III, ch. 2). Pour montrer qu'il entend sortir des limites du régionalisme, et faire sourdre l'universel au cœur du singulier, Bugnet choisit pour ses Albertaines des textes portant sur des sujets de caractère général, comme le laisse voir d'ailleurs l'index thématique établi par Gamila Morcos à la fin du présent volume. Ainsi, parmi les articles à caractère nettement régional, comme ceux que Bugnet a fait paraître dans La Survivance (journal hebdomadaire d'Edmonton, au titre combien significatif!), aucun n'a été retenu pour figurer parmi les vingt pièces composant le recueil. Et il est remarquable aussi que sur les cinq premiers textes (trois contes et deux pièces de théâtre), les seuls qui traitent de sujets albertains (Le Conte du bouleau et la pièce La Défaite), offrent de fait les échos les plus largement humains et universels.

Publier aujourd'hui les Albertaines, c'est réaliser un souhait déjà fort ancien de Georges Bugnet. En effet, lorsque, le 10 octobre 1967, il en expédie le manuscrit complet au Centre de Recherche en Civilisation Canadienne Française (le CRCCF de l'Université d'Ottawa), le projet a pris corps depuis plusieurs *années déjà. Dès 1939, dans une lettre du 20 février adressée à Camille Roy, Bugnet fait allusion pour la première fois à une éventuelle publication de morceaux choisis :*

> *Si cette année je publie quelque chose, ce ne sera qu'un choix des meilleurs articles parus depuis 15 ou 20 ans dans diverses revues, notamment dans Le Canada français. Mes idées, présentées ainsi – en un seul tas – en auraient sans doute plus d'influence pour l'élaboration d'une littérature nôtre*[1].

Quand on sait quel prix Bugnet attachait aux jugements et avis de Camille Roy, prestigieux critique québécois, fondateur en 1918 de la revue Le Canada Français, *on peut supposer qu'en écrivant ces mots il espérait une réaction de son correspondant à propos d'un tel projet. Or, un an plus tard, le 27 janvier 1940, au bas d'une lettre où il remercie Camille Roy de lui avoir envoyé un exemplaire de la dernière édition de son* Manuel d'Histoire de la littérature canadienne de langue française, *Bugnet ajoute ce post-scriptum :*

> *Je me demande s'il ne serait pas utile de réunir en un volume une douzaine ou quinzaine d'articles de critique littéraire parus dans Le Canada français ou Les Idées. Mais trouverais-je un éditeur, maintenant qu'Albert Pelletier paraît ne plus l'être? Il y a comme ça, des moments où j'aimerais habiter Québec ou Montréal*[2].

À n'en pas douter, c'est là un appel. En termes à peine voilés, Bugnet sollicite un conseil quant au projet lui-même, et une aide dans la recherche d'un éditeur. D'après cette dernière lettre, l'entreprise semble plus hypothétique que dans la lettre précédente; elle est toutefois un peu plus précise. Et dans les deux textes, les perspectives sont les mêmes : avoir «plus d'influence pour l'élaboration d'une littérature nôtre», ou encore : être «utile»... C'est là un souci constant de Bugnet, que nous

---

[1] Lettre à Camille Roy. Archives du Séminaire de Québec (carton 89 n° 29).

[2] Lettre à Camille Roy du 27 janvier 1940. Archives du Séminaire de Québec.

trouvons exprimé tout au long des Albertaines *: celui d'une littérature militante, voire édifiante. Presque tous ses articles de critique littéraire l'affirment avec force : les critères qui permettent de situer la valeur d'une œuvre d'art sont d'abord d'ordre éthique. Ainsi dans le texte «Des valeurs littéraires», nous trouvons ce principe énoncé en ces termes : «plus une œuvre est utile à la perfection de l'humanité, plus elle devrait être haut placée*[3]*». Soumettre ainsi la création esthétique à des impératifs éthiques, voilà sans doute qui surprendra le lecteur d'aujourd'hui. Bugnet n'ignore pourtant pas certains scandales du XIXe siècle : Flaubert, puis Baudelaire traînés devant les tribunaux, condamnés comme immoraux, l'un pour sa* Bovary, *l'autre pour ses* Fleurs du Mal...[4]*. Pour comprendre ce parti-pris de l'auteur des* Albertaines, *le lecteur devra se rappeler quelles furent les circonstances d'élaboration de son œuvre, quel fut le combat quotidien du pionnier, du défricheur conscient de participer à la construction d'une société nouvelle, à la naissance de tout un monde nouveau; bref, il conviendra d'abord de considérer l'expérience vécue qui confère à cette œuvre son caractère profondément original, et lui donne ce sceau d'authenticité qui en fait un document irremplaçable.*

Pour ce qui est de la composition des Albertaines, *notons qu'en 1940, lorsque Bugnet sollicite à mots couverts l'appui de Camille Roy pour son projet, il dit vouloir seulement «réunir en un volume une douzaine ou quinzaine d'articles». Il n'est encore question ni des contes, ni des pièces de théâtre qu'il ajoutera à ce premier ensemble. Quelle qu'ait été la réponse du critique québécois, le projet va continuer de prendre corps, mais Bugnet ne parvient pas à trouver un éditeur. Selon Jean Papen, c'est à Rich Valley – donc avant novembre 1954, date*

---

[3] p. 229 du présent volume.

[4] On se souvient de la révolte de Baudelaire devant le confusionnisme des moralistes et censeurs de son temps :

«Maudit soit à jamais le rêveur inutile
Qui voulut le premier, dans sa stupidité
S'éprenant d'un problème insoluble et stérile
Aux choses de l'amour mêler l'honnêteté.»
«Femmes damnées» (1864).

du départ des Bugnet pour Legal – que l'auteur donne à ses Albertaines *leur organisation et leur contenu définitifs. Mais sur cette phase finale, Jean Papen ne fournit aucune précision*[5]*. Nous savons seulement par le* Journal *de Georges Bugnet que son biographe a souhaité consulter le manuscrit, puisqu'on peut lire, à la date du 17 juillet 1965 : «Hier, envoyé mes Albertaines à l'abbé Papen*[6]*». Le 15 novembre de la même année, nouvelle note brève faisant allusion au recueil : «Écrit à l'abbé Papen. Deuxième demande pour mes Albertaines*[7]*». L'année suivante, le 24 juin 1966, dans une lettre à sa petite-fille Rita Banville*[8]*, Bugnet indique que la plupart de ses manuscrits et autres documents sont aux archives de l'Université Laval à Québec, et il ajoute … «J'ai à présent l'idée d'en envoyer aussi à l'Université d'Ottawa, mais je n'y connais personne. Je pourrais leur envoyer un choix de mes articles parus, entre 1925 et 1945, dans* Le Canada français *et* Les Idées*. Peut-être ferais-je mieux de les envoyer à l'Université de Toronto». Rita habitant justement Ottawa a-t-elle aidé au choix de son grand-père? Toujours est-il que le 10 octobre 1967, Bugnet a noté dans son journal : «Expédié cet après-midi à l'Université d'Ottawa mes Albertaines et Voix de la Solitude, revues et corrigées*[9]*».*

Voici donc enfin Les Albertaines *offertes au public. Pour qui s'intéresse à Georges Bugnet et aux écrivains francophones de l'Ouest, et plus généralement, à la littérature canadienne d'expression française de la première moitié du XX*e *siècle, ces*

---

[5] Jean Papen, *Georges Bugnet – Homme de lettres canadien*, Éditions des Plaines, 1985. *Les Albertaines* sont mentionnées, p. 197.

[6] Georges Bugnet, *Journal (1954-1971)*. Édité par G. Durocher, Faculté Saint-Jean, Edmonton, 1984, p. 125.

[7] *Ibid.*, p. 128.

[8] Fille de Charles Bugnet, épouse de Gérard Banville. Correspondance aimablement communiquée par J.M. Duciaume.

[9] *Journal*, p. 147.

pages seront précieuses. Certes, on aurait pu craindre que l'écriture de Bugnet, avec son néo-classicisme appuyé, ait mal supporté l'épreuve du vieillissement, et surtout que les considérations critiques développées dans ses articles s'appuient sur des critères trop étrangers aux goûts d'aujourd'hui. C'est vrai : Georges Bugnet n'est pas un ami de la mode quelle qu'elle soit. Mais c'est peut-être par là justement, en examinant les raisons de son obstination à défendre les valeurs permanentes qui ont structuré sa personnalité et qui, confrontées à l'expérience, l'ont fait ce qu'il est, que nous pourrons mieux comprendre son comportement d'homme et d'écrivain et découvrir en quoi cette œuvre reste d'un intérêt exceptionnel.

Avec la passion du néophyte, Bugnet se conduit et s'exprime en «ultra»-Canadien, plus ardent patriote sans doute, plus attaché à l'Alberta et au Canada que les Albertains eux-mêmes. Et cette insistance, précisément, pose question. Ne peut-on voir là une réponse aux difficultés morales de la transplantation, de l'enracinement dans une terre nouvelle, qui suppose nécessairement un déracinement antérieur? Certes, Bugnet est bien intégré à sa nouvelle patrie quand il rédige les textes qui composeront Les Albertaines. *Il a pris certaines distances à l'égard de la France; les Français sont désignés comme «nos cousins d'outre-océan». Dans «Canadiana», il interroge en écrivain : «Quelle rage nous pousse à vouloir être classés avec les écrivains d'un autre pays?» et il insiste, trois pages plus loin, sur la nécessité d'être soi-même : «Comment parviendrons-nous jamais à écrire canadien, à être nous-mêmes, quand nous nous travaillons sans répit pour ressembler à d'autres[10]»? Il y insiste dans d'autres essais, avec la même vigueur; par exemple dans l'article «La Forêt», publié quatre ans plus tard : «Il faut être soi. Ce n'est pas ailleurs qu'il faut chercher notre âme. Elle est en nous. Et, pour le Canadien, elle est ici. Avec nous-mêmes, ce que nous devons étudier, c'est cette terre vaste et neuve qui est nôtre,* a mari usque ad mare, *et des Grands Lacs jusqu'au Pôle[11]». Si Bugnet part ainsi en*

---

[10] «Canadiana», pp. 122-125, 1936.

[11] «La Forêt», p. 274, 1940.

guerre contre un vieux complexe d'infériorité à l'égard de la France, c'est peut-être parce que lui-même ne s'en est pas tout à fait affranchi. Et s'il affirme son identité avec tant d'insistance, serait-ce parce qu'au fond elle reste encore problématique? Ce thème inusable de la quête ou de la sauvegarde de l'identité, tenace et banal au point d'en paraître agaçant à certains Canadiens, cette interrogation qui revient sans cesse quand on la croit dépassée, Georges Bugnet devait forcément s'y trouver confronté, et les échos de ce débat intérieur ne sont pas un des moindres intérêts de ses écrits. Dans son article «Pour l'esprit canadien», cherchant précisément à définir sa canadianité, Bugnet pose lucidement la question :

> *Certes, héritiers de l'âme latine, héritiers, non des tendances qui prévalent en France à présent, mais de cette âme française plus haute, plus purement spirituelle, [...] nous le sommes. Et nous devons assidûment garder cet héritage.*
>
> *Mais ce n'est plus là-bas que nous vivons, c'est ici. Nous avons quitté les champs et la maison de nos pères pour venir sous d'autres cieux, dans un monde neuf, établir une demeure et des cultures nôtres. Ce n'est plus là-bas, c'est en nous et autour de nous qu'il faut regarder. Habitants du Canada, il a des voix siennes, nôtres aussi*[12].

Plus loin, l'affirmation prend un tour plus personnel et affectif :

> *Personnellement, dès que ma réflexion s'attache à cet admirable pays du Canada, je la sens devenir plus vaste, plus élevée, et j'éprouve une pénétrante émotion, presque charnelle, comme celle d'un amant, qui me secoue tout le cœur.*

Enfin, se félicitant de la faveur des critiques, Bugnet ajoute cette fervente profession de foi :

---

[12] «Pour l'esprit canadien», pp. 242-243.

> *Ce n'est pas, je le sais, à moi qu'est dû le mérite; mais à toi, Canada, terre plus forte que l'homme, à toi qui, plus encore que la France, m'as dicté ce que j'écrivis*[13].

Aucun écrivain français au Canada – ni Maurice Constantin-Weyer, ni Louis Hémon, ni même Marie Le Franc, si épris fussent-ils de la terre canadienne – n'a connu une telle «conversion» à la canadianité; et en effet Bugnet est le seul qui ait totalement épousé le Canada, sans retour, et le seul qui repose en terre canadienne.

Si donc, le problème de l'identité canadienne ne se pose pas pour lui – au point qu'il est presque incongru de l'avoir posé ici – celui du rapport à la France demeure pour le lecteur d'un intérêt certain. D'une façon générale, pour les néo-Canadiens de la première génération, on peut s'attendre à ce que le fait d'avoir quitté le pays natal ait laissé quelque trace dans leur vie affective et qu'après une telle coupure, il subsiste quelque cicatrice. Il est alors réconfortant pour l'immigrant de considérer que ce qu'il a quitté ne mérite pas de regrets, au regard de sa nouvelle condition. Et l'on comprend qu'une personne qui a choisi de changer de patrie aime à être confirmée dans son choix par tout jugement qui noircisse quelque peu son ancienne condition. Bugnet lui-même cède peut-être à cette inclination quand il confie à Jean Papen :

> *Du dehors, vu de loin, à l'abri des influences du milieu, le vieux monde me paraît, lui qui se vante d'être le progrès personnifié, un ramassis d'antiquailleries momifiées. [...] Il me semble que tous ceux qui y vivent doivent y éprouver la même impression de malaise, d'étouffement, que j'y ai si souvent éprouvé. Personne n'y est libre. Cette vieille société ne permet pas à l'homme de vivre la vie large, pleinement développée; elle lui impose de partout, matériellement et moralement, des «défense d'entrer», des «défense de*

[13] *Ibid.* Bugnet avait d'abord écrit : «qui m'as fait don de ce que je suis».

passer». Le pauvre y est un paria[14]*. Etc.*

Mais derrière ces propos – d'ailleurs inégalement pertinents – nous devinons en réalité une attitude critique fondamentale, celle qui parcourt toutes les Albertaines *: ce n'est pas seulement la France contemporaine qui est visée, ni même la seule Europe occidentale, qu'il nomme «le vieux monde», mais l'ensemble du monde moderne en ce qu'il est coupable d'un vice qui est source de tous les autres : l'orgueil anthropocentrique. Lorsque, en avril 1944, Bugnet publie son article «Les Gardiens de la Terre», l'Europe entière est à feu et à sang. L'écrivain le constate avec amertume : «Dans quelles ruines sanglantes et flambantes en est maintenant logée la vieille Europe*[15]*!» Sans doute trouve-t-il dans ce constat la confirmation de la justesse des critiques et dénonciations qu'il n'a cessé de répéter depuis près de vingt années : à l'origine du mal social, à la source des injustices et des guerres aussi bien que de la destruction de notre équilibre écologique, Bugnet voit toujours l'orgueil humain, l'anthropocentrisme qui conduit les humains à s'affirmer seuls maîtres de l'univers, à refuser l'existence de forces supérieures aux leurs, à nier leurs propres limites, c'est-à-dire, en fin de compte, à faire de l'homme le seul dieu de l'homme. Là est la dénonciation majeure présente tout au long des* Albertaines*; là est l'affirmation centrale de la philosophie de Georges Bugnet. Cette philosophie peut sembler peu structurée (l'auteur n'était pas un philosophe de métier), elle n'en est pas moins d'une actualité certaine. Inspirée d'abord par la foi chrétienne, elle s'est trouvée confirmée par l'expérience en Alberta, lorsque, travaillant sur son homestead de Rich Valley, le défricheur s'est trouvé aux prises avec les dures réalités de la nature canadienne. Alors s'est imposé à lui plus que jamais «ce sentiment que nous ne sommes pas en ce monde les seuls maîtres et qu'il est d'autres Puissances que la nôtre*[16]*». Cette sagesse, Bugnet l'a trouvée aussi, à l'état de simple pratique quotidienne, parmi ses voisins de la région du Lac La Nonne,*

[14] Cité par Jean Papen dans sa biographie (p. 41).

[15] «Les Gardiens de la Terre», p. 327.

[16] «Pour l'esprit canadien», p. 244.

et en particulier parmi les Amérindiens et les Métis. Il a aimé chez ces derniers leur soumission intelligente aux exigences de la nature et leurs sens d'un sacré qui sourd de cette nature perçue comme maternelle. À leur exemple, Bugnet magnifie parfois ces puissances invisibles en utilisant des expressions neuves, en remplaçant par exemple le mot «Dieu» par «Grand Esprit», «Sagesse Éternelle», «Esprit des choses». À l'époque où il compose Nipsya, *il écrit à Camille Roy :*

> *Mon opinion est que la Sagesse éternelle est, dans la nature, presque aussi objective que les arbres dans une forêt. Pas pour le civilisé peut-être, qui ne regarde que lui-même et ses œuvres. Mais pour qui sait voir, entendre et sentir la nature, tel un sauvage, elle exhale partout une odeur d'éternité. J'ai choisi Sagesse éternelle comme d'autres diraient Mens agitas molem, ou Esprit des choses, comme l'Indien Kri dirait les Manitos*[17].

Telle est, pour l'auteur des Albertaines, *l'attitude spirituelle qui permettrait à chacun de trouver dans ce monde la place d'où il puisse contribuer à sa mesure au progrès de l'ensemble de l'humanité. Cet humanisme, auquel Bugnet a donné sa pleine dimension à Rich Valley, ne saurait aller sans un vigoureux plaidoyer pour la survie de la terre tout entière. Car notre pionnier a fait très tôt en Alberta ce constat angoissant : la biosphère dans sa totalité est en danger, par la faute des hommes qui agissent en pillards inconscients. À ce danger mortel il répond par une «écriture de salut public». Voilà pourquoi il lance dans «Les Gardiens de la Terre» ce cri qui parodie le chant de l'Internationale : «Debout, les gardiens de la Terre!», comme pour montrer quel nouveau Manifeste*[18] *s'impose aujourd'hui! Et l'on comprend aussi que dans l'ensemble de sa critique littéraire, Bugnet ait donné tant d'importance aux critères moraux et spirituels, parfois au détriment des critères esthétiques, puisqu'il affirmait la nature morale et spirituelle du mal à combattre.*

[17] Lettre à Camille Roy, 20 décembre 1923.

[18] *Manifeste du Partie Communiste,* Karl Marx – Friedrich Engels, 1848.

Ainsi, le volume des Albertaines *nous offre un recueil de textes aux facettes variées, mais dont la ligne directrice a la rectitude d'une écriture militante. Dans le but qu'il assigne à la littérature, Bugnet est à la fois modeste et ambitieux. Modeste, quand il admet que la littérature francophone de l'Alberta ne peut se hisser immédiatement aux sommets de l'art littéraire, ou lorsqu'il critique l'«impatience pour des œuvres de maturité alors que nous n'en sommes qu'à l'adolescence[19]». Mais la spécificité canadienne, les atouts exceptionnels dont dispose l'écrivain canadien pour créer un art original, «cette atmosphère de notre pays [...], cette ambiance unique au monde[20]», devraient assigner à la littérature canadienne, selon Bugnet, une mission, un rôle ambitieux qu'il a clairement exprimé dans sa conclusion à l'article sur «La Forêt» :*

> *...offrir à nos semblables l'exemple d'une humanité qui se sente, non point l'impitoyable dominatrice du monde, mais la régente responsable et soucieuse d'un État, précieuse part de l'Univers, disposé pour elle dès la pointe des temps par un mystérieux amant[21].*

C'est ce à quoi Bugnet entendait apporter une contribution passionnée quand il a conçu le projet des Albertaines.

Guy Lecomte

Directeur
Centre d'études canadiennes
Université de Bourgogne

[19] «Pour l'esprit canadien», p. 240.

[20] *Id.*, p. 244.

[21] «La Forêt», p. 274.

Avant-propos

Georges Bugnet (1879-1981) semblait mettre en question l'étendue de son message et se douter qu'il dédiait son œuvre «to the happy few». Pourtant, bien que certains sujets qu'il aborde dans cette anthologie l'aient fait passer pour un faux prophète, ces écrits sont aujourd'hui d'une brûlante actualité. Les écrivains québécois, soucieux avant tout de lancer leur propre production littéraire, ne pouvaient pas prêter beaucoup d'attention à leurs confrères de l'Ouest canadien. Il faut bien croire que Bugnet se rendait compte de cette situation. C'est pourquoi d'ailleurs il écrit à Mgr Arthur Maheux qu'il se sent «un homme du passé et de l'avenir, mais très peu du présent, du moins en Québec[1]». De surcroît, la diffusion de ces œuvres est défavorisée par l'interruption des revues littéraires[2] où cette partie de l'œuvre de Bugnet était publiée. Et les numéros des revues en question ne se retrouvent plus que dans de rares bibliothèques spécialisées.

La décision d'en faire une anthologie prouve sans aucun doute que Bugnet lui-même considérait comme particulièrement importants ces produits de sa création littéraire. Il révise donc vingt textes, les préface et envoie, le 10 octobre 1967, au Centre de recherche en civilisation canadienne-française de l'Université d'Ottawa, le manuscrit de l'anthologie qu'il intitule

---

[1] Cité dans Papen, 1985, p. 207.

[2] Le dernier numéro des *Idées* date de juin 1939; ceux de *Gants du ciel* et du *Canada Français*, de 1946.

Albertaines. *Retrouvé dans les archives du Centre de recherche, ce n'est qu'à présent que ce manuscrit voit le jour dans une édition intégrale.*

La caractéristique la plus importante de cette anthologie reste le fait qu'il s'agit de textes complets *plutôt que de fragments ou de morceaux choisis. La première partie est composée de trois* CONTES, *plutôt brefs, qui soulèvent des problèmes très actuels à travers une intrigue délibérément fantaisiste. Deux pièces de* THÉÂTRE *en un acte composent la deuxième partie : pleine de tension dramatique et d'ironie teintée d'amertume,* La Défaite *nous offre un épisode apparemment authentique de la vie des pionniers arrivés dans l'Ouest canadien au tournant du siècle;* Ivan et Fédor *nous propose un dialogue entre deux protagonistes d'idéologies opposées.*

La troisième partie, la plus longue, contient quinze ESSAIS ET CRITIQUES. *Bugnet y aborde des questions dont l'actualité reste évidente. En parlant du respect de l'environnement et des catastrophes causées par le déboisement, il devance tous les cris de la thématique écologiste moderne. Il y parle aussi de l'enseignement, du maintien et de la maîtrise de la langue française. Bien entendu, l'identité canadienne, la foi, le progrès et la politique, sont ses sujets préférés. Et tout le long, il définit sa position sur des sujets débattus encore aujourd'hui.*

C'est l'ordre dans lequel Bugnet a présenté ses textes, qui surprend. Il n'est ni chronologique (exception faite pour les deux pièces de théâtre), ni alphabétique, ni thématique. Comment expliquer cette disposition? Quelle qu'en soit la raison, la succession des textes établie par Bugnet est respectée dans cette première édition d'une telle anthologie.

Une rapide présentation consacrée à chacun de ces textes passe en revue le sens concret ou symbolique, les intentions, les allusions et l'actualité des sujets abordés par Bugnet. Les commentaires plus longs sont ajoutés en annexe pour alléger la présentation. Les particularités linguistiques de Bugnet, ainsi que les noms propres et les termes qui nécessitent une explication sont identifiés dans le texte par un astérisque, et se retrouvent par ordre alphabétique dans le glossaire. Quant aux renvois, ils sont de deux sortes : les chiffres arabes indiquent les notes et les références en bas de pages; les lettres renvoient aux changements apportés par Bugnet. Ces derniers sont consignés à la fin de chaque texte, sous la rubrique «Variantes». Un index de thèmes traités fera apparaître les liens entre les différents textes. Enfin, une biographie sommaire de Bugnet et une bibliographie générale terminent l'ouvrage et situent l'auteur dans un contexte historique.

Il serait vain de ramener ces textes à un mouvement littéraire précis; il serait également vain de chercher une évolution dans l'œuvre de Bugnet. Malgré leur variété, il se dégage de ces écrits une vision du monde en quelque sorte «ultramontaine». Tant sur le plan de l'écriture que dans les attitudes politiques de Bugnet, tout libéralisme ou modernisme semblent bannis. L'importance de son message réside avant tout dans la ténacité de ses jugements sur les valeurs morales et sur les coutumes de son temps.

Les textes que cette édition rassemble constituent ainsi des documents historiques d'une actualité surprenante. Ils représentent la superstructure d'une société, reflètent la culture d'une époque et accordent par là, à cette anthologie, tout son mérite et sa valeur.

Gamila Morcos

Préambule

Chez les grandes nations qui, riches d'innombrables produits, savent estimer ceux de l'esprit comme plus excellents, on en vint, pour faire connaître au public ces bons écrivains qu'il n'a pas le temps de lire en entier, à les lui présenter en raccourci par un choix de leurs meilleures pages.

On avait, jadis, débuté par les anciens classiques. Le succès accrut la méthode. On l'appliqua aux contemporains. On l'étendit si bien qu'elle s'empare à présent de tout ce qui s'écrit, et la vogue des *Recueils*, des *Reader's Digests* de toute sorte, montre bien l'appétit du liseur d'aujourd'hui pour l'anthologie, le morceau choisi, substantiel ou non, mais d'abord bref, de préférence à des œuvres simples où il n'a pas loisir de s'attabler.

Montaigne, qui vivait en un temps non moins fiévreux que le nôtre, devait avoir deviné l'avantage de l'écrit court et varié, voire disparate, lorsqu'il rédigea les *Essais*. C'est pourquoi j'ai pensé qu'à réunir, au goût du jour, un choix de textes assez divers, composés durant quelque vingt-cinq ans, en un recueil dont aucune pièce n'exige longue attention, je pourrais une fois de plus me présenter au public avec l'espoir d'être, une fois de plus aussi, écouté et approuvé.

J'y ai laissé quelques redites, comme des refrains dans ma chanson.

Georges Bugnet

Georges Bugnet

Première partie

Contes

1. Une Vision[1]

Plus d'un demi-siècle s'est écoulé depuis la parution de ce conte, et voici qu'aujourd'hui cette «vision» devient réalité.

Bugnet prévoyait un changement radical dans l'environnement; et «le voyant», qui devient son interprète dans ce conte, parle de changements climatiques, d'inondations, de raz de marée, d'un déséquilibre Nord-Sud. Il attribue ces catastrophes au progrès et aux activités insouciantes des hommes: exploitation des ressources pétrolières et minières, déboisement provoquant des changements dans la circulation de l'eau, dans les cycles d'évaporation, etc.

Bien que le raisonnement qu'emprunte Bugnet soit plutôt farfelu – n'oublions pas qu'il s'agit d'un conte – il reste que son intuition est étonnante. Le réchauffement du globe, l'effet de serre, l'épuisement de la couche d'ozone, sont des sujets de préoccupation actuels, mais ne l'étaient guère dans les années 30. Pour mieux appécier la «prophétie» de Bugnet, voir en annexe l'historique de la conscience environnementale. [THÈMES : Environnement. Nature. Progrès. Spiritualité.]

Le voyant commença de parler, nous découvrant sa vision du futur cataclysme :

Sous un crépuscule étrange, hors des hautes lames d'un furieux océan, émerge un sombre îlot, seul point immobile au milieu d'immenses mouvements.

[1] *Les Idées*, vol. V, n° 2, Montréal, Éditions du Totem, février 1937, pp. 91-101.

Au sommet de cet îlot, à travers de grands arbres noirs ployés aux violences de l'ouragan, sur le seuil d'une caverne, je vois la lumière vacillante et rouge d'un brasier. La flamme pointille les feuillages mouillés[(a)] d'un scintillement écarlate. À l'entour du brasier quelques êtres humains sont allongés sur le sol, inertes, comme accablés de lassitude. Leurs visages sont blancs, blêmes. Leurs vêtements, encore humides, se collent à leurs chairs. Sans[(b)] les yeux ouverts qui brillent des reflets du feu, ils sembleraient morts. Et ce sont deux hommes, deux femmes, et un petit enfant.

Du plus âgé de ces hommes la tête est grisonnante. Du coin de l'œil droit, jusqu'aux cheveux vers le milieu du front, la peau entr'ouverte a l'aspect d'une plaie lavée, qui ne saigne plus. Face aux traits forts, large, virile, calme. Le corps est grand, massif. Il est étendu au-delà et à gauche du brasier. Plus près, à ses pieds, son compagnon est jeune, maigre, fluet, avec un visage long. Ses yeux semblent écouter. Les femmes sont à droite du feu. Deux sœurs, sans doute. L'aînée est couchée sur le côté, face à la flamme, le bras droit sous la tête du petit enfant qui dort, et son regard plein d'effroi se lève à tout instant vers le plus âgé des hommes. Derrière elle, contre elle, repose une adolescente[(c)] dont les doigts parfois se crispent sur la main gauche de la jeune mère.

Autour d'eux, jusqu'aux confins de l'espace, tout palpite d'une énorme trépidation. La mer, sous l'ardente chevauchée des airs, se soulève en crêtes écumeuses qui courent, se heurtent, retombent, s'écrasent. Et ces eaux, d'une teinte boueuse, roulent des épaves insolites : des fauteuils[(d)], des portes, des tables, des caisses, des boîtes, des tonneaux, toutes sortes de meubles pauvres ou précieux. Des flottes de cadavres passent en dansant côte à côte, et il y a des cadavres humains qui sont comme liés à des formes de bêtes sauvages ou domestiques. Les éclatements de la foudre ne font qu'un bruit assourdi au milieu du rugissement des vents et de l'infinie clameur de la mer. Tous les cieux sont voilés de nuées lourdes, noires ou grises, dont les bords ont des reflets singuliers, olivâtres. Et ces nuées se hâtent, cherchant à se dépasser, mais le but de leur course demeure incompréhensible car toute leur vitesse se résout en une vaste giration qui tournoie lentement contre les bornes[e] de l'horizon.

Et voici que d'un nuage, au-dessus de l'îlot, descend une longue traîne blanchâtre. Dans son fugitif passage elle poudroie[f][2] le sol d'épais flocons de neige. Il se fait une subite accalmie dans le tumulte du monde. Hommes et femmes se redressent. Ils regardent[g]. Leurs yeux sont dilatés par l'étonnement.

Le plus jeune des hommes se met à parler :

– De la neige... au plein milieu de l'été... Et le vent qui devient de plus en plus glacé... Après cela, monsieur Hébert, refuserez-vous encore de croire que nous assistons à la fin des temps?

Et, avec un ton d'impatiente inquiétude, il ajoute :

– Vous, un savant, un professeur[h], ne pouvez-vous donc rien expliquer? Vous avez pu vous reposer tranquillement. Moi, je n'y parviens pas. Cette attente est intolérable. Si c'est la fin, j'aimerais autant mourir tout de suite.

– Mon jeune ami, un homme qui a vécu près d'un demi-siècle ne se remet pas de si rudes efforts aussi rapidement qu'on le fait à vingt ans. Je crois que j'aurais peine à me tenir sur mes jambes, et je n'en vois pas la nécessité. Tant que nous étions pourchassés par d'imminents dangers je suis resté debout. Mais, dès que nous avons constaté que les eaux ne montaient plus, une fois nos provisions assurées grâce à tant d'épaves, notre feu préparé, allumé, je me suis senti devenir comme une loque. Je crois même que j'ai dû dormir assez longtemps.

---

[2] Du verbe poudroyer : couvrir de poudre, de poussière. L'emploi de ce verbe avec «d'épais flocons de neige» est assez inattendu.

– Deux heures au moins. Dormir!... avec une si horrible tempête, devant un pareil spectacle, et quand nous assistons très probablement à la fin du monde. Je me demande comment vous êtes fait.

– Avec l'expérience, mon ami, vous apprendrez que rien ne sert de se torturer l'esprit par l'appréhension de ce qui vient. Ce qui vient n'est presque jamais ce que l'on attend. Et puis, quand ce serait la fin de la Terre, serait-ce la fin de tout? Serait-ce notre dernier moment de vie? Aucune logique n'a jamais pu prouver qu'elle se trompe cette intime voix qui dans chaque âme humaine a toujours affirmé, non point l'absolue certitude, mais la très grande probabilité pour chacun d'une nouvelle existence. Pourquoi ne point compter sur cet espoir?

– Monsieur Hébert, on voit bien que vous êtes un conférencier[i] habitué à discourir, mais si votre genre de philosophie vous convient, moi, c'est ma vie présente qui m'intéresse. Je n'en ferai point si bon marché tant que je la tiens. Pensez-vous que nous ayons quelque chance d'en réchapper, nous, les seuls survivants peut-être de ce qui était l'humanité? Pendant que vous dormiez je suis allé voir l'étiage* des eaux. Elles ont encore beaucoup baissé.

– Encore baissé?... Alors nous n'avons plus guère à craindre. Oui, je crois à présent le danger passé. Mais pourquoi serions-nous les seuls survivants? Il ne manque pas d'autres montagnes, même dans notre Est canadien[j], que les eaux n'ont pas dû submerger.

Et cet homme s'exprime d'un ton si paisible que les regards des deux femmes qui écoutent, perdant leur expression de peur et de lassitude, s'éveillent de curiosité.

La voix impatiente du jeune homme poursuit :

– Mais enfin qu'est-il arrivé? Comment cela s'est-il fait ainsi, tout d'un coup? Les mers ont-elles envahi, englouti tous les continents? C'est insupportable de ne rien savoir.

– Autant que j'en puisse juger, la catastrophe ne s'étend

que sur une partie de l'hémisphère nord : sur nos contrées orientales de l'Amérique et sur l'Europe[k]. Il serait invraisemblable que les océans aient partout quitté leurs fonds pour se répandre sur des terres plus élevées. Mais il n'est pas impossible qu'un gigantesque raz de marée ait recouvert les plus anciens pays civilisés. Si vous aviez aimé lire les écrits sérieux, mon jeune ami[l], vous sauriez que plusieurs esprits réfléchis s'attendaient à cette catastrophe[m].

– Je ne vous comprends pas. Comment était-il possible de prévoir pareil cataclysme?

– Il n'est pas si malaisé de prévoir une chose lorsqu'elle s'est déjà produite. Ignorez-vous donc que certaines régions de notre hémisphère ont déjà subi tour à tour, aux mêmes endroits, des périodes extrêmement chaudes et des périodes glaciales?

– Non, je ne l'ignore pas. On dit que notre Canada, comme d'autres pays aujourd'hui tempérés, eut des siècles d'une végétation tropicale où habitaient des monstres incroyables, puis qu'à d'autres siècles il n'était plus qu'un immense glacier.

– Eh oui. Il fut un temps où l'on croyait intelligent de se moquer des Anciens et de leurs histoires de dragons et autres animaux fantastiques. On découvrit ensuite que la réalité confirmait la légende. Enfin, il fut assez clairement établi par les géologues qu'il y eut, aux mêmes endroits, succession de périodes glaciales et de périodes équatoriales. Comment cela s'est-il fait? Une explication serait que, aux époques préhistoriques, notre globe dévia son axe, changeant de place les pôles et l'équateur.

– Voulez-vous dire qu'il vient d'y avoir un sursaut de toute la terre? Comment pareille chose aurait-elle pu se produire? Et allons-nous sursauter encore[n]?

– Sursaut?... Non. Plutôt glissement, un peu comme pour une boule de billard, d'abord bien équilibrée, qui roulerait très vite sur un long tapis plat. Supposons qu'à sa surface, sur un côté, certain morceau, moins solide, se désagrège et commence à s'en détacher par parcelles successives. N'est-il pas logique de penser que, son premier équilibre étant ainsi altéré, cette boule, à un moment, pourra tout à coup changer d'axe? Ne le ferait-elle pas plus inévitablement encore si, alors même qu'elle s'allège à certain endroit, le côté opposé devenait plus lourd?

– Ce que vous me dites là me semble en effet logique[(o)], mais je ne vois pas bien quel rapport...

– Évidemment. Comme à peu près tout le monde vous ne songiez même pas à réfléchir sur ce que tout le monde faisait. Infime atome d'évanescente* poussière sur une minuscule poussière qui tournoie dans l'immensité de l'espace, loin d'élargir ses pensées[(p)] vers cet infini[3] qui l'entoure, l'homme se rapetisse toujours à des riens, aux menus événements quotidiens de son milieu, à de fugitives sensations, aux satisfactions de son enveloppe charnelle. Sa religion principale, ce fut surtout l'acquisition du bien-être. Il lui fallait avant tout songer au commerce, à l'industrie, tenus pour l'essence même du progrès de l'humanité. Et, pour ce progrès, par ce progrès, amener inévitablement la catastrophe qui vient d'anéantir tant d'efforts. Enfin, nous du moins sommes saufs[(q)].

Il se tait. Ses paupières se relèvent. Ses yeux sont gris-bleus et semblent regarder au loin des choses qu'on ne voit pas.

[(r)] L'impatiente voix du jeune homme reprend :

– Mais enfin, monsieur Hébert, si vous voulez que l'on vous comprenne, expliquez-vous plus clairement. Je ne

---

[3] La comparaison de l'infiniment petit et de l'infiniment grand appartient à Pascal. Toutefois, à la question «qu'est-ce que l'homme dans la nature?» Pascal, dans les *Pensées* (72), répond : «Un néant à l'égard de l'infini, un tout à l'égard du néant, un milieu entre rien et tout». Bugnet, par contre, s'attarde plutôt sur l'homme «infime atome d'évanescente poussière».

me sens pas encore rassuré, moi[s].

– Mon jeune ami, pour peu que l'on y eût prêté attention, il était cependant bien facile de percevoir, dès le milieu du dix-neuvième siècle, que l'homme, pour ce qu'il estimait les nécessaires besoins de la civilisation, allégeait de plus en plus l'hémisphère nord en alourdissant l'hémisphère sud[t]. Un seul arbre vert est loin d'être léger. Songez alors quel énorme poids était posé par tant de ces grandes forêts que l'homme blanc a cru bon d'anéantir, surtout dans l'Amérique du nord[u]; et quel celui, plus énorme encore, de l'eau qu'elles retenaient au sol ombragé par leurs cimes. Qui pourrait évaluer les pesantes masses de ces vastes débordements qui, de toutes ces terres déboisées, chaque année[v], ravageant tout sur leur parcours, emportaient d'un élan au sein des mers les flots des neiges fondues au printemps et ceux des grandes pluies des autres saisons?... Or ces eaux, en grossissant les océans, s'y répartissaient également, partout. Un regard sur la carte terrestre montrait que l'hémisphère sud possédait les trois-quarts des mers. C'était donc, avec cet afflux des eaux, le sud qui s'alourdissait de plus en plus à mesure que s'en allégeait le nord...

– Oui, ce me semble juste. Quand on y pense... [w]

De plus, à combien de milliards de tonnes s'élevait la perte de poids avec l'incessante extraction du charbon, du pétrole, réduits en fumée dans les usines, les locomotives, les navires, les millions de foyers domestiques?... Il faudrait encore ajouter au déséquilibre les interminables transports métallurgiques de toutes sortes, fer, fonte, acier, cuivre, plomb, qui partaient[x] des grands centres industriels du nord pour s'en aller peser dans le sud... Tout compte fait, je ne suis point surpris de constater ce subit abaissement de température en plein été ni de voir cette chute de neige. Logiquement, l'axe de la Terre a dû changer et[y] le pôle nord doit se rapprocher d'ici.

– Ce sont vraiment, monsieur Hébert, d'effrayantes

suppositions que vous faites là. Comment[z] pouvez-vous déduire que c'est vers nous que le pôle se déplace?

– Parce que, d'après les lois de la pesanteur, c'est toujours la partie la plus lourde qui se tourne vers le centre d'attraction. Ce centre, pour notre globe, c'est le soleil. Donc, pour la terre, sa partie plus légère[aa], naturellement, doit reculer à l'opposé. En conséquence, l'équateur a dû glisser plus loin dans le sud plus lourd, et passe à présent plus bas en Afrique, sur l'Atlantique, et, en Amérique, plus bas peut-être que Buenos Ayres (sic), tandis que sur le Pacifique et en Asie il remonte[bb] plus au nord. La Sibérie deviendrait alors, tel qu'autrefois[cc], un pays tempéré. Si, comme je le suppose, le pôle nord pivote maintenant[dd] en quelque endroit non loin de l'Islande, le cercle polaire désormais s'installera près de notre fleuve Saint-Laurent, s'incurvera vers le sud de l'Angleterre, pour remonter ensuite vers le nord, plus haut que les terres de la Sibérie. Le pôle sud, lui, s'est sans doute rapproché de l'Australie occidentale dont le climat sera beaucoup moins chaud. En tout cas[ee], puisqu'ici les eaux baissent, c'est que ce terrible raz de marée se retire. Vraisemblablement il abandonnera la plupart des terres qu'il a noyées, mais leur climat, pour des siècles et des siècles, sera semblable à celui des contrées polaires, à celui qu'habitaient les Esquimaux ou les Lapons.

– Alors, c'est la fin de tout... de tout ce qui était.

– Pourquoi serait-ce la fin de tout, même ici-bas? Comme par le passé, d'autres civilisations, ailleurs, remplaceront celle qui cesse et qui, je le crains, sera tenue comme responsable de cette catastrophe par sa puérile avidité, son impitoyable ravage des présents de la nature, telle une sorte d'insectes voraces et dévastateurs. Pour ceux qui, comme moi, croient au progrès de l'humanité, il est logique de prévoir que la civilisation suivante sera supérieure, œuvre de races plus viriles que les précédentes, moins rapprochées de l'animal, aux âmes plus hautes, plus aptes à se déprendre du matériel pour monter vers le spirituel.

– Toutes vos spéculations, monsieur Hébert, peuvent être justes. Mais dans tout cela, nous, qu'allons-nous devenir?

– Nous redescendrons avec les eaux. Il est fort probable qu'il doit y avoir d'autres survivants, peu nombreux peut-être; mais les pays qui ont échappé à la catastrophe enverront sûrement des hommes et du secours vers les régions dévastées. Peut-être devrons-nous émigrer vers un climat plus chaud. Peut-être sommes-nous appelés à devenir ici les parents d'un peuple nouveau... Dieu seul le sait...[ff]

La neige encore, une tempête de neige drue, opaque, s'abat maintenant sur l'îlot. Je ne vois plus rien... Je n'entends plus rien...

Le visionnaire avait cessé de parler. L'un de nous lui demanda :

– À quelle époque surviendra ce cataclysme?

Et il répondit :

– Peut-être dans quelques siècles... Peut-être dans quelques jours... Je ne sais pas[gg].

Annexe

Historique de la conscience environnementale

Ce n'est qu'après la Deuxième Guerre mondiale, et devant les dégâts provoqués par la rapide croissance économique, que les scientifiques commencent à prendre conscience de l'environnement. Sous la pression qu'ils ont exercée, et avec l'appui des citoyens concernés, les divers gouvernements se sont vus forcés de s'intéresser à la question en créant des ministères de l'environnement et des «organismes ad hoc». C'est ainsi qu'ont été créés le Ministère de l'environnement du Canada (1970) et le Ministère de l'environnement de l'Alberta (1971). Une douzaine d'années plus tard, à la suite d'une recommandation de l'Assemblée générale des Nations-Unies (1983), «la Commission mondiale sur l'environnement et le développement» a été formée sous la présidence de Madame Gre Harlem Brundtland (Première Ministre de la Norvège). Le Rapport de la Commission ou «Rapport Brundtland» a été déposé en 1987[4].

Bugnet avait-il vu juste? Pour toute réponse, nous nous permettons de citer quelques extraits du Rapport Brundtland[5].

> *La Commission insiste sur le besoin de reboisement massif. Cette recommandation démontre une vision globale car le reboisement produit plusieurs améliorations simultanées : rétention de l'eau dans les nappes phréatiques pour les périodes de sécheresse, réduction de l'érosion des sols, inondations réduites, protection du cycle du carbone et régulation du climat continental (p. XV).*

---

[4] Cinquante ans exactement après la parution de la «Vision» de Bugnet.

[5] La Commission mondiale sur l'environnement, *Notre avenir à tous*, Montréal, Québec, 1988. Ouvrage publié originellement en langue anglaise sous le titre *Our Common Future*, Oxford University Press, 1987.

> *Pour pouvoir anticiper et prévoir les agressions contre l'environnement, il faut tenir compte de la dimension écologique des décisions, au même titre que des dimensions économiques, commerciales, énergétiques, agricoles et autres. [...] Cette indispensable réorientation constitue l'un des grands défis des années 90 et au-delà (p.12).*
>
> *[...] Environnement et développement ne sont pas deux défis distincts : ils sont liés, inexorablement (p. 43).*

Ainsi se justifient d'une part, le titre : *Une Vision* et d'autre part, l'attitude de Bugnet-voyant: «Ses yeux [...] semblent regarder au loin des choses qu'on ne voit pas».

Variantes

[a] La version originale [V.O.] donnait : la flamme **parsème les feuille**s mouillées...

[b] V.O. : **Sous** les yeux ouverts...

[c] V.O. : une adolescen**ce**...

[d] «des fauteuils», ajouté à la version originale.

[e] V.O. : lentement **à l'entour** de l'horizon.

[f] V.O. : elle **f**oudroie le sol...

[g] V.O. : se redressent **et** regardent.

[h] «un professeur», ajouté à la version originale.

[i] «un conférencier», ajouté à la version originale.

[j] V.O. : il ne manque pas d'autres montagnes, **et** dans notre Est canadien **même**, que les eaux n'ont pas dû submerger.

[k] V.O. : nos contrées orientales de l'Amérique et celles de l'Europe.

[l] «mon jeune ami,» ajouté à la version originale.

[m] Le texte original ajoutait ici : Malheureusement, la plupart des hommes ressemblent à cet imprévoyant millionnaire qui entreprit de se bâtir un somptueux palais au pied d'un volcan que l'on pensait mort. Il vit flamber son édifice au milieu d'une éruption de laves incandescentes et il s'en fallut de peu qu'il perdît sa propre vie.

[n] Dernière phrase ajoutée à la version originale.

[o] V.O. : me semble en effet fort **probable**,...

[p] V.O. : élargir ses pensées **à la mesure des cieux**, l'homme...

[q] Dernière phrase ajoutée à la version originale.

[r] Paragraphe requis dans la nouvelle version.

[s] Dernière phrase ajoutée à la version originale.

[t] V.O. : allégeait de plus en plus **la surface de** l'hémisphère nord en alourdissant **celle de** l'hémisphère sud.

[u] V.O. : Songez alors quel énorme poids était posé par tant de ces grandes forêts que l'homme a cru bon d'anéantir, et quel celui, plus énorme encore... Dans sa nouvelle version, Bugnet précise qu'il s'agit de l'homme **blanc** et ajoute une incise.

[v] «de toutes ces terres déboisées,» ajouté à la version originale.

[w] Réplique ajoutée et paragraphe requis dans la nouvelle version. V.O. : que s'en allégeait le nord... De plus, à combien de milliards de tonnes...

[x] V.O. : qui p**o**rtaient des grands centres industriels...

[y] «l'axe de la Terre a dû changer et», ajouté à la version originale.

[z] V.O. : **Mais** comment pouvez-vous déduire...

[aa] V.O. : c'est le soleil. La partie plus légère,...

[bb] V.O. : il **s'établit** plus au nord.

[cc] «, tel qu'autrefois,» ajouté à la version originale.

[dd] «maintenant», ajouté à la version originale.

[ee] «En tout cas», ajouté à la version originale.

[ff] Dernière phrase ajoutée à la version originale.

[gg] V.O. : Le visionnaire avant cessé de parler. L'un de nous demanda :

– À quelle époque surviendra un cataclysme?

– Peut-être dans quelques siècles… Peut-être dans quelques jours… Je ne sais pas.

2. Une Version de l'Atlantide[1]

À monsieur Guy Sylvestre

Comme le titre l'indique, il s'agit de l'Atlantide – cette île fabuleuse – et de la survivance hypothétique des Atlantes, femmes séductrices, cruelles et dangereuses.

Sur ce canevas, ponctué par des personnages humains, Bugnet introduit quelques récits d'aventures où les protagonistes sont alors des dieux et des héros mythologiques. Mais quel que soit le passé – ancien ou récent – qu'il évoque, la lutte entre le Bien et le Mal, entre «le désir et la raison», est toujours présente. Le Mal dont la source est l'impiété est symbolisé par la séduction, la vengeance et la cruauté; le Bien par la foi, l'honneur et l'amour de Dieu.

Il est intéressant de noter que le lecteur d'*Une Version de l'Atlantide* retrouvera les mêmes aventures, les mêmes personnages et la même idéologie que dans *Le Lys de sang* (1923). Bugnet reprend intégralement, dans ce conte, des passages entiers de son roman, notamment l'histoire du marchand d'esclaves; des femmes qui ont tenté de lui résister parce qu'elles «n'étaient point de la race de Cham» mais qu'il a réussi à faire égorger; de la femme qu'il a épargnée et qui a vengé la mort des autres par le truchement de fleurs mortelles. Bugnet reprend également l'histoire du captif italien; et finalement le duel entre la femme satanique et le narrateur, porteur de l'Amour divin. [THÈMES : Le Bien et le Mal. Le désir et la raison.]

Depuis qu'est ouverte la grand'route entre les États-Unis et l'Alaska, elle déverse à Edmonton, l'une des

---

[1] *Gants du Ciel*, Éditions Fidès, Montréal, septembre 1944, n° 5, pp. 17-31.

principales villes qu'elle coupe, une nouvelle humanité d'où, parfois, surgit l'étonnant.

L'hiver dernier, me trouvant dans cette ville, j'y achevais[(a)], dans un restaurant très ordinaire, mon repas du midi. Ne reprenant le train qu'à cinq heures j'avais goûté ce repas sans plus me hâter que le silencieux inconnu assis en face de moi à la même table. Entre trente et trente-cinq ans, il était plutôt grand, avec une sorte d'athlétique nonchalance, blond, le visage imberbe, d'assez beaux traits, des yeux noirs, prudents. Il venait d'allumer un cigare lorsqu'un autre inconnu s'approcha vivement et, à mi-voix, en français, lui dit :

– Départ remis à ce soir... huit heures.

Du même ton discret, mon commensal[2] avait répondu :

– Bien. J'y serai.

L'autre, ne m'ayant accordé qu'un rapide coup d'œil, s'en alla. Leur accent m'avait appris qu'ils n'étaient probablement pas Canadiens. Je fus intrigué. On ne rencontre pas fréquemment des Français de France à Edmonton. J'osai demander :

– Seriez-vous, monsieur, l'un de ceux qui ont échappé à l'envahisseur allemand[3]?

Posant le menton sur le revers des doigts de sa main gauche, le coude appuyé sur la nappe, de la main droite il retira son cigare. Son regard se lia au mien. Je me sentis mesuré, soupesé. Il retourna la question :

– Et vous-même, monsieur, qui êtes-vous?

Je me nommai.

---

[2] Personne qui mange habituellement à la même table avec une ou plusieurs autres.

[3] Conte écrit en 1944. Référence à la Deuxième Guerre mondiale, à Adolphe Hitler.

– L'écrivain... vraiment? Alors je ne me trompais pas. Je vous trouvais en effet une parfaite ressemblance avec la photographie publiée l'autre jour dans l'*Edmonton Journal**. Moi, je suis Robert Sinclair.

Ainsi lancée, la conversation fut poursuivie, d'abord à cette table, puis dans ma chambre du Cécil Hôtel*, où j'invitai mon compagnon à venir fumer un autre cigare. – Sous ce nom qui pouvait aussi bien passer pour anglo-saxon, je soupçonnais une personnalité déguisée qui m'attirait.

Encore que mes interrogations fussent discrètes, il n'y donnait guère que d'évasives réponses, mais, peu à peu, et rassuré sans doute par ma discrétion, il laissa transparaître, avec un esprit fort cultivé, cette précision de connaissances où se décèlent les grands voyageurs. Entre autres aventures il avait dû faire partie de cette fameuse colonne du général Leclerc qui, traversant le Sahara du sud au nord, vint cerner l'armée de Rommel et, avec les alliés, la refouler jusqu'au final anéantissement[4]. Appartenait-il au service de ravitaillement? Information? Diplomatie? – Je l'ignore.

Notre causerie s'étant tournée vers la littérature, nous avions parlé de Loti. J'eus vite perçu que mon inconnu avait sur le Japon, et Angkor, et Stamboul, un savoir plus que livresque. Passant à un autre romancier, j'interrogeai :

– Avez-vous lu l'*Atlantide*[5]?

– Oui, monsieur, comme tout le monde.

– Qu'en pensez-vous?... Oh! je n'ai qu'admiration quant à l'art littéraire de Pierre Benoit, mais...

---

[4] La bataille d'El-Alamein, menée par le maréchal britannique Bernard Law Montgomery en octobre 1942, avait repoussé les troupes de Rommel jusqu'à Tripoli. C'est là que Leclerc – après avoir traversé le Sahara en provenance du Tchad – rejoint Montgomery le 2 février 1943, pour la campagne de Tunisie contre Rommel.

[5] Roman de l'écrivain français Pierre Benoit (1886-1962) *L'Atlantide* a gagné en 1919 le grand prix du roman de l'Académie française.

– Je devine, dit-il, le sens de votre «mais». Vous estimez que l'auteur dépasse les bornes de la crédibilité[(b)].

– N'est-ce pas votre avis?

– Je ne sais pas. Plus d'une fois j'ai rencontré l'incroyable, l'inexplicable, et dans cette contrée-là, notamment, le mystérieux s'attache à vous comme une substance matérielle.

– Quoi! Admettriez-vous l'existence de l'Atlantide[6]?... Tiendriez-vous donc pour vraie cette conjecture d'une survivance de races disparues... et cette singulière figure de femme, dominatrice, voluptueuse, cruelle...

– Encore une fois, je ne sais pas. Ce que je puis affirmer est que, il n'y a pas très longtemps, choisi parce que je possède la langue arabe, j'étais au pied de ces hautes montagnes, dressées au centre des sables du Sahara. J'y avais affaire à des tribus dont on ne sait encore presque rien. Mais il valait mieux les avoir pour amies que pour ennemies. Je vous assure qu'en les quittant, et bien que mon Atlantide fût autre que celle de Pierre Benoit, je ne pouvais guère douter de sa réalité.

– Vous l'auriez vue?

– Non, mais sentie, ou, plus exactement, ressentie.

Et, fort intéressé, j'écoutai ce récit que, le soir même, je me hâtai de reproduire dans mon journal. Le voici :

Avant d'atteindre ce pays je fis la rencontre d'un missionnaire. Il me conseilla la prudence. Toutes sortes d'histoires menaçaient de mort celui qui s'avancerait trop. Il me conta la suivante.

Il y avait autrefois, dans Tripoli* de Barbarie, un riche

---

[6] Selon Platon, cette île fabuleuse qui aurait existé dans l'océan Atlantique 9 600 ans av. J.-C., aurait disparu en un jour à la suite d'un cataclysme. Des découvertes assez récentes la situent dans la mer Égée, à l'emplacement de l'île Santorin.

marchand arabe, qui achetait, parmi les tribus du sud, les plus belles esclaves qu'il pouvait se procurer, pour les revendre aux harems de Constantinople. Il était très redouté, à cause de son caractère déloyal et cruel. Or, il advint qu'un jour où il traversait avec son escorte une vallée de ces montagnes, il y rencontra des femmes qui recueillaient leurs provisions des fruits du jujubier. Il voulut les faire enlever par ses gens. Mais elles n'étaient point de la race soumise de Cham*. Elles résistèrent désespérément. Le chef arabe, pris de colère, les fit toutes égorger, à l'exception d'une seule, qui était d'une remarquable beauté et qu'il résolut d'épargner et de garder à son propre service. Cette femme, dont il comprenait le langage, lui prédit une mort horrible. «Les hommes de mon peuple, dit-elle, trouveront les ossements blanchis de mes compagnes, et ils t'enverront les âmes de ces mortes, et elles danseront autour de toi la danse du sang, et elles te dévoreront vivant.» Un an s'écoula, jour pour jour. La nuit suivante, comme le marchand arabe, dans sa riche maison de la côte, dormait sur un divan, ayant près de lui son esclave, des formes rouges, qui ressemblaient à de grandes fleurs sanglantes, surgirent de l'obscurité, autour de lui, immobiles. C'étaient les âmes des mortes qui venaient à leur proie. Elles le regardaient de leurs yeux invisibles où une sorte de phosphorescence diffuse, verdâtre, apparaissait et s'effaçait tour à tour. Puis elles se mirent à danser lentement, ondoyantes, autour de celui qui dormait, lui frôlant le visage de lueurs furtives et de contacts, légers et froids, comme d'une neige rouge, et qui laissaient des taches de sang. Réveillé par cette sarabande, fou de terreur, il essaya de s'enfuir. Mais les âmes tournoyaient à l'entour de sa tête en ronde si vertigineuse qu'il vacillait, se heurtait en aveugle aux meubles et aux murs. Il finit par se coucher, la face contre terre, pour échapper à cette vision épouvantable. L'esclave, qui jusqu'alors avait froidement contemplé ces choses, se leva et lui arracha ses vêtements. Et elle vit l'essaim tournoyant des âmes des mortes s'abattre sur le corps de l'homme et se mettre à le dévorer vif. Il ouvrit la bouche pour crier, mais il n'en sortit qu'un râle d'agonie, car une des âmes y était entrée et lui rongeait la langue et la gorge. Au matin, l'esclave avait disparu, et on ne trouva dans la chambre de la riche maison, au milieu d'un débris de meubles et d'objets précieux, qu'un squelette dont les ossements étaient rayés de stries rouges et vertes et où il ne restait plus que des lambeaux de chair saignante.

Poursuivant ma mission, je contournai par l'est la grande forteresse montagneuse et j'arrivai le lendemain aux premiers contreforts. Je laissai là le méhari[7] qui m'avait porté à travers les sables. L'un de mes devoirs était de gagner à notre cause la plus grande partie des Touaregs*. Une amitié de plusieurs années me liait à l'un de leurs chefs. Il vint au devant de moi. Je revois cette veillée où nous causions tous deux, enveloppés d'une brume épaisse, rougeâtre aux reflets de notre brasier. Il ne se contenta pas de me prêcher la prudence. Il me pressa de retourner sur mes pas. Il m'assura que nous pouvions compter sur une bienveillante neutralité, qu'on nous approvisionnerait, à prix raisonnable – et son offre comprenait non seulement l'eau, chose essentielle au désert[(c)], mais une large quantité de dattes et de viandes salées et fumées – sous condition que notre armée n'entrât pas dans leurs territoires et qu'elle poursuivît sa marche sans délai. Mis en éveil par son insistance sur ma personnelle sûreté, je lui demandai pourquoi, seul comme je l'étais, on m'empêcherait d'aller jusqu'à la principale autorité. Il me répondit qu'il avait reçu l'ordre de m'en dissuader. Lui-même n'avait jamais été admis au centre des montagnes; à plus forte raison un étranger. Et, aux dernières lueurs du brasier qui s'éteignait, alors que sur son grave visage passaient tour à tour des tressaillements d'ombres et de clartés, il parla ainsi :

– Mon ami, je crois qu'il se passe là-bas, sur les hauts lieux de Djebel Ahaggar*, des choses effrayantes. On dit

[7] Dromadaire domestiqué et dressé pour les courses rapides.

qu'il y a là-bas des magiciens qui font apparaître les démons et les forcent, par leurs incantations, à entrer dans le corps des hommes, des animaux, des plantes, comme il est raconté dans les anciens livres. On dit qu'ils font sortir le feu de la terre, et pleuvoir du ciel sur les récoltes de leurs ennemis des trombes d'eaux enflammées et des nuées de vapeurs embrasées. On dit qu'un jour un homme à visage blanc qui, sans peur, s'était avancé jusqu'aux grands monts, voulut renverser les idoles qu'on y adore. Les magiciens le chassèrent et le maudirent. Il s'en alla, se moquant de leurs dieux et de leurs malédictions. Quelque temps après, comme il dormait dans la maison de pierre d'un chef qui l'avait accueilli, on l'entendit pousser des cris terribles, qui réveillèrent tout le village. Et, poursuivi par une femme rapide comme une gazelle, que nul n'avait jamais vue, on le vit passer, courant, nu. Sur son dos, une fleur énorme, rouge comme du sang, et qui paraissait vivante, palpitait, collée à sa chair comme par des tentacules. Et la fleur avait des yeux verts qui éclairaient la face de l'homme qui courait. Longtemps, des hurlements de douleur retentirent au loin, dans le silence de la nuit. Au jour, les plus braves firent une battue, et ils trouvèrent le cadavre, agenouillé, le front au sol, les bras étendus en croix, avec la fleur sanglante, molle et flétrie, qui enveloppait le torse, comme une gaine. Quand ils osèrent le toucher ils s'aperçurent qu'il était léger comme une écorce sèche. La fleur avait sucé jusqu'à ses chairs, et il n'était plus qu'une peau vidée, creuse, comme ces coques[8] de chenilles dont la larve est sortie.

Ce qui, dans ces fantastiques récits, me paraissait plus inexplicable encore que tout le reste, c'était l'importance qu'y prenait la femme. Dans les contrées musulmanes, elle n'a jamais le premier rôle. L'homme y est toujours le maître, le dominateur, le vainqueur. Était-il donc possible que les cimeterres* de l'Islam eussent ici dû reculer devant un peuple plus ancien, un peuple admirateur de la femme

[8] Cocon. Vieux mot qui n'est plus compris ni employé dans ce sens.

et qui mettait ses déesses au même rang que ses dieux? Et c'est alors que j'en vins à me demander si cette Atlantide, que comme tout le monde j'avais tenue pour une pure fiction romanesque, n'aurait pas vraiment quelque réalité. Plus surprenante encore fut l'émotion, étrange, nouvelle pour moi, peu imaginatif, dont à partir de ce moment je me sentis de plus en plus fortement possédé; une obsession exaltante, tenace. J'étais comme attiré, absorbé, corps et âme, par l'image intérieure d'une figure séduisante, à demi voilée. Afin d'y échapper, je m'efforçai de penser à mon pays, à la douceur de ma mère, à la pure enfant dont l'amour était ma vie. J'eus beau lutter, j'étais ballotté comme une épave au milieu des flots tourmentés par une grandissante tempête. Et ainsi, malgré l'avertissement de mon ami, je marchai plus avant. Plusieurs autres cheiks vinrent à moi avec les mêmes promesses d'assistance, et la même urgence à me détourner.

Un soir, avant de m'endormir, je fus visité par une bizarre hypnose. Peut-être n'était-ce là qu'un rêve, une sorte de cauchemar, mais il avait une telle intensité qu'il me parut d'abord la réalité même.

Le début en fut obscur. Les scènes étaient vagues[(d)] et figuraient un antique passé. Ce dont je me souviens plus nettement c'est qu'il y fut représenté divers personnages de la fable mythologique : les Sirènes*, Circé* qui transformait en bêtes les hommes, le Minotaure* et Thésée*, Hercule* et les Centaures, l'Hydre de Lerne*, et d'autres souvenirs des classiques grecs[9]. Parmi ces personnages, j'entrais, j'avais un rôle. Je me retrouvais sous les traits de Jason* et je buvais un philtre préparé par Médée*. Puis je voyais Persée* devant la déesse Pallas*, et Pallas le mettait en garde contre Méduse*, la Gorgone* dont les yeux fascinaient et pétrifiaient celui qui la regardait. Et j'avais

---

[9] Dans *L'Odyssée* d'Homère, on retrouve les Sirènes, Circé et Ulysse. Ce dernier, ainsi que Thésée, figurent dans plusieurs des œuvres de Sophocle, d'Euripide, ainsi que dans *L'Enfer* de Dante. Le personnage de Thésée figure également dans la pièce de Racine, *Phèdre*.

l'impression que Persée, c'était moi.

La vision devint ensuite plus claire. Elle représentait, sans dessin continu, des souvenirs plus récents : mon dernier repas à la table de ma mère... mon départ... les pleurs mêlés au sourire dans les yeux de celle que j'aimais. Les héros et les dieux ne s'y retrouvaient plus.

Puis une image plus nette apparaît : c'est un lac que je connais bien. Mais, à l'encontre du réel, ses aspects sont à la fois précis et successifs. Tantôt il rayonne d'une paix lumineuse, et la gloire azurée d'un ciel pur s'y plonge et rejaillit. Tantôt il se bouleverse de colère sous l'insulte de la rafale, et ses vagues se soulèvent, se pressent, s'entre-croisent et se disloquent, comme les muscles d'une face convulsée de rage. Puis il reprend son teint lustré, chatoyant, transparent, et regarde, avec une joie nouvelle, et reflète les collines paisibles qui s'y mirent, immobiles et sereines comme lui.

Et voici qu'une nouvelle image s'y présente.

Sur la plage, au bord des eaux, comme dans la fable grecque, une Andromède* attend un Persée. Au lieu d'un roc, c'est un pin gigantesque à quoi elle est attachée, aux basses branches, par les poignets liés au-dessus de sa tête. Elle paraît comme endormie, sans inquiétude. La chevelure sombre, dénouée, cache à demi le visage penché sur l'épaule. Mais je sens que cette Andromède immobile au soleil n'est pas la fille de Céphée*. Je sais qui elle est, et j'ai conscience qu'il dépend de moi qu'elle soit délivrée.

De la sérénité des eaux émerge une forme vague, un être sans consistance, un Protée* indéfinissable où des phosphorescences diffuses, verdâtres, apparaissent et s'effacent tour à tour. Cette forme semble se tendre, lentement, inexorablement, vers la captive endormie. Et, à mesure qu'elle avance à la surface des eaux, elle accroît sa cohérence. Peu à peu, cela représente confusément une ébauche de gorgone, quelque chose comme l'antique Méduse qui s'efforce de revenir au monde. Des ailes y naissent, diaphanes, rayées de nervures, pareilles à celles des libellules. Elles s'allongent vers les cieux, se déploient, deviennent immenses. Elles demeurent immobiles sous le soleil comme la double voile qui, sans un souffle de vent, fait glisser, sans hâte, vers le rivage, cet être énigmatique. Une tête saillit et se redresse. Le visage est suffusé[10] de haine. Les yeux, à reflets verts, étoilés d'or, sont fixés sur leur proie. La chevelure, d'abord fauve, se teinte de nuances livides. Il s'y forme des tresses pendantes, et ces tresses ressemblent aux tentacules de ces autres méduses qui flottent à la surface des mers.

Sous le soleil, sur la sérénité des eaux calmes, elle s'approche sans qu'aucun sillage ride la surface. Et, lorsque cette apparition aborde la rive, la captive s'éveille tout à coup et se débat désespérément. Elle tente d'arracher ses poignets aux liens qui les meurtrissent. L'autre, de ses yeux verts, implacables et froids, la regarde et attend.

Comme subjuguée par l'intense détermination de ce regard, l'Andromède s'apaise, se raidit et fait face. Je reconnais l'expression posée de ces yeux bleu sombre à demi cachés sous les longs cils. Dédaigneuse, elle toise le monstre immobile à quelques pas d'elle. Et, sans qu'aucune ouvrît la bouche, dans leur silence j'entendis ce dialogue :

– Gorgone, qu'as-tu fait de Persée?

– Je l'ai dévoré.

– Tu mens.

– Tu es belle... mais c'est moi qu'il aime.

– Tu mens.

– Oui, je suis le mensonge... Si tu meurs, il m'aimera... Et tu vas mourir.

– Si je meurs, il ne t'aimera pas. Il saura venger ma mort.

[10] Néologisme, probablement de suffusion : (terme médical) épanchement d'un liquide organique, hors du vaisseau le contenant.

– Il ne la connaîtra pas.

– Tu mens. Il la saura, parce qu'il m'aime.

L'horrible tête se tend. Les deux grandes ailes frémissent jusqu'au haut.

– Il t'aime?... Il t'aime?... tiens-tu donc à mourir? Donne-le-moi. Je te laisserai vivre.

– Non. Il est à moi. Je le garde.

La Gorgone soudain s'élança. Plus rapide encore, je me trouvai devant elle...

Et à ce moment, mes yeux la cherchant dans la nuit, je compris qu'il n'y avait eu là rien d'autre qu'une abstraite et étrange hallucination.

J'avoue qu'avec cette sorte d'envoûtement mes nerfs, et pour la première fois, avaient perdu leur habituelle solidité. La quinine était sans effet. Je décidai, au lieu d'avancer, de reculer temporairement, afin de voir si j'y retrouverais mon état normal. Sans revenir sur mes pas, je m'écartai vers le nord-est. J'y fis une curieuse rencontre.

Il y a dans ces contrées d'antiques villes dont il ne reste que des ruines. Dans l'une d'elles je découvris un marabout[11], mais qui n'était pas solitaire car il avait un serviteur. Le maître était un grand vieillard fort cultivé. On venait de très loin pour le consulter. On m'avait parlé de lui comme d'un saint. Il me reçut courtoisement et m'invita à partager sa frugale collation. Le serviteur apporta des figues, des olives, des dattes, du miel, et un excellent café.

Ici, l'extraordinaire était que cet anachorète[12] musulman gardât à son service un étranger, un roumi[13], et d'une race ennemie, fort probablement un Italien. Malgré que

---

[11] Pieux ermite, saint de l'Islam, dont le tombeau (Koubba, littéralement «coupole») est un lieu de pèlerinage.

[12] Religieux contemplatif qui se retire dans la solitude.

son habit ne fût plus guère qu'un haillon, j'y pouvais reconnaître la tunique des bersaglieri[14]. Durant une assez longue conversation, où mon hôte m'approuva de n'être venu chercher dans ces pays qu'une amicale neutralité, son compagnon demeura debout, immobile, sans paraître nous entendre, les yeux perdus en songe. Il était court et trapu, avec un visage encore jeune, mais sa barbe et ses cheveux étaient tout blancs. À la fin, devinant mon étonnement, son maître me dit en souriant :

– Il vous paraît sans doute singulier que je garde cet homme auprès de moi. C'est un pauvre être inoffensif, faible d'esprit. Il ne trouble pas ma solitude. Il ne comprend que quelques mots d'arabe et, si j'entends un peu sa langue, je ne la possède point assez pour la parler. Je l'ai recueilli, hâve et décharné, mourant de soif et de faim. Il s'est attaché à moi. Le renvoyer serait cruauté. Jamais il ne pourrait, seul, traverser le désert... Sauriez-vous l'italien?

Et sur ma réponse affirmative, il ajouta :

– Il ne le prononce qu'en hésitant, comme s'il l'avait oublié. Tout ce que j'ai pu comprendre de lui c'est qu'il a dû lui arriver, dans les monts du sud-ouest, quelque terrible aventure où, déjà blessé et longtemps maltraité, il a perdu la raison. Ce n'est pas la première fois que j'entends parler de ces choses. J'ai voulu les pénétrer, mais on m'a fait savoir qu'il valait mieux pour moi les ignorer et n'en point approcher. Peut-être... si vous pouviez mieux que moi comprendre mon serviteur...

Et je sentis s'accroître encore cette hantise qui n'avait jamais cessé. Mon cœur se prit à battre. Ma gorge devenait sèche. Qu'allais-je apprendre?

Je regardais l'homme. Je lui dis quelques mots en italien. Il se retourna vers moi, l'air étonné, et commença

[13] Nom par lequel les musulmans désignent un chrétien, et généralement un européen.

[14] Bugnet choisit l'orthographe italienne. S'écrit en français bersagliers : soldats italiens de l'infanterie légère, reconnus pour l'excellence et la rapidité de leur tir.

de me répondre. Patiemment, je le rassurai. Et, au bout de quelque temps, mais tremblant, se couvrant parfois des mains les yeux et le front, voici l'incohérent récit qu'il bégaya :

«Après une bataille... nous étions vaincus... en désordre... dispersés... un cercle de cavaliers arabes nous entoura. Ils me lièrent avec un de mes amis, parce que nous étions tous les deux blessés... nous n'avions pas pu mourir... Ils nous emmenèrent, loin, vers les frontières du sud, à travers les sables, loin, toujours plus loin, jusqu'à des montagnes... au milieu des hautes montagnes dont les sommets portent le ciel... Et, après bien des jours, quand notre corps fut guéri, quand le sang ne coula plus de nos blessures, mon ami et moi nous avons échappé à nos gardiens, et nous sommes partis vers le nord, du côté de la mer. Et plusieurs jours nous avons erré à travers les monts, et les vallées, et les rochers... Mais d'autres hommes nous saisirent, car nous n'avions pas d'armes, et nous étions épuisés par la fatigue et par la faim... Et ces hommes nous traînèrent vers une ville, au milieu de ces montagnes, et là, les peuples adorent des idoles, et ils voulurent nous offrir en sacrifice à leurs dieux, et mon ami fut désigné le premier... Je ne l'ai jamais revu... Je ne sais plus... Je crois que c'était plusieurs jours après... On m'emmena dans une grande maison... dans une grande salle... La nuit... pas tout à fait la nuit... on m'attacha à une colonne... Il y avait des fleurs rouges, et des morts pâles, et des squelettes blancs... Et ces fleurs rouges croissaient sur les corps de ces morts pâles... Et toutes ces fleurs et tous ces morts, dans la nuit, étaient devenus vivants... Et il en sortait des reflets verts... on ne les voyait presque pas... Et alors... j'ai vu les squelettes blancs qui se levaient, et les têtes des morts qui montaient sur les os de leurs épaules, et sur les vertèbres de leur cou... Et, sur ces ossements qui s'étaient relevés, les fleurs se posaient, et leur faisaient une chair rouge... Et j'ai vu ces morts rouges, et les morts pâles, et les fleurs, qui s'avançaient devant moi... et ils dansaient autour de moi... et ils me touchaient... et ils m'étouffaient avec leur poison... Alors j'ai prié, et j'ai remis mon âme à Dieu... Et Dieu m'a pris mon âme... Et il envoya celle qui m'a sauvé. Elle est venue. Elle portait une lampe. Elle avait une dague dans la main... Elle l'enfonçait dans les morts, et dans les fleurs rouges, et elles retombaient mourantes sur les squelettes blancs... Et elle a posé sa lampe, et sa dague, sur une grande table de pierre, où il n'y avait ni fleurs rouges, ni morts pâles... Et alors elle m'a délié. Elle m'a parlé dans ma langue. Elle m'a dit de m'en aller et de ne plus revenir... Elle était bien belle... Et ensuite des hommes sont entrés. Elle leur parla, en colère, mais je ne comprenais plus. Et ils m'ont emmené dans une autre maison. Et ils m'ont donné du vin, et aussi de la manne. Et quand il fit jour, que je revis le soleil, le beau soleil, ils m'ont conduit au bas des montagnes. Et ils m'ont donné un sac d'olives. Et j'avais sur la poitrine un signe qui effrayait. Et tous s'écartaient de moi... Et, ne comprenant point ces choses, j'ai marché... Je suis venu jusqu'ici. Et mon maître n'a pas eu peur de moi. Il a eu soin de moi. Il m'a gardé...»

Ce soir-là, ne voulant point abuser de la générosité de mon hôte ni gêner ses longues dévotions, je cherchai à quelque distance et choisis pour y dormir, à cause de la chaleur persistante et pour éviter les scorpions, le toit plat, couvert de sable, d'une antique maison, basse et carrée, encore entière quoique cernée de ruines. Je m'étendis sur ma couverture, mais je ne parvenais pas à trouver le sommeil. J'étais travaillé d'un désir presque insurmontable : repartir au jour, là-bas, dans le sud-ouest, vers les hautes cimes. J'avais, avec un esprit agité, passionné, une âme sans force, appesantie, comme repoussée sous une ombre épaisse, lourde, immobile, d'où parfois émergeaient deux yeux qui me fixaient doucement. Les prunelles, vert et or, avaient une expression d'appel, d'attente : mais leur fond demeurait impénétrable. Et, encore une fois, je fus repris par une singulière hallucination.

Je me trouvai transporté dans un vallon de France que je connais bien, dans un îlot boisé, cerclé d'une plage sableuse. Cet îlot est tout auprès de la rive orientale du lac, là où la berge, en falaise abrupte, est surmontée de la vieille église où vont souvent s'agenouiller ma mère et celle que j'aime.

Il fait nuit, une nuit tranquille et silencieuse. L'ombre y est à peine rayée par les tremblants reflets des étoiles à la surface des eaux. Humide de rosée, le foin fraîchement coupé près de l'église parfume autour de moi la pureté de l'air.

Assis sur le sable de la plage, je regarde dans l'onde, au milieu des roseaux, deux étoiles jumelles, à reflets vert et or, qui montent lentement du fond à la surface, et elles émergent, pareilles à des yeux.

Et ces yeux s'allument d'un feu grandissant. Et une lente flamme en sort, qui les dévore; puis elle se transforme en une grande corolle de fleur, ardente et rouge, qui fait la nuit plus obscure encore.

Et, de cette corolle de flamme s'élève, comme un pistil, sans hâte, la forme blanche d'une femme. Sa tête est renversée sur les mains croisées à la nuque, les cheveux fauves retombent dénoués , les yeux attirants sont ombrés de longs cils, les lèvres entrouvertes ont un indéfinissable sourire. Engainée jusqu'à la taille par la fleur ardente, cette apparition palpite et oscille, comme les roseaux qui l'entourent, sous un souffle que je ne sens pas.

Et ses lèvres parlent : – Je suis la Femme, je ne suis pas l'épouse. Je ne suis pas l'amour, je suis la passion. Dès le commencement, j'étais. Je suis la source de la vie, et je suis la source de la mort. Adam m'a connue, et j'étais l'Ève qui lui tendit le fruit défendu, et j'étais sa vie, et la source de toutes les vies, et je fus sa mort, et la source de toutes les morts. J'étais la fille de l'homme et je fus la vie des fils de Dieu, et leur mort. En Chaldée, on me nommait Ishtar; en Égypte, Isis. La Grèce m'a chantée dans Aphrodite et dans Hélène, et Rome m'adorait dans Vénus. Et, sur toute la face de la terre, les hommes, devant moi, se prosternent, et je suis l'Idole. Tout être humain me porte en soi, et je fais ma proie de ceux qui m'aiment, ma proie heureuse.

Et j'entendis en moi des paroles qui répondaient : – ... Ceux qui t'aiment... Femme, que sais-tu de l'amour et de la mort? Plus haute que le chant des filles de la terre, une voix a été entendue, et les hommes ne redoutent plus la mort, parce qu'ils ont appris l'amour éternel, celui qui fait leur âme plus forte que la chair, l'amour qui est la source de leur vie, et cet amour ne connaît plus la mort.

Alors je vis la fleur ardente et rouge peu à peu s'éteindre, la femme devenir translucide. Et, de sa chair, il ne resta plus qu'un squelette d'os desséchés et blanchis, et un crâne où les orbites émettaient d'intermittentes lueurs vertes. Puis ces ossements s'évanouirent dans les ténèbres.

Et ce fut la nuit, une nuit tranquille et silencieuse, où l'ombre était doucement irradiée par les tremblants reflets des étoiles à la surface immobile des eaux.

Le lendemain matin, il y eut encore une dernière et rude lutte entre le désir et la raison. La raison, enfin, domina. Ceux qui m'avaient envoyé attendaient mon retour; assurément, si j'avais disparu, un autre m'aurait remplacé, mais peut-être eût-il reçu moins bon accueil. Par ma faute une entreprise importante, déjà hasardeuse, pouvait devenir impossible. Mon devoir s'imposa. Il m'arracha. Il m'emporta.

Et pourtant, de combien peu s'en est-il fallu que je risque mon honneur et ma vie pour atteindre, jusqu'au coeur de ces hautes montagnes, et dévoiler cette figure, et les rites secrets qui la protègent....

Variantes

[a] V.O. : j'y ache**t**ais...

[b] V.O. : **crédulité.**

[c] V.O. : chose essentielle au **départ**...

[d] V.O. : les scènes **d'abord** étaient vagues...

3. Le Conte du bouleau, du mélèze et du pic rouge[1]

D'après une ancienne relation, écrite par un gentilhomme aventurier[(a)]

Le Conte du bouleau, du mélèze et du pic rouge – inspiré d'une légende indienne – a fait l'objet, en 1980, d'un film fixe[2] qui a remporté un premier prix à New York. [THÈMES : Le Bien et le Mal.]

Il était une fois – et il y a de cela si longtemps, si longtemps, que ni les bouleaux ni les mélèzes n'existaient encore – un Sachem* qui régnait sur six royaumes. Quand il réunissait son conseil, on y pouvait voir les princes les plus fameux du monde. Il en arrivait des bords de l'Athabaska, de la rivière aux Liards, des rives de la Saskatchéouanne[(b)] du Nord et même d'au-delà des Montagnes Rocheuses. Il ne se peut rien imaginer de plus beau que la riche tente qu'habitait ce grand roi, et on ne saurait se faire une idée des fêtes qu'il y donnait chaque hiver, car, pour la belle saison, il l'employait à livrer des batailles à d'autres rois qui étaient jaloux de sa puissance.

Il n'est pas douteux que ce qui attirait le plus de monde à ces fêtes et ce qui en faisait sans contredit le plus

---

1 *Le Canada Français*, Québec, mars 1932, vol. XIX, n° 7, pp. 526-538.

2 Film fixe (70 images); couleur : 35 mm + cassette sonore (17 minutes). Office national du film du Canada, Montréal.

bel ornement, c'était la fille du Sachem. Cette princesse était si belle, si belle, que tous les gentilshommes qui la voyaient une fois en demeuraient éperdument amoureux. Elle était grande et souple. Ses cheveux, qu'elle portait en petites nattes enroulées autour de sa tête, étaient noirs et lisses. Ses yeux tantôt doux comme ceux d'une biche blessée, tantôt vifs et malicieux comme ceux d'un renard, étaient les plus beaux yeux du monde. Ses mains et ses pieds, qu'elle avait d'une petitesse incroyable, et son adorable visage, étaient d'une ravissante nuance légèrement brun-rouge(c). Mais, lorsqu'elle jouait à la paume, ses filles d'honneur, non sans surprise, avaient découvert qu'au-dessus du poignet son bras était d'une teinte plus claire, rosée comme la neige au lever du soleil(d).

Ses parures étaient merveilleuses : de belles robes en peau d'orignal(e) bien assouplie et travaillée par les plus habiles ouvrières de la cour et où se voyaient d'admirables figures, faites de menues écailles d'or, chacune percée de deux petits trous et cousue à la robe avec la fibre la plus fine des nerfs de l'élan. Ces figures représentaient à s'y méprendre les animaux tutélaires de la nation : le castor, le lièvre, la martre, le vison, et une foule d'autres qu'il serait trop long d'énumérer. En hiver elle mettait encore, par-dessus sa robe d'été, un grand manteau de fourrure d'hermine, rehaussé de griffes d'ours des montagnes, de toutes sortes de plumes d'oiseaux rares et d'une infinité d'autres colifichets qui en faisaient le plus admirable manteau qui se soit jamais vu.

Si l'on ajoute à cela qu'elle parlait et dansait à ravir, il est aisé d'imaginer que cette princesse était plus belle et plus brillante que tous les astres ensemble.

J'allais oublier de dire que la reine sa mère, qui était morte en lui donnant le jour, avait demandé au Sachem qu'il donnât à leur enfant, au baptême, le nom de Ouaskouaï*. Le grand roi, qui n'en avait point de meilleur en tête, et qui le trouvait bien sonnant, malgré que ce fût un néologisme, promit à la reine qu'il serait ainsi fait. C'est pourquoi cette belle princesse était connue dans tout l'univers sous le nom de : la merveilleuse Ouaskouaï.

Le Sachem, qui était resté veuf inconsolable, vieillissait dans la gloire de ses victoires et dans la joie qu'il avait d'être aimé d'une fille aussi belle. Il eût été assez heureux si le temps n'avait pas marché. Mais, avec les années, il lui fallut songer à se choisir un successeur, et la princesse Ouaskouaï commençait à s'impatienter de rester fille. Elle avait maintenant dépassé sa dix-neuvième neige et pressait souvent son père de lui choisir un époux parmi la foule innombrable des prétendants. À cela, un jour, il répondit :

– Ma chère fille, je n'en connais pas à qui j'accorderais votre main plus volontiers qu'au prince Parpartis.

La princesse, qui ne s'attendait point à ce choix, demeura tout interdite et ne répondit rien.

– Oui, reprit le Sachem, je veux faire du prince Parpartis mon successeur. On ne saurait trouver homme plus habile et plus sensé. Personne comme lui ne connaît les sources fraîches et abondantes où il convient d'installer les wigwams* lorsque les ruisseaux tarissent et que l'eau des rivières et des lacs devient chaude et pleine d'herbes. En outre de cela, il a découvert fort ingénieusement le moyen d'attirer le feu des pierres de silex dans des mottes de mousse sèche, et nos loges maintenant restent chaudes durant l'hiver. Vous me feriez un grand plaisir, ma mie, d'agréer ses galantes avances. Je l'estime l'homme le plus capable de faire votre bonheur et celui de mon peuple.

– Cela, mon père, vous plaît à dire, lui répondit la princesse; et elle en demeura là.

Le roi disait vrai, oui il disait vrai, n'en déplaise à plusieurs des historiens qui ont rapporté les faits d'une manière partiale en faveur de la princesse. Ils ont prétendu qu'on ne trouve nulle part ailleurs la preuve que le prince Parpartis fût l'inventeur du feu. Ils n'ont pas réfléchi à deux choses que la suite de ce récit prouvera jusqu'à l'évidence : la première, que le prince était le seul à porter de fins petits éclats de pierre à feu dans les tresses de ses cheveux; la seconde, qui, pour n'être pas une preuve matérielle, forme néanmoins une solide preuve morale, est que l'empereur des bons génies mentionna le fait d'une manière fort assurée. Or, tout le monde sait que le moindre des génies en sait plus que le plus savant des hommes, et que par conséquent le grand empereur des bons génies devait assurément connaître les faits mieux que personne au monde.

À part cela, tous tombent d'accord que le prince Parpartis était guerrier fameux et politique habile. Le vieux Sachem se conduisait souvent par ses avis et allait même quelquefois tenir le conseil dans ses appartements. Comme le prince avait une facilité incroyable à dire mille choses sensées et à les dire d'une manière fine, aisée et naturelle, il entraînait tous les esprits. Malheureusement il n'était pas aussi agréablement tourné de sa personne qu'il eût pu le souhaiter. Il était de petite taille, trop large aux épaules, et son nez était si long et si pointu qu'on lui disait souvent par manière de plaisanterie qu'il s'en devrait servir en guise de couteau. Mais à cause qu'il était courageux, qu'il était toujours courtois et qu'il avait dans toutes ses actions je ne sais quoi de spirituel et de charmant, on ne s'apercevait pas qu'il lui manquait de la beauté.

Or, il advint l'année suivante une grande disette par toute la contrée. Beaucoup de seigneurs du royaume qui n'avaient jamais paru à la cour jugèrent à propos de faire comme les autres et de profiter de la libéralité du Sachem. Cette affluence d'un si grand nombre de personnes ne tarda pas à devenir ruineuse pour le garde-manger royal. On n'avait pas encore atteint le milieu de l'hiver que toute la provision de pemmican* y était passée.

Le Sachem ne savait qu'imaginer. Il ordonna qu'on fît des pâtés de lièvre, des tourtes d'orignal, et mille autres mets excellents et rares. Il envoya une armée de chasseurs traquer le gibier pour sa cuisine. Mais il ne laissait pas de ressentir quelque inquiétude, car la neige, qui aide les chasseurs, n'était pas encore venue.

Cependant, parmi les nouveaux arrivés, il se présenta un prince qui alla faire sa révérence au Sachem avec tout le respect et la politesse imaginables, puis il s'inclina devant la princesse Ouaskouaï et dit :

– Ave, betula mirabilis.

– J'aimerais, monsieur, répondit-elle, savoir ce que cela signifie.

– Cela, madame, est du latin qui veut dire : j'ai bien l'honneur de vous saluer, merveilleuse Ouaskouaï.

La princesse demeura toute surprise de tant de savoir et ne sut que répondre.

– Dans cette même langue latine, madame, mon nom serait Larix; mais en langue vulgaire on me nomme Ouakinakan.

– Ce latin-là est bien joli, finit par dire la princesse en rougissant.

Le prince Ouakinakan, qui n'avait jamais rêvé tant de succès, se retira très flatté. Pour la princesse, elle le trouva sur l'heure l'homme du monde le plus beau, le mieux fait et le plus aimable qu'elle eût jamais vu. À un teint d'un beau rouge bruni[f] il unissait deux yeux noirs et perçants qui l'avaient fait tressaillir d'un émoi nouveau. Il portait, suivant la mode des gentilshommes de ce temps-là, ses cheveux en deux nattes, qu'il avait fort lisses et fort roides. Et quand elle songeait que ce prince savait du latin, ce dont aucun autre seigneur ne se pouvait vanter, elle demeurait comme éblouie.

Ici, quelques auteurs vont jusqu'à dire que le prince Ouakinakan était si savant qu'il pouvait réciter par cœur, sans se tromper, l'alphabet grec depuis l'*Alpha** jusqu'au *Lambda**. Mais d'autres, dont nous partageons l'avis, soutiennent que cela était alors impossible pour ce que, le grec n'étant pas encore parlé sur la terre, ce prince n'en pouvait donc pas connaître l'alphabet, fût-ce à moitié. À quoi les premiers répliquent qu'en tel cas il ne pouvait non plus savoir du latin. Mais les autres, dont nous sommes, répondent qu'assurément il est surprenant qu'une personne, fût-elle un prince, pût avoir en des temps si reculés des connaissances aussi merveilleuses, mais que, d'autre part, à vouloir élucider à fond toutes les questions où il se rencontre du mystère, il ne resterait bientôt plus rien à chercher. On voit de suite qu'on éliminerait ainsi un des principaux intérêts de la vie, qui en resterait diminuée d'autant, excepté peut-être pour les écoliers paresseux, et les sots qui s'imaginent savoir déjà tout. Une conséquence plus ruineuse encore serait que, l'intelligence n'ayant plus assez où s'exercer, elle s'apetisserait bien vite, et nous deviendrions bêtes comme les bêtes.

Quoi qu'il en soit, la princesse Ouaskouaï devint si follement éprise du prince Ouakinakan qu'elle cherchait toutes les occasions de le voir et de lui parler. Le prince Parpartis ne laissa pas d'en être alarmé et d'en avoir le cœur tout triste. Un soir qu'il dansait avec elle le passe-pied* il lui dit :

– Je suis, madame, bien malheureux de vous voir m'en préférer un autre. Que vous ai-je fait pour me plonger tout d'un coup dans les plus amères douleurs?

– Si j'avais, monsieur, dit-elle, affaire à un homme sans esprit, je me trouverais bien embarrassée. Mais comme celui à qui je parle est l'homme du monde qui a le plus d'esprit, je suis sûre qu'il entendra raison.

– Madame, répondit-il en s'inclinant profondément, je serais le plus sot des mortels si, dans une chose où il y va du bonheur de ma vie, je ne défendais pas ma cause de mon mieux. Le prince Ouakinakan...

– Je vous prie, monsieur, dit sèchement la princesse, de ne pas m'aborder sur ce sujet. Au reste, votre long nez a manqué de m'éborgner.

Elle le quitta brusquement et il demeura si troublé qu'il s'en fut à l'aventure errer dans les bois. Sa douleur était si extrême qu'il n'est point de termes capables de l'exprimer.

Cependant les festins continuels qu'entraînait la présence de tous ces prétendants commençaient d'alarmer la prudence du Sachem. Le gibier devenait rare et, pour comble d'infortune, les lièvres prenaient déjà les marques de la maladie qui les décime environ tous les sept ans.

Le roi tint un conseil secret avec les grands de ses états et il y fut décidé que le seul moyen d'éviter la famine était de marier la princesse au plus vite et de renvoyer tout ce monde après les noces. Le Sachem goûta fort cet avis. Le lendemain il fit venir sa fille et dit :

– Ça, ça, voyons, ma chère enfant, n'êtes-vous pas encore décidée? Ne vous plaît-il point recevoir le seigneur Parpartis pour époux?

– S'il vous plaît, mon père, je ne suis point pressée d'être mariée.

– Ah! D'où vient chez vous ce changement, ma mie?

– Je ne sais encore qui choisir, répondit la princesse, les yeux baissés.

– Ouais, dit le roi, seriez-vous assez effrontée pour avoir un autre choix que le mien? Allez! Si dans huit jours vous ne revenez pas me dire que vous consentez à épouser mon fidèle Parpartis, je vous ferai fouetter comme une petite fille opiniâtre[g].

Et le roi était si en colère, si en colère qu'elle s'enfuit vers sa chambre avec la vitesse d'une biche poursuivie par des chiens.

Il est aisé d'imaginer le désespoir de cette pauvre princesse. Elle fit aussitôt mander la plus discrète de ses filles d'honneur et lui enjoignit d'aller trouver le seigneur Ouakinakan et de lui dire qu'il était attendu à un certain carrefour de la forêt voisine.

En cela, la princesse savait fort bien qu'elle se conduisait fort mal, car les filles ne doivent jamais donner des rendez-vous à des garçons. Elle délibéra quelque temps, considérant qu'il pourrait lui arriver malheur de se mal conduire, mais son dépit était si fort qu'elle ne put le surmonter. Elle se rendit donc au lieu convenu.

Or, il se trouva qu'à cet endroit même, l'enchanteur Matimanito*, qui était empereur des mauvais génies, y faisait sa sieste. Sans y prendre garde, la princesse lui marcha sur la queue qu'il avait longue, toute tortillée, et fort sensible, bien qu'elle fût invisible. Cela l'éveilla de fort méchante humeur. Suivant son habitude, il se garda bien de se montrer, mais, afin de se venger, il parsema tout l'air des pensées les plus sournoises qu'il portait en sa giberne*.

La princesse les respirait et cela lui montait si fort à la tête qu'elle en était tout étourdie. Lorsque le prince Ouakinakan arriva à son tour, il en respira ce qui restait. Ravi de la rencontrer ainsi toute seule, il aborda la princesse avec beaucoup de courtoisie.

– Vous voyez, madame, le plus heureux des mortels.

– Et vous voyez, monsieur, la plus infortunée des mortelles. Le roi mon père veut m'obliger d'épouser le prince Parpartis, que je n'aime pas et que je trouve horriblement laid.

Là-dessus elle éclata en sanglots et versa des torrents de larmes. Le prince se crut obligé de la soutenir de son bras, cependant que Matimanito* les écoutait, tout à leur côté, qui se frottait gaillardement les mains et faisait danser à sa queue une invisible sarabande qui soulevait des tourbillons de poussière. Il se sentait devenir de très belle humeur.

La princesse était tellement hors de soi qu'elle eût voulu s'enfuir à l'instant même avec le prince. Mais il lui conseilla d'être prudente, et de ne rien précipiter, l'assura que, si elle voulait de lui pour époux, il serait ravi de faire tout au monde pour lui éviter toutes les peines et la combler de toutes les félicités. Le vrai est qu'il redoutait fort le courroux du Sachem, et ne pouvait, sur l'heure, découvrir aucun moyen de s'y soustraire sûrement.

Enfin, après s'être dit mille choses fort tendres, ils se séparèrent sans avoir pris de décision, mais ils se donnèrent un nouveau rendez-vous. Ils se revirent ensuite chaque jour au même endroit, et l'enchanteur Matimanito de son côté y revenait assidûment, avec une nouvelle provision de pensées toutes plus mauvaises les unes que les autres.

Le huitième jour approchant, ils eurent une dernière entrevue. La princesse avait un air d'inquiétude extraordinaire. Ils se renouvelèrent tous leurs serments, et la princesse, le visage tout mouillé de pleurs, assura qu'elle se tuerait plutôt que d'épouser le prince que son père lui destinait. À ces mots le prince Ouakinakan perdit presque la tête de douleur, et à son tour voulut emporter de force la princesse aux confins du monde.

– Non, monsieur, dit-elle, mon père nous y poursuivra, car sa colère sera sans mesure. Tuez-moi plutôt sur l'heure et mettez un terme à ma fatale destinée.

– Encore, madame, que je fusse assez barbare pour vouloir vous obéir, ma propre main se retournerait plutôt contre moi.

– Hélas! monsieur, si demain je vois encore la lumière, et si le prince Parpartis est encore vivant, rien ne pourra empêcher que je devienne son épouse. Il faut donc de toute nécessité, ou que je meure, ou qu'il meure. C'est à vous de choisir. Je reviendrai ici dès que tout dormira dans les loges et vous attendrai jusqu'à la petite pointe du jour. Si vous ne m'apportez point la chevelure de ce prince qui fait mon malheur, on ne retrouvera ici que les restes sans vie de la plus infortunée des princesses.

Là-dessus elle s'enfuit, laissant le prince Ouakinakan bouleversé au-delà de ce que l'on peut dire.

Il y a des gens qui ne veulent pas tomber d'accord qu'une princesse si bien élevée et un prince qui savait si merveilleusement le latin eussent pu nourrir de si noirs desseins.

Ces gens accusent les historiens les plus sérieux d'avoir sciemment, et d'un commun accord, fait violence à la vérité qui en serait restée toute défigurée.

Cependant il n'y a rien qui doive surprendre quand on saura que le prince Parpartis était le protégé de Kitsé-manito*, l'empereur des bons génies, qui faisait une guerre continuelle à l'enchanteur Matimanito. Il est donc fort vraisemblable que celui-ci, pour faire pièce à* l'empereur des bons génies ne manqua pas de profiter d'une si belle occasion qui s'offrait à lui.

D'autres même ajoutent encore à cela que Matimanito haïssait particulièrement le prince Parpartis à cause que c'était à lui-même que ce prince avait dérobé le secret du feu. Il y a sur ce sujet un grand nombre de récits apocryphes*, fort intéressants, mais où il entre trop de merveilleux pour qu'on les puisse recevoir dans un conte sérieux. Toutefois, presque tous s'entendent pour assurer que ce fut par les conseils mêmes de Kitsé-manito que le prince put parvenir à dérober le secret du feu au rusé Matimanito.

Quoi qu'il en soit, il n'est que trop certain que le prince Ouakinakan ne put surmonter la tentation qui assaillait son esprit et son cœur, et, cette nuit-là se trouvant fort noire, elle lui sembla propice à l'exécution d'un dessein qui l'était aussi. Sans balancer davantage, dès que tout fut endormi, il marcha vers la tente du prince Parpartis, dont il connaissait d'une façon certaine l'emplacement. Arrivé là, il demeura fort embarrassé, car il ne savait pas le moins du monde comment pénétrer à coup sûr jusqu'à celui dont il voulait accourcir les jours sans qu'il se fît d'éclat. Il ne savait que résoudre[h].

Ce fut le prince Parpartis qui donna lui-même le signal de sa mort. Il avait la déplorable habitude de ronfler, tant que la nuit était longue. Ce soir-là il fut quelque temps à s'endormir, parce que la pensée du bonheur qu'il attendait pour le lendemain le tenait fort agréablement éveillé. Mais enfin ses yeux se fermèrent, et il commença aussitôt de ronfler. De sorte qu'alors le prince Ouakinakan n'eut pas la moindre peine à l'approcher. Il lui enfonça promptement son poignard dans la gorge, puis, lui ayant arraché la chevelure, il s'enfuit vers la princesse.

Les personnes des loges voisines s'étonnèrent bien un peu de n'être pas gênées davantage par les ronflements du prince, mais tous pensèrent que l'imminence de son mariage avec la plus incomparable des beautés était chose bien suffisante à expliquer ce changement dans ses habitudes. Aucun n'eut l'idée de l'aller troubler dans ce qu'on s'imaginait être une méditation silencieuse et ce ne fut que fort tard le lendemain matin que, personne ne l'ayant encore vu paraître et l'heure de la cérémonie étant presque sonnée, un de ses familiers osa soulever la toile de sa tente et découvrit son lit tout baigné de sang. Mais du prince Parpartis on ne put trouver nulle trace.

Toute la cour fut bientôt dans un émoi qu'il est aisé d'imaginer, surtout quand on apprit encore de source certaine que le prince Ouakinakan et la princesse Ouaskouaï elle-même étaient introuvables. Ce qui est très sûr, au reste, c'est qu'aucun d'eux ne fut jamais revu sous la forme humaine.

Ces nouvelles annoncées coup sur coup au vieux Sachem lui firent un tel étonnement qu'il en tomba à la renverse et se heurta le crâne si fort qu'il en mourut peu de jours après.

Ici encore se rencontrent des malcontents qui soutiennent que ce récit devrait logiquement finir ici, puisque tous les personnages principaux sont, ou morts, ou disparus. Si ces personnes avaient réfléchi avant de se prononcer, elles auraient aperçu qu'à peu près toute l'Histoire, sauf pour quelques cas assez rares, ne parle que de personnages tout à fait morts, ou du moins tenus pour tels. Quant aux disparus, ils n'y perdent point en intérêt, au contraire.

Nous continuerons donc notre récit et suivrons l'opinion la plus commune parmi les savants auteurs qui ont récemment déchiffré un très ancien manuscrit de ces époques reculées. Il faut en outre avouer que ce manuscrit est malaisé à lire, parce qu'il est écrit en caractères invisibles, dont seule la nécromancie*, science très difficile, donne la clef.

Or donc, le prince Ouakinakan ayant pris la chevelure du prince Parpartis s'en fut retrouver la princesse Ouaskouaï dans la forêt. Comme il faisait fort sombre, il ne parvenait pas à la voir, et il n'osait pas l'appeler de peur de faire tout découvrir. Ce ne fut qu'à la petite pointe du jour qu'ils se rencontrèrent et la princesse reconnut aussitôt que les cheveux étaient bien ceux du prince Parpartis, à cause des petits éclats de pierre à feu qui s'y trouvaient et qu'elle savait bien que lui seul avait le privilège d'y porter.

– Je vous ai, prince, dit-elle, une obligation extrême. Maintenant il nous faut aller mettre en sûreté, fort loin, jusqu'à ce que la colère du roi mon père soit passée.

Ils s'enfoncèrent à travers la forêt et marchèrent vers les contrées du nord tout ce jour-là, et le suivant, et le jour d'après, et beaucoup d'autres jours encore.

Ils étaient arrivés dans un pays si loin, si loin, que le soleil n'y atteignait pas. Là, on ne voyait dans un demi-jour que de grands marécages gelés et des plaines couvertes de mousse(i), et il y faisait si nuit et si froid qu'aucun arbre n'y pouvait grandir.

Ils s'y croyaient bien à l'abri de toute surprise

lorsqu'une nuit – il le faut bien puisqu'il n'y avait pas de jour – le ciel se mit à neiger horriblement. Le vent était si grand que le prince et la princesse en étaient presque jetés à terre. Ils pensèrent mille fois mourir de froid. Ils s'étaient assis au bord d'une tourbière de mousse, lorsqu'ils virent tout d'un coup deux yeux, sans corps, qui les regardaient.

Dame! qui fut surpris? La princesse pensa s'évanouir de frayeur et le prince Ouakinakan mourait d'envie de s'enfuir. Cependant, comme il ne pouvait le faire sans y perdre l'honneur, il s'apprêta à vendre chèrement leur vie; mais il ne savait comment se battre contre deux yeux qui n'avaient pas de corps.

À ce moment une aurore boréale éclaira le ciel d'une grande lumière, la tempête cessa, et ils virent venir à eux une troupe innombrable de génies tous plus brillants l'un que l'autre. Celui qui était à la tête de cette armée d'esprits était de beaucoup le plus glorieux. Il avait l'aspect d'un chef vieil et sage et ses vêtements étaient si beaux que jamais la princesse ni le prince n'en avaient rêvé de pareils. Sa taille dépassait les plus grands arbres de la terre. Il s'arrêta avec toute sa troupe au-dessus du prince et de la princesse. Il était entouré des guerriers les plus célèbres de toutes les nations et le vieux Sachem, père de la princesse, était à sa droite habillé de son plus beau manteau royal, et le prince Parpartis à sa gauche, qui avait la tête et la gorge[j] encore tout ensanglantées.

Les deux coupables ne doutèrent pas que ce fût là l'empereur des bons génies, Kitsé-manito. Ils levèrent leurs bras vers lui pour implorer leur pardon. D'une baguette qu'il avait à la main, il toucha le prince Ouakinakan et la princesse Ouaskouaï, qui se sentirent tout d'un coup gelés et privés de mouvement. Ensuite il dit, et sa voix était comme un tonnerre :

– Princesse, vous n'avez pas su devenir utile durant votre vie, vous le serez désormais en dépit de vous. Je veux vous changer en arbre, puisque ces contrées en sont dépourvues, et vous aurez une nombreuse postérité, toute semblable à vous[k]. Votre écorce aura la couleur blanche et rose de votre corps, vos racines la couleur de vos pieds, vos branches la couleur de vos doigts[l]. Mais, comme vous êtes femme, je vous laisserai votre taille souple et élancée, vos rameaux seront fins et élégants et les hommes vous trouveront encore gracieuse et belle.

À ces mots il toucha une seconde fois la princesse avec sa baguette et elle se sentit métamorphosée. Ses pieds devinrent des racines, ses jambes se joignirent en une seule, tout son corps s'allongea, s'allongea, sa tête rentra dans ses épaules, ses bras et ses doigts se divisèrent en branches, mais, comme on était en hiver, il n'y poussa pas de feuilles. Et ce fut le premier bouleau qu'on eût jamais vu.

Comme on peut le penser, la princesse fut bien mortifiée. Elle regrettait maintenant d'avoir été si cruelle, mais cela ne lui servit de rien.

– Princesse, reprit la grande voix, puisque votre cœur était si dur, votre bois le sera aussi, et pour ce que vous avez fait couler le sang du prince qui avait trouvé la flamme qui réchauffait les loges dans l'hiver, les hommes feront couler votre sève, qui deviendra couleur de sang[m], et elle les guérira du froid et des rhumes. Pour ce que vous fûtes cause de la mort de celui qui savait les sources fraîches où se désaltérait mon peuple préféré aux journées chaudes de l'été, vous-même souffrirez sans cesse de la soif. Vous chercherez toujours les endroits humides, sans pouvoir vous désaltérer jamais. Et si vos enfants cherchent les collines chaudes et sèches, ils y dépériront de soif. Comme vous avez eu la cruauté de faire arracher le scalp de mon ami Parpartis, à votre tour vous perdrez vos feuilles avant l'hiver, vous frissonnerez toute dénudée sous la bise, votre écorce s'en ira en lambeaux, et souvent les hommes de mon peuple vous l'arracheront pour s'en faire des canots et beaucoup d'autres choses utiles. Enfin, puisque vous avez voulu vous nourrir de mauvaises pensées, vous serez à votre tour rongée de vers sous votre écorce et vous nourrirez par là mon ami le prince Parpartis qui aura ainsi sa juste vengeance.

Là-dessus, il toucha aussi de sa baguette ce prince, qui était à sa gauche, et, tout aussitôt, un bel oiseau, au long bec, paré d'une jolie huppe écarlate et d'une gorgerette* de même couleur, vola sur le bouleau qu'il se mit diligemment à frapper de son bec, à coups nombreux et pressés.

– Quant à toi, Ouakinakan, reprit l'empereur des bons génies, comme tu fus méchant pareillement, ta peine aussi sera pareille.

Il le toucha de sa baguette et, comme la princesse Ouaskouaï, le prince Ouakinakan fut changé en un arbre. Et ce fut le premier mélèze qu'on eût jamais vu.

– Toi aussi, dit encore la grande voix, tu rechercheras les endroits humides pour calmer ta soif, qui restera insatiable. Toi aussi tu souffriras du froid et tu perdras ton feuillage avant l'hiver. De ta sève aussi, qui sera comme la liqueur qui coule des blessures qui se ferment, les hommes feront des remèdes contre les maladies du froid et ton écorce servira à cicatriser leurs plaies. Mais comme tu es un homme, et puisque c'est par ta main qu'a coulé le sang, puisque ton cœur n'était pas droit et qu'il a cherché des voies sournoises et détournées, ta forme sera moins gracieuse, tu paraîtras plus raide et plus rude; ton écorce aura la couleur du sang, ton bois sera de la couleur des plaies qui se cicatrisent, il sera noueux, dur, contourné, il résistera longtemps aux morsures du temps et, même quand tu seras mort et desséché, tu donneras aux loges de mon peuple préféré une flamme durable et chaude.

Là-dessus tous les génies s'envolèrent laissant sur la terre le bouleau, le mélèze et le pic à tête rouge, qu'en langue de ce pays on a toujours appelés depuis : Ouaskouaï, Ouakinakan et Parpartis.

Les deux premiers eurent une longue vie malheureuse, et ils eurent beaucoup d'enfants aussi malheureux qu'eux-mêmes.

Le prince Parpartis eut aussi beaucoup d'enfants, mais il fut toujours heureux, et ses enfants sont bien les plus gais et les moins frileux des oiseaux du monde.

Variantes

[a] Dans la version originale, l'annotation était complétée par le texte suivant : revue et corrigée par Georges Bugnet.

[b] V.O. : **rivières** de la Saskatch**ewan**

[c] «légèrement» a été ajouté à la version originale.

[d] Dernière phrase [**Mais, lorsqu'elle jouait... soleil**], ajoutée à la version originale.

[e] V.O. : robes **de cuir** d'orignal...

[f] «d'un» beau rouge bruni..., ajouté à la version originale.

[g] «fille», ajouté à la version originale.

[h] V.O. : Il **resta là fort longtemps** et ne savait que résoudre.

[i] Article «des», ajouté à la version originale.

[j] V.O. : **sa** tête et **sa** gorge...

[k] V.O. : **tout** semblable à vous.

[l] V.O. : la couleur **de vos bras et** de vos doigts.

[m] V.O. : qui **sera de la** couleur **du** sang...

Deuxième partie

Théâtre

4. La Défaite[1]

Bugnet, en pleine rédaction de son roman, *La Forêt*, interrompt son travail au printemps 1934 pour composer «La Défaite», et participer au Concours Carnegie organisé par l'Université de l'Alberta.

Cette pièce en un acte remporte le premier prix, et passe sur les ondes de CKUA en avril 1934. Comme le faisait remarquer l'un de nos étudiants, «La Défaite» peut être considérée comme une bande-annonce pour présenter *La Forêt*.

Nous y retrouvons, en effet, non seulement les personnages principaux (voir annexe), mais de façon beaucoup plus serrée et poignante, la crise centrale du roman : la lutte de l'homme contre la nature.

Comme dans le roman, la pièce qui se termine par la défaite des Bourgouin devant l'hostilité de la forêt, révèle également «un visage nouveau, celui de la victoire de ceux qui [comme les Roy] cherchent dans la nature l'objet d'une féconde communion et non d'une ambition égoïste[2]». Tom Watt, pour conclure cette pièce, précise à Roger (et au public) que pour : «vivre avec la nature, [...] et n'y point perdre, il faut être de ses enfants. Les autres, ajoute-t-il, [...] elle les repousse, et parfois rudement, sans pitié».

Sur le plan du style, Bugnet a su adapter le niveau de langue à ses personnages. C'est ainsi que Louise parle de son *mari* et Madame Roy de son *vieux*; celle-ci estime que Roger est *un bon travaillant*, celle-là déplore qu'il soit devenu un infatigable *tâcheron*. Les canadianismes et les régionalismes

---

1 *Le Canada Français*, Québec, vol. XXII, n° 1, septembre 1934, pp. 40-58. Le texte original indiquait : Pièce en un acte par Georges Bugnet.

2 Papen, Jean, *Georges Bugnet*, Saint-Boniface, Éditions des Plaines, 1985, p. 168.

alternent avec le français normatif, non seulement pour distinguer l'origine des Roy de celle des Bourgouin, mais pour mettre l'emphase sur leur conception différente de la nature.

Document historique, certes, auquel Bugnet a su insuffler une dimension humaine. Le rappel discret de son expérience de journaliste en France, l'évocation des difficultés qu'il a rencontrées comme colon, les frustrations qui menacent son mariage, le souvenir de la mort de son fils Paul... font de *La Défaite* un témoignage devant lequel nul ne peut rester indifférent. [THÈMES : Autobiographie. Culture. Nature. Pionniers.]

Personnages

ROGER BOURGOUIN, 32 ans, colon albertain, homesteader*, *tenue négligée, barbe de trois ou quatre jours.*

TOM WATT, 78 ans, encore solide, garde-chasse. Diction calme.

LOUISE BOURGOUIN, 23 ans, vêtement simple, d'une seule teinte, bleu foncé, qui trahit le dénuement.

MADAME ROY, 56 ans, «habitante», doit avoir, au début, un tablier.*

FIGURANTS, un enfant de deux ans (ou un mannequin); quelques voisins; au besoin, un chien.

Décor

La scène se passe, en 1905, dans une région neuve, boisée, en Alberta. À gauche, le devant d'une maison faite de troncs d'arbres, avec une porte. Au delà et à côté de la porte, une table grossièrement construite sur laquelle il y a un seau d'eau et une tasse. Deux chaises vulgaires. Au fond et à droite, la forêt. Les acteurs entrent et sortent par la droite.

Scène I

ROGER, *soutenant sa femme, tous deux entrant de droite* – Tu es à bout de force, ma pauvre Louise. Pourquoi courir ainsi au milieu des bois et t'imposer tant de fatigue, toi qui depuis deux mois es déjà si faible? C'est vraiment trop d'imprudence.

LOUISE – Oh, mon bébé, mon cher petit Paul, mon pauvre petit bébé! Et voici la nuit qui va venir... Comment veux-tu, Roger, que je puisse être tranquille pendant qu'il est perdu?

ROGER, *faisant asseoir sa femme* – Mais nous allons le retrouver, ce petit Canadien. Tous les nouveaux colons, nos voisins, viennent d'arriver. Il y a maintenant quinze hommes à sa recherche. Pourquoi te faire tant d'inquiétude? Un enfant de deux ans n'est pas capable d'aller bien loin; et, en plein été, il ne peut courir aucun danger. Tu vas voir qu'on le découvrira endormi au milieu de quelques buissons[a] de fruits sauvages, un petit paquet de sommeil sur un lit de mousse.

LOUISE – Oui... Mais la forêt est si grande... et il est si petit...

ROGER – N'importe. À quinze hommes, c'est une affaire d'une demi-heure, d'une heure au plus. Reste ici, et repose-toi. Veux-tu quelques gorgées d'eau fraîche? (*Il lui offre une tasse d'eau, elle boit un peu, et lui aussi.*)

LOUISE – Mon Dieu, mon Dieu, que je suis lasse!... Non, vraiment, après cela, je ne pourrai plus supporter cette vie. Dès que notre enfant sera retrouvé, il faudra nous occuper de tout préparer pour quitter le pays. Depuis que nous sommes arrivés en Alberta, – trois ans, Roger, ces trois éternelles années depuis 1902, – ah, j'y ai trop souffert. C'est trop dur. Je n'en puis plus. Oh, m'en aller de cette terre qui m'a si longtemps tenue comme dans une prison... en sortir! Pouvoir enfin en sortir!...

ROGER, *lui prenant la main* – Voyons, Louise, tu as du chagrin; tu es tout à fait découragée parce que notre enfant s'est égaré; et puis, tu es malade. Mais il faut être raisonnable. Notre argent est à présent tout épuisé. Où voudrais-tu que nous puissions aller avec quelque chance de succès? Ici, sur ce homestead, nous sommes sûrs du vivre et du logement. C'est la pauvreté pour quelques années, sans doute, mais au moins le lendemain nous est assuré.

LOUISE – Ah! tu ne sais pas tout ce que j'ai enduré! Je me suis tue, oui, j'ai gardé tout cela en moi parce que je ne voulais pas rendre ta tâche plus lourde encore. Mais maintenant, Roger, c'est trop, c'est trop! (*Elle se lève, chancelle, et retombe sur la chaise.*)

ROGER, *en la secourant* – Voyons, Louise, tu te fatigues...

LOUISE – Avoir tout quitté pour te suivre, quitté les miens, quitté la France[(b)], et venir, si loin du monde, si loin des villes, si loin de tout, dans ce pays où nous devions si promptement faire fortune[3]; sur cette terre sauvage, protégée par ces muets gardiens qui me font peur, ce peuple de grands arbres qui la couvrent presque en entier, et qui nous cernent d'une si tenace résistance... Et cette terre, jour après jour, elle m'a tout pris; tout ce qui m'était cher. Et la voici maintenant qui cherche à m'arracher jusqu'à mon enfant!

ROGER – Calme-toi, ma chère Louise, je t'en prie, calme-toi (*l'embrassant au front*). Ta peine me fait mal. Pourquoi laisser ainsi se monter ton imagination? Un

---

[3] Il s'agit de la publicité qu'en faisait l'abbé Gaire, et des brochures de propagande distribuées en Europe pour encourager l'immigration dans l'Ouest (voir J. Papen, op. cit. pp. 26-27; et infra «Propagande soviétique», n° 18). Louise y fera encore allusion dans la scène V.

La révision de la version de 1934 est révélatrice : vingt-neuf ans après son installation en Alberta, Bugnet, par l'intermédiaire de son héroïne, disait «notre patrie». Trente-trois ans plus tard, il écrira «la France».

enfant peut s'égarer. Cela arrive presque tous les jours. Mais il n'est pas perdu pour cela. Nos voisins vont nous le ramener, sois en sûre. Ce sont de braves gens, bien dévoués, et nous pouvons compter sur eux. Tiens, voici Madame Roy. N'est-ce pas, Madame, qu'il n'y a pas de danger?

Scène II

MADAME ROY, *s'asseyant et s'épongeant le visage de son tablier* – Mais non, Madame Bourgouin, pas le moindre danger, vous pouvez me croire. Nos hommes se chargent de fouiller le bois. Ils le connaissent à fond, eux, bien mieux que nous autres femmes. Ma chère dame, dès que votre mari est venu nous avertir, j'ai envoyé mon homme et mes garçons appeler les voisins, mais, pour moi, j'ai calculé que le mieux était de venir vous tenir compagnie.

ROGER – Vous avez toujours, Madame, été très bonne pour nous. Ma chère Louise est bien fatiguée d'avoir tant marché. Je vais la laisser un moment à vos soins et retourner maintenant aider moi-même[c] aux recherches.

MADAME ROY – Allez, Monsieur Bourgouin, allez, et surtout, quand vous reviendrez, n'oubliez pas le bébé. (*Roger sort; à Louise*) Comme ça, il y a deux heures qu'il est disparu?

LOUISE – Oui, au moins...

MADAME ROY – Et comment c'est que ça s'est fait?

LOUISE – Il s'amusait tranquillement, ici même, tandis que je lavais le plancher de la maison. Au bout d'un moment, je regarde, il n'était plus là[4]. J'ai appelé, j'ai couru de tous côtés... Rien. Quand mon mari est revenu de son travail nous avons encore cherché, et nous avons appelé, appelé...

MADAME ROY – Oh, il n'y a pas de quoi vous faire du mauvais sang. Si c'était toute une journée, oui, on pourrait se tourmenter. Mais, pour deux heures, ça n'est encore rien. Et vous? Votre santé? Êtes-vous mieux? La dernière fois que je vous ai vue, l'autre jour, vous n'aviez pas l'air d'aller trop bien.

LOUISE – Je ne sais pas... Je me sens peut-être à présent un peu mieux. Chaque fois que vous venez me voir, vous me donnez du courage. Si vous ne demeuriez pas si loin, vous, nos plus proches voisins...[(d)] Avec vous près de moi, la confiance me revient. Pourvu qu'ils le retrouvent vite, mon petit Paul.

MADAME ROY – Ne vous tourmentez donc pas. Dans le gros bois, ce petit aventurier n'a guère pu aller plus d'un demi-mille. Seulement, on ne sait pas de quel bord il a eu l'idée de virer[(e)]. En tous cas, laissons toujours une bonne heure aux hommes. Après cela, ça m'étonnerait bien s'ils ne l'ont pas retrouvé.

LOUISE – Une heure!... Attendre une heure!...

MADAME ROY – J'ai dit une heure. Ça sera peut-être dans cinq minutes, dans un quart d'heure, une demi-heure... On peut pas dire... Seulement, une affaire comme ça, c'est pas fait pour vous raccommoder avec la vie de colon.

LOUISE – Non. Cette fois, c'est fini. Cette fois, il faudra que Roger m'écoute. C'est fini. Comment pourrais-je vivre ici, jour après jour, avec la pensée que mon petit Paul pourra se perdre encore dans ces bois qui toujours le guettent pour me le prendre?

---

[4] Les Bugnet avaient un fils, Paul, qui est mort brûlé en 1907, à l'âge de 14 mois. «...Julia fut obligée de sortir à peine deux minutes... Lorsqu'elle rentra, le bébé était en flammes.» (Lettre de Bugnet à son frère Maurice, citée dans J. Papen, *Bugnet*, p. 34).

MADAME ROY – Voyons, ma chère dame, que me dites-vous là? Comment voulez-vous que des arbres veuillent prendre votre bébé?

LOUISE – C'est vrai. Vous ne pouvez pas bien comprendre cela, vous. Ce pays, vous l'aimez. Cette terre du Canada, pour qui maintenant je me sens presque de la haine, elle est votre patrie. Cette rude existence de défricheurs, vous ne pouvez pas la trouver si dure, vous, parce que vous l'avez choisie, sachant ce qu'elle était. Mais moi...

MADAME ROY, *rapprochant sa chaise* – C'est sûr, ma chère dame. Nous autres, la terre, on connaît ça. On l'aime, la terre. Mon père et ma mère, mes frères et mes sœurs, on a toujours été des fermiers. Mais on était tous du pays d'En-Bas[5]. Alors, pour nous, l'Alberta, c'est un peu comme pour vous. On peut pas dire que c'est notre patrie. Tout de même, on est en Canada*. Ça fait qu'on est encore chez nous, pareil. Comme de raison, pour vous, c'est pas la même chose. Vous, vous êtes venue de la ville. Et puis vous avez reçu bien de l'éducation. Non, c'est pas la même chose, certain. Mais pourtant, votre mari, il vient aussi de la ville, et c'est un homme bien instruit. Quand vous êtes arrivés, je me rappelle qu'une fois vous m'avez dit qu'il écrivait dans un grand journal de Paris[6]. Fallait qu'il soit quelqu'un de savant. Et pourtant, lui, il l'aime, cette vie. C'est un bon travaillant, votre mari.

LOUISE – Oui, quand nous sommes venus, je ne croyais guère qu'il prendrait ainsi du goût pour des besognes manuelles. J'avoue qu'il m'a bien étonnée. Jamais je

---

[5] Au Québec, région du St-Laurent, située à l'est de la ville de Québec et de Lévis. La région Atlantique. Par opposition au pays d'En-Haut, en amont du fleuve, entre Québec et Montréal.

[6] Georges Bugnet a aussi été journaliste. Voir infra «Résumé chronologique» aux années 1903 et 1904; et «Bibliographie», liste des articles de Bugnet parus dans *La Croix de la Haute-Savoie*.

n'aurais pensé, en France, quand nous nous sommes mariés, qu'un jour il se mettrait avec tant d'ardeur au métier de bûcheron.

MADAME ROY – Des fois, il y a comme ça des surprises dans la vie. Nous autres aussi, quand on vous a vus arriver par ici avec les façons des gens de la ville; quand on a su que votre mari n'avait jamais travaillé autrement qu'avec une plume, alors, mon vieux et moi, on s'est dit : Tu vas voir, ces deux pauvres jeunesses auront bientôt dépensé ici tout leur argent et il faudra qu'ils s'en retournent sans le sou dans les villes. Ça nous faisait bien de la peine; seulement on n'osait pas vous le dire.

LOUISE – C'était aussi ce que je craignais, et dès les premiers jours.

MADAME ROY – Voilà! Mais, vous pouvez pas dire le contraire, votre mari est devenu un vrai habitant. Je gage que, si c'était de lui, jamais il ne voudrait s'en aller.

LOUISE – C'est vrai. Il veut que nous restions ici. Mais je ne veux plus, moi; non, non, je ne veux plus.

MADAME ROY – Ma chère dame, vous allez dire que c'est pas de mes affaires, mais moi je pense que si vous pouviez vous y accoutumer vous finiriez par faire une belle vie, parce qu'on voit que votre mari est un bon travaillant et qu'il a du goût pour ça, lui, tout autant comme nous autres. Quand on aime sa terre et qu'on a du courage, on finit toujours par réussir.

LOUISE, *d'un ton amer* – Oui, mais c'est une si pauvre vie...

MADAME ROY – Pour ça, on peut pas y devenir bien riche, certain. Mais d'abord, on reste son maître. C'est quelque chose. Comme de raison, il faut travailler fort en été, mais c'est les hommes qui font le plus dur de l'ouvrage. Et à l'automne, quand vous avez un peu de grain, avec du foin en masse pour les animaux; quand votre cave est bien remplie de patates, et des choux, et des betteraves, et des carottes; et quand vous avez quarante ou cinquante pots de fruits sauvages en confiture, des fraises, des framboises, des bleuets, des atacas*, des saskatouns*, des pimbinas*, ma chère dame, vous me direz ce que vous voudrez, mais au moins vous êtes tranquille pour votre hiver. Moi, on viendrait m'offrir une belle maison dans une grande ville, où il faut toujours gros d'argent pour tout acheter, je dirais : Non, vous pouvez garder votre maison, moi j'aime mieux demeurer sur une terre.

LOUISE – C'est parce que vous, Madame Roy, vous n'avez jamais habité la ville.

MADAME ROY – Mais si, mais si! Je vas vous dire : avant qu'on vienne par ici on avait une ferme dans le nord de Québec, droit au bord de la Péribonka*. Mon vieux commençait à avoir proche de 53 ans. On avait trouvé moyen de mettre un bon montant à la banque. Alors on a pensé que c'était le temps de nous reposer un peu et d'aller jouir de notre argent à la ville. Est-ce pas (sic)? Ça semblait de bon sens?

LOUISE – Et vous y êtes allés?

MADAME ROY – Oui. On a vendu notre ferme. On s'est acheté une petite maison à Montréal, et on s'est mis[7] avec nos deux garçons, ceux qu'étaient[8] pas encore mariés. Ma chère dame, dans les premiers temps, y avait rien de plus beau! On pouvait aller à la messe tous les dimanches, et même la semaine. Et il y avait les magasins, presque à la porte [(f)]... Et puis on était dans un endroit où les voisins étaient quasiment tous du bon monde. Enfin... Mais vous devez connaître ça?

---

7 Dans le sens de s'établir.

8 Langue familière pour dire «qui **n**'étaient pas». La chute de la négation a entraîné la chute du «i» pour éviter le contact des voyelles.

LOUISE – Si vous saviez[g] comme j'ai hâte de m'y retrouver!

MADAME ROY – Pour vous, je comprends ça... Moi, au bout d'un an, je commençais à m'ennuyer de la terre. Mon vieux disait rien. Mais je voyais bien qu'il ne s'amusait plus. Et puis, c'est pas pour rien dire de trop, mais il s'accoutumait à passer plus de temps que de raison dans les buvettes où des amis l'emmenaient boire. Les hommes, vous savez... Votre mari aimait-il ça, lui, la boisson?

LOUISE – Non, Roger ne m'a jamais donné d'inquiétudes à ce sujet.

MADAME ROY – C'est bien ce que je pensais... Ensuite, voilà que nos deux garçons se mettent dans la tête de s'en aller dans l'Ouest. On pouvait pas les en empêcher. Alors, ils sont partis. Après ça, mon vieux et moi, on était comme les animaux qu'on tient dans l'étable quand ils sentent l'herbe verte dehors. On avait tout ce qu'il nous fallait, certain. Mais ça devenait tannant*, tannant. Alors, quand on a appris que nos deux garçons avaient trouvé des belles terres neuves en Alberta, ça n'a pas traîné. On a tout vendu et on est venu ici près d'eux.

LOUISE – Pour moi, si j'avais su ce que devait être cette existence...

MADAME ROY, *prenant dans les siennes la main de Louise* – Voyons, ma chère dame, comme de raison, pour vous, les commencements, c'était forcé que ça soit bien dur, certain. Mais êtes-vous bien sûre que vous arriverez pas à vous accoutumer? Nous autres, on fera tout ce qu'on pourra pour vous aider. Pour dire toute la vérité, ça me ferait bien de la peine si on ne vous avait plus comme voisins. Moi, je gage que si vous restiez, à la fin vous trouveriez que vous êtes heureuse.

LOUISE – Être heureuse?... Non. Tout mon bonheur, je

l'ai perdu, jour par jour, heure par heure, depuis que nous sommes ici. Vous avez été pour moi une véritable amie, je le reconnais. Je vous en remercie du fond du cœur [(h)]... Si je pouvais vous expliquer...

Scène III

TOM WATT, *portant un livre à la main, disant, dans la coulisse, avant d'entrer* – Bonjour, Mesdames. (*Les deux femmes se lèvent en sursaut.*)

MADAME ROY – Oh! ce n'est que vous, Tom Watt? Je croyais que c'était quelqu'un qui ramenait le bébé. (*En parlant, elle aide Louise à se rasseoir, sans que celle-ci, déjà moins fatiguée, en ait besoin.*) Toujours le nez dans les livres? Qu'est-ce que c'est encore que celui-là?

TOM WATT, *il va boire au seau et s'assied sur le coin de la table* – De la poésie, Madame Roy, de la poésie superbe... Du Leconte de Lisle[(i)]... C'est épatant. (*À Madame Bourgouin.*) Je vous rends, Madame, votre poète. (*Il lui donne le livre qu'elle feuillettera machinalement.*)

MADAME ROY – C'est épatant... En voilà une façon de parler pour un Anglais. On voit bien que c'est des missionnaires des vieux pays[9] qui vous ont appris votre français.

TOM WATT – Madame Roy, je vous l'ai déjà dit cinquante fois; je ne suis pas Anglais. Je suis Canadien, comme vous.

MADAME ROY – Pour ça, non! Les Canadiens, c'est ceux de Québec. Vous, vous êtes né dans l'Ontario. Vous avez passé toute votre vie à courailler dans l'Ouest, un voyageur, un coureur de bois*, un facteur de la Hudson Bay*...

---

[9] Les pays d'Europe, notamment la France.

TOM WATT – Et pour le moment garde-chasse ici, pour vous servir, Madame Roy. Pour autant, je ne suis jamais sorti du Canada...

LOUISE – Vous n'avez pas vu mon bébé?

TOM WATT – Non, Madame Bourgouin. Seulement, quand j'ai entendu les hommes dans la forêt, je suis allé voir ce qu'il y avait. Mes vieilles jambes ne pouvant plus concourir avec celles des autres, je les ai laissés poursuivre sans moi leurs recherches. Mais il n'y a pas de quoi vous inquiéter. Moi, quand j'étais petit, j'étais toujours perdu. Quelquefois, on ne me retrouvait que le lendemain. Mais enfin, on m'a toujours retrouvé.

MADAME ROY – Monsieur Watt, voilà cette pauvre dame qui s'est mis dans la tête de quitter le pays. Tâchez donc voir de m'aider un peu pour la décider à rester.

TOM WATT – Je ne vois pas pourquoi nous voudrions l'empêcher de partir si cette vie lui déplaît. Et je comprends qu'elle doive lui déplaire.

LOUISE – N'est-ce pas, Monsieur Watt? Pensez-vous qu'une telle existence vaut ce qu'elle coûte?

TOM WATT – Certes non. Quant à moi, jamais, lorsqu'il y a tant de belles choses à voir à travers le monde, jamais on n'aurait pu me tenir attaché, des années et des années, sur la même motte de terre. Je me serais senti comme un étalon enfermé dans un corral. J'aurais sauté la clôture à tout coup.

MADAME ROY – Mais enfin, vous pouvez pas me dire le contraire, avec du courage on peut toujours arriver à faire une belle vie sur une terre.

TOM WATT – Une belle vie? Vous appelez ça une belle vie? Vous allez vous planter sur un carré de terrain dont on peut faire le tour en moins d'une heure, vous jouez de la hache toute la journée, vous jetez par terre tous les arbres du pays, vous montez des bâtisses et des bâtisses, vous creusez des puits, vous plantez des piquets de clôture, vous arrachez des souches, des souches, et encore des souches; vous cassez de la terre, des arpents et encore des arpents; vous vous levez à quatre heures du matin, vous semez, vous ressemez; vous vous mettez au service du bétail, pour le nourrir, pour nettoyer le fumier; vous travaillez tous les jours jusqu'à dix heures du soir, et ainsi, sans arrêt, jusqu'au moment où le curé vous emmène au cimetière... et vous appelez ça une vie?

LOUISE – Comprenez-moi, Monsieur Watt. Ici, ce n'est pas le travail qui me rebute et me décourage. Mais si vous saviez[j] comme je trouve dur de rester dans l'isolement, d'avoir à demeurer seule, toute seule, quelquefois des jours entiers, d'interminables jours, quand il faut que mon mari s'absente... Oh! cette impitoyable solitude!...

TOM WATT – Ah, Madame, ne dites pas de mal de la solitude. C'est une grande maîtresse. Je l'ai toujours aimée. Quand j'étais plus jeune surtout, vivre libre et seul avec la nature, explorer des régions inconnues... Oui, vraiment, j'aurais préféré naître un siècle ou deux plus tôt.

MADAME ROY – En voilà une idée!...

TOM WATT – Songez, Madame Bourgouin, quelle belle existence devait être celle d'un Radisson*, d'un La Vérendrye*, d'un Alexandre MacKenzie*. Ceux-là ont connu les joies de la vraie vie humaine. Et quelle belle contrée devait alors être le Canada! [k] Mais à présent, avec leurs villes, leurs villages, leurs colons, ils nous dévastent tout le pays. Ils le défigurent. Ils lui arrachent toutes les marques de sa personnalité. Ils finiront par le rendre pareil à tous les autres. Ce ne sera plus le Canada.

MADAME ROY, *qui a écouté avec des marques d'impatience*

– Mais, vieux voyageur, pour vivre, tout de même, il fallait bien que les trappeurs comme vous puissent vendre leurs fourrures. Et alors, si vous n'aviez pas d'habitants sur les terres, ni des gens dans les villages et dans les villes pour les acheter, ces fourrures, peut-être bien que le métier n'aurait point tout à fait tant été de votre goût.

TOM WATT – Hé! Vous croyez ça? Mais dans mon jeune temps, vers les 1850, où les trouvait-on, par ici, vos habitants, vos villes et vos villages? Il n'y avait que les postes de la Hudson Bay* pour nous acheter les peaux et nous fournir la poudre et les pièges... Ça nous suffisait... L'argent? Qu'en aurions-nous fait, de l'argent? Chacun, alors, était capable de faire sa vie tout seul. On n'avait pas besoin de se mettre en tas les uns sur les autres[1] pour se tirer d'affaire. Ah, oui, c'était le bon temps.

LOUISE – Cependant, ne le trouviez-vous pas parfois bien dur, ce métier, si loin de la civilisation?

TOM WATT – Parfois, oui, il y avait de rudes moments à passer. Mais quel plaisir de parcourir une contrée telle que Dieu l'a faite, pas encore ravagée par l'homme; avec de belles rivières où les bisons, les orignaux, les ours, les chevreuils venaient boire et se baigner sans risquer, à chaque pas, d'être tués ou blessés comme aujourd'hui; de beaux lacs où les poissons n'avaient pas à craindre de se voir à tout coup enlevés par des filets ou des crochets; de vastes étendues de forêts qui n'avaient jamais entendu les mortels coups de la hache... Au train où vont les choses aujourd'hui, je commence à croire que les Indiens valaient mieux que les blancs.

MADAME ROY – C'est correct... Seulement, à présent...

TOM WATT – Oui, à présent, elle est finie, cette existence-là. Elle est bien finie. La liberté, les Canadiens ne savent plus ce que c'est. À présent, ils se sont tous enchaînés les uns par les autres. Aujourd'hui, il faut que tout le monde travaille, et travaille, pour gagner de l'argent. Mais pourquoi? Pourquoi? Pour voir tous vos profits enlevés par les plus gros et les plus malins.

MADAME ROY – Il y a du vrai, je peux pas dire le contraire. Les habitants, ça travaille fort, mais ça s'enrichit pas. Si vous voulez que je vous dise : tout ça, c'est à un chacun de s'arranger. Y en a qui aiment mieux rôdailler* toute leur vie. C'est correct. S'ils aiment ça, c'est leurs affaires, et personne n'a rien à y redire. Mais moi, de courailler tout partout, sans arrêter, non! Je ne pourrais jamais supporter ça. J'aime mieux faire une vie sur une terre.

LOUISE – Pourtant. vous aussi, vous vous étiez lassée de toujours demeurer au même endroit.

MADAME ROY – Comme de raison... on a mouvé* quelquefois. À rester toujours sur la même terre quand elle est bien arrangée, ça devient tannant, parce que ça devient toujours la même affaire. Sur une vieille terre, bien emmanchée*, où vous êtes gréé* de tout ce qu'il vous faut, on est sûr d'avoir le dessus à peu près à tout coup. Alors, qu'est-ce que vous pouvez y trouver d'excitant? C'est toujours le même jeu qui recommence. On le connaît trop. Ça devient tannant.

TOM WATT – Bon! Là nous pouvons nous entendre, et si...

MADAME ROY, *lui coupant la parole* – Mais, sur une terre neuve, ça c'est autre chose. Vous êtes pas sûr comment ça va virer. Alors ça devient intéressant. C'est-y la terre qui va gagner? Ou bien c'est-y vous? Moi, ça m'excite. Je me dis en moi-même : Attends un peu, toi, que je m'y mette! On va voir ça, si c'est toi qu'auras le dessus, ou si ça va être moi... On s'agrippe, on se cramponne... Oui, ça au moins c'est du plaisir, ça c'est excitant!

LOUISE – Oui, si vous voulez, mais où cela mène-t-il?

Mon mari pensait que nous ferions vite assez d'argent et que nous pourrions retourner en France...

MADAME ROY – Pour faire de l'argent, non, c'est correct, on peut pas dire qu'on peut faire gros d'argent. Mais, tout de même, on vit... pareil. Et puis, nous autres, on avait des enfants, des bons enfants. On n'a pas pu leur donner bien de l'éducation, ni bien de l'argent[m], mais, pour une chose, ils n'ont jamais souffert de la faim. Et ils sont tous forts et bien travaillants. C'est la terre qui a fait ça pour eux. Ça rend fort, la terre, quand on est toujours à travailler avec elle. Vous me direz ce que vous voudrez, mais il y en a pas mal chez les coureurs de bois, et des tas dans les villes, que, le travail, c'est pas surtout ça qu'ils cherchent.

TOM WATT – Bien, bien... Tout de même, il y a aussi d'autres façons de travailler que la vôtre... En attendant, avec toute cette discussion, ma vieille tête était en train d'oublier pourquoi je suis venu vous voir. J'avais dans l'idée que, pour retrouver votre petit coureur de bois, un bon chien irait plus vite que tous vos hommes.

LOUISE – J'y ai pensé. Mais il faudrait un vrai limier.

TOM WATT – Vous avez encore, Madame Roy, mon bon vieux Pop. Évidemment, il n'est plus bien vigoureux. Mais, pour suivre une piste, je n'en ai jamais vu de meilleur. On pourrait toujours l'essayer.

MADAME ROY – Je ne sais pas trop... C'est vrai que, dans les premiers temps qu'on l'avait, chaque fois que mon homme s'en allait, votre vieux Pop finissait toujours par le rejoindre. C'est pour ça qu'on a pris l'habitude de le tenir attaché.

TOM WATT – Auriez-vous, Madame Bourgouin, quelque vêtement récemment porté par votre bébé?

LOUISE, *se levant* – Oui, attendez.

TOM WATT – Ne vous dérangez pas, Madame. Il nous faut le chien d'abord.

MADAME ROY – C'est facile. Je cours le détacher et vous l'amener. Un petit mille aller et retour c'est l'affaire d'un quart d'heure[(n)]. Oui, je pense que c'est une vraie bonne idée. (*En parlant, elle s'en va.*)

Scène IV

TOM WATT, *à Louise qui est restée debout* – Asseyez-vous, Madame, et soyez tranquille. Je suis tout à fait sûr que mon vieux chien va vous retrouver votre enfant en moins d'un quart d'heure, malgré tous les tours et les détours qu'il aura pu faire. Je parie que ce petit voyageur est en train de dormir un bon somme, sans se soucier du tracas qu'il donne à tout le monde.

LOUISE – C'est aussi ce que je pense; autrement, quand nous l'avons appelé, il aurait certainement répondu. Quand il dort, mon petit Paul, rien ne l'éveille. Mais il est si petit, si petit, au milieu de ces grands arbres.

TOM WATT – Oui, et les hommes n'ont que leurs yeux. Vous allez voir que le nez de mon vieux Pop vaudra, à lui seul, mieux que tous les yeux réunis.

LOUISE – Ah, si j'avais su plus tôt que c'est un chien de chasse... Cette attente me brise les nerfs.

TOM WATT – Voyons, ayez encore quelques instants de patience. Parlons d'autre chose, cela vous distraira. Dites-moi, puisque ce n'est pas tant le travail qui vous décourage, quelles sont les vraies raisons de votre désir de nous quitter?

LOUISE – À vous, je puis les faire entendre... Du moins, je le crois. Je sais que vous avez sur la vie des idées autres que les miennes, parce que vous êtes un homme. Pourtant, j'ai toujours senti que vous me compreniez, vous, mieux que les autres.

TOM WATT – C'est que, Madame, pendant les quinze années où j'étais facteur de la Hudson Bay*, je passais la plus grande partie des longues veillées de l'hiver à lire tout ce qui me tombait sous la main. J'ai pu ainsi connaître beaucoup des meilleurs ouvrages et, vous le savez, les bons livres aident merveilleusement à voir clair. Et puis j'ai toujours eu le loisir de réfléchir, de méditer. Voyons, ma pauvre enfant, vous savez que je suis votre ami. Il y a longtemps que j'ai deviné que vous souffrez. Confiez-moi ce que vous avez sur le cœur.

LOUISE – Oui, je sais que je puis avoir confiance en vous, et à tout garder au dedans de moi dans la solitude je sens parfois comme si mon cœur était prêt à éclater, mais je ne peux pas tout dire, non, je ne peux pas tout dire. Et même, pour ce que vous pouvez entendre, je ne suis pas sûre de bien pouvoir vous l'expliquer. Ce n'est pas une chose raisonnée, c'est un sentiment, un continuel sentiment de crainte, comme à l'approche d'un danger. Et voici des mois,... des mois, que cela dure.

TOM WATT – Mais de quoi donc avez-vous peur?

LOUISE – De tout... de tout ce pays... de toutes ces forces cachées qui nous entourent... Il me semble que je suis comme quelqu'un qui se trouverait, les yeux bandés, dans une maison qu'il ne connaît pas, et où l'on sent, dans le silence, des présences ennemies. Nous sommes venus ici, mon mari et moi, comme des envahisseurs, en face de cette grande forêt, si grande, si grande... en face de cette armée des arbres centenaires... qui protègent le sol jusqu'aux terres glacées du Nord, qui dressent devant les ambitions des hommes leur vivante barrière, si vivace, si forte, si vaste,... et j'ai l'impression que nous sommes si chétifs, si nuls, devant cette impassible grandeur.

TOM WATT – Oui, moi aussi j'ai souvent éprouvé cela.

LOUISE – Et nous avons osé nous attaquer à cette force qui paraissait ne pas se défendre. Ces vivants gardiens du sol, mon mari, à coups de hache, les a jetés par terre. J'ai vu, par centaines, par milliers, leurs cadavres dévorés en énormes flambées... Mais si vous saviez de quel prix nous avons dû payer nos succès!... Ah, comme ils ont bien su se venger!

TOM WATT – Je devine ce que vous voulez dire... Ma pauvre enfant, je l'ai bien vu, à cette lutte, peu à peu, votre mari a perdu tout ce qui...

LOUISE – Ah, je vous en prie, si vous l'avez deviné, si vous le savez, ne le dites pas, ne le dites jamais... Mon Dieu, mon Dieu, qu'avais-je donc fait pour être ainsi écrasée, quand il n'y avait pas de ma faute? Qu'avais-je donc fait, pour que tous ces haineux adversaires s'acharnent ainsi sur moi, sournoisement, sans répit, jour après jour, pour me réduire à ce que je suis devenue, la prisonnière et l'esclave de cette terre qui ne m'a laissé qu'une âme humiliée, révoltée, sans joie, et qui ne connaît plus rien, maintenant, que le désespoir... Mon Dieu, oh, mon Dieu, donnez-moi encore un peu de force, donnez-moi encore un peu de courage, si vous voulez que j'échappe à ces puissances qui m'ont tout pris, tout pris, jusqu'à mon enfant... Mais je deviens folle... je deviens folle... Depuis quelque mois, voyez-vous...

TOM WATT – Mais non, mais non, je vous assure que vous n'êtes pas folle du tout. Au contraire, c'est à présent que vous commencez à voir clair. (*Il se lève et lui offre une tasse d'eau.*) Laissez-moi vous le dire franchement : pour une âme, pour un cœur comme le vôtre, trop cultivé, trop raffiné, c'était un véritable suicide que de venir, si loin des sociétés humaines, sur une terre comme celle-ci... Le retour à la Nature... Ah, oui, le retour à la Nature... ma pauvre enfant, maintenant, comme beaucoup d'autres, maintenant vous savez ce que c'est.

LOUISE – Et les hivers... les terribles hivers... quand il me fallait demeurer toute seule, ici, retenue comme dans un piège par ce pays qui nous avait attirés, seule, avec l'idée que mon mari pouvait s'égarer au milieu d'un ouragan de neige et que peut-être je ne le reverrais jamais... J'entendais le vent qui sifflait autour des murs et du toit de la maison, et j'écoutais les incompréhensibles clameurs des grands arbres qui répondaient à l'effrayante voix de la tempête... Ah, mon Dieu, comme j'ai souffert... Et pourtant, après, j'avais encore la force de me taire...

TOM WATT, *après un instant* – C'est alors, Madame, que vous commettiez une folie. C'est alors que vous auriez dû parler.

LOUISE – Un soir... un soir de grand froid silencieux, j'ai attendu, attendu... des heures... des heures... oh, cette intolérable attente où l'anxiété me serrait le cœur, petit à petit, comme pour le vider jusqu'à la dernière goutte de sang... Mon mari ne revenait pas... Je sortais dans la nuit, j'allais dans la neige... et j'écoutais... Et il n'y avait pas un bruit dans le recueillement des immenses immobilités... J'étais là, avec ma douleur, comme une chose qui ne compte pas...

TOM WATT – Ma pauvre enfant...

LOUISE – Quelquefois seulement un tremble éclatait et l'écho retentissait comme un signal à travers toute la forêt... Sous le terrible froid qui me pénétrait toute avec une intensité tranquille,... en face de la muette sérénité des cieux, noirs, étoilés, glacés,... devant le sombre alignement des bois, énormes, impassibles... Oh, toutes ces calmes puissances,... ces majestés formidables et paisibles... Mon Dieu, comme je voyais bien que je n'étais qu'une pauvre chose sans défense,... un infime grain de poussière animée,...

comme je sentais bien que je n'étais venue ici que pour servir de jouet à des mains invisibles, des mains sans pitié.

TOM WATT – Ma pauvre enfant... ma pauvre enfant... Ne vous torturez pas le cœur avec ces visions du passé. Écoutez-moi. (*Il lui touche l'épaule pour la faire sortir de son état visionnaire*). Voyons, écoutez-moi... Je savais bien que vous n'étiez pas faite pour une vie comme celle-ci. Il y faut des cœurs moins faciles à blesser, des corps rudes, résistants.

LOUISE – Et pourtant... qui aurait pu endurer plus que j'ai enduré?

TOM WATT – Oh, vous avez du courage, un courage admirable et qui m'a étonné, mais il n'a su que vous conduire vers d'inutiles sacrifices. Vous le voyez clairement à présent, vous n'êtes pas de ceux à qui la primitive terre canadienne, la terre encore intacte et vierge, consent à se soumettre. C'est la plus fière des contrées. Elle seule peut-être peut opposer à l'homme si tenace résistance. Elle a brisé bien des attaques, elle en brisera bien d'autres. Elle ne cède qu'à ceux qui ne la craignent pas.

LOUISE – Ne pas la craindre?... Après tout le mal qu'elle m'a fait, comment donc voulez-vous...

TOM WATT – Le mal qu'elle vous a fait... Vos villes n'en font- elles point? S'il fallait y compter leurs victimes... Écoutez-moi. Mieux que beaucoup d'autres, vous avez su pénétrer la grandeur, la majesté de mon pays. Mais vous n'avez pas su admirer. Vous n'avez pas vénéré, vous n'avez pas aimé, vous avez tremblé. Au lieu de donner votre amour, vous n'avez éprouvé que de la crainte et de l'inimitié.

LOUISE – L'aimer... l'aimer... non, non!... Je ne peux pas, je ne pourrai jamais. Oh, lui échapper... pouvoir quitter cette prison...

TOM WATT – Comme nos âmes sont différentes... Moi qui trouve si pauvre, si vide, l'absurde agitation des villes... J'aurais désiré pouvoir vous convertir, Madame, vous faire comprendre la beauté d'un grand domaine que la civilisation n'a pas encore écrasé, nivelé, où la bonne mère Nature permet à l'homme de vivre encore libre, où elle ne le nourrit que de saines pensées, sereines et fortes comme elle... Mais c'est impossible. Vous n'êtes pas canadienne, vous; jamais vous ne pourriez devenir canadienne. Mon enfant, ma pauvre enfant, il me peinera de vous voir partir...

LOUISE – Moi aussi j'aurai du regret à me séparer de vous, mais ce pays... cette terre où je ne puis plus trouver une seule joie...

TOM WATT – Oui, vous êtes fille d'une société cultivée, vous êtes comme une délicate fleur de serre chaude qu'on aurait transportée au milieu de plantes sauvages sous un climat rigoureux, en butte aux vents, aux pluies, aux neiges... Retournez, Madame, à la grande ville d'où vous êtes venue. Peut-être alors les destinées vous seront-elles plus clémentes. (*Entendant des pas, Louise court à Roger jusque vers la coulisse. Il la reçoit dans ses bras, elle s'attache à lui. Il la ramène en parlant.*)

Scène V

ROGER – Je suis content de voir que tu vas un peu mieux, mais ce n'est pas une raison pour te fatiguer encore. Viens t'asseoir.

LOUISE – Oh, j'avais si peur qu'il t'arrive aussi quelque chose... Mon bébé?... Vous n'avez rien vu?... rien entendu?

ROGER – Non, mais je crois que ce n'est plus qu'une question de minutes. Comme nous battions le bois au long du sentier qui mène chez les Roy, notre voisine m'a appelé. (*À Tom Watt.*) Elle m'a dit votre idée d'employer le chien. Elle sera là avec lui dans un instant.

TOM WATT – Je vais aller à leur rencontre. Ici, trop de pieds ont foulé la place, mon vieux Pop ne s'y reconnaîtrait pas. Nous commencerons par tourner en cercle à peu de distance de la maison. À moins que votre enfant se soit envolé, le flair de mon brave chien aura tôt fait de découvrir la piste.

LOUISE – Ne puis-je aller avec vous?

TOM WATT – Non, Madame. Demeurez ici avec votre mari. Moins l'on est, mieux ça vaut. Madame Roy et moi, c'est tout à fait suffisant. Si vous voulez bien me remettre le vêtement dont je parlais... (*Louise va le chercher dans la maison.*)

TOM WATT – Monsieur Bourgouin, croyez-moi, si vous aimez votre jeune femme, emmenez-la d'ici (*avec force*) emmenez-la d'ici! (*Roger le regarde d'un air étonné.*) Oui, cette fois, entendez-la. Écoutez-la patiemment. Ne l'empêchez pas de vous dire tout ce qu'elle a sur le cœur. (*À Louise qui revient avec une petite robe.*) Je vous remercie, Madame. Et maintenant, soyez sûre que vous allez bientôt revoir votre bébé. (*Il sort.*)

ROGER, *voulant faire asseoir Louise qui s'y refuse* – Que lui as-tu raconté à ce vieux bonhomme?

LOUISE – Je lui ai crié ce que je ne pouvais plus garder en moi. Je lui ai dit ce que je n'ai jamais pu te dire parce que tu ne voulais pas l'entendre. Je lui ai dit pourquoi je hais ce pays, pourquoi j'ai hâte d'en sortir. Et lui, Roger, lui, il le comprend.

ROGER – De quoi se mêle-t-il celui-là?

LOUISE, *tristement* – Il ne s'est mêlé de rien. Si j'ai parlé, c'est que je ne pouvais plus ne pas parler. Il m'a écouté, lui. Il m'a comprise. Oui, lui, un vieux brave homme qui n'a pas ton intelligence, Roger, il a su comprendre. Et toi aussi il t'a compris, il t'a jugé, il t'a...

ROGER, *d'un ton de colère* – Qu'est-ce qu'il a dit sur moi?

LOUISE – Il n'a rien dit, Roger, rien. Et je n'ai rien dit non plus. Mais j'ai senti qu'il sait voir clair, lui. Et il est temps que toi aussi tu voies clair.

ROGER – Mais enfin, qu'est-ce que tout ça signifie? Vas-tu te mettre à me faire des scènes?

LOUISE – Cela signifie que je ne peux plus rester ici. Je ne peux plus... Je ne peux plus!

ROGER – Tout ça, c'est parce que tu t'imagines que ton enfant est perdu. Tu as les nerfs sens dessus dessous. (*Elle tombe sur une chaise, de côté, et se cache le front dans ses bras appuyés au dossier.*) Voyons, Louise, c'est vrai, c'est un bien dur moment à passer, mais enfin il passera. Crois-tu que je ne souffre pas, moi aussi? Crois-tu que je n'ai pas d'inquiétude? Mais je sais demeurer calme, je sais me raisonner...

LOUISE, *d'un ton découragé* – Oui, la raison... toujours la raison... (*Elle se relève debout. On voit qu'elle fait un grand effort pour se maîtriser, mais on sent dans sa voix une véhémence contenue.*) Soit, puisque tu le veux, parlons raison. Mais écoute-moi. Pour une fois, écoute-moi... jusqu'au bout. Roger, Roger, rappelle-toi ce que tu étais...

ROGER, *d'un ton de badinage* – Bon, ça veut dire que je ne le suis plus.

LOUISE – Nous n'étions pas riches, mais tu commençais à devenir quelqu'un. J'étais fière d'avoir pour mari un homme de ta valeur, j'étais fière de ton air distingué, de tes manières polies, j'étais fière de ton langage cultivé, de ton intelligence, de la noblesse de tes sentiments. Ton ambition alors était de devenir un grand écrivain, de t'égaler à ceux qui sont l'honneur, la plus pure gloire d'un pays.

ROGER – De grands mots... des rêves de jeunesse.

LOUISE – Ces grands mots, c'est toi qui me les as appris. À présent, ils ne te disent plus rien. Autrefois ils étaient ta vie même. Tu avais 28 ans, tu n'étais plus un enfant. Tes projets étaient réfléchis, délibérés. Et, pour une misérable querelle avec le directeur de ton journal[10], pour la visite d'un ancien ami qui se plaisait dans l'Ouest canadien, tout d'un coup tu t'es enthousiasmé du mirage d'une prompte fortune dans une contrée neuve[11]. Et ce mirage nous a attirés ici, comme de pauvres papillons qui entrent dans une maison et ne savent plus comment en sortir.

ROGER – Je l'avoue, il y a là un peu de vrai. Je me rends compte à présent que nous ne pouvons guère faire notre fortune aussi rapidement que je le croyais d'abord. D'un autre côté, cela n'est pas pour me décourager. J'en suis venu à vraiment l'aimer, cette rude vie de pionnier.

LOUISE – Oui, tu l'aimes. Dès les premiers temps tu l'as aimée. Je l'ai bien vu. Dès la première année, cette terre, cette forêt, contre lesquelles tu t'acharnais, elles te transformaient, elles t'enlevaient un peu de toi, lentement, par petits coups. Tu te livrais à elles chaque jour davantage, corps et âme... Elles te tiennent maintenant, elles te tiennent tout entier.

ROGER – C'est ton imagination tourmentée qui te fait voir ainsi tout en noir. Elle grossit tout. Voyons, Louise, jusqu'ici tu ne te plaignais pas. C'est l'énervement qui te donne ces idées-là.

---

[10] Détail autobiographique. En 1904, lorsque Bugnet était rédacteur en chef de l'hebdomadaire *La Croix de la Haute-Savoie,* il avait eu une confrontation identique avec son directeur (cf. J. Papen, *Bugnet*, p. 24). Il avait alors 25 ans.

[11] Voir note 3.

LOUISE – Ah, non, Roger, non. Ces idées-là... ces idées-là, ce n'est pas aujourd'hui, ce n'est pas hier, qu'elles me sont venues. Il y a longtemps que j'ai commencé à sentir, à voir, oui, à trop bien voir l'occulte* et malfaisante influence de cette sauvage terre, ses secrets agissements pour se défendre contre nous, pour se venger, pour se venger de toi qui l'attaquais, pour se venger même sur moi... Et pourtant, moi... que lui avais-je fait? Ah, que de mal elle a su nous causer!

ROGER, *d'un ton de bonne humeur* – Ma pauvre Louise, mais c'est de la pure invention. Tu te crées des chimères. Nous causer du mal? Moi, je trouve qu'elle m'a fait plutôt du bien. Admets que j'ai tout de même à présent des muscles un peu plus vigoureux qu'autrefois.

LOUISE, *d'un ton amer* – Oui, pour ça... pour une plus abondante animalité... Ah, comme cela t'est venu vite! Oui, comme tous ceux d'ici, tu es devenu un infatigable tâcheron*. Mais, tout de suite, pour ne pas avoir l'air d'être supérieur aux autres, tu t'es empressé de copier même les plus bas d'entre eux. Tu t'es mis à prendre leurs manières vulgaires, leur langage grossier. Sans respect pour moi, tes lèvres ont appris des mots vils, d'indignes jurons. Toi qui étais si soigneux de ta personne, tu t'es négligé de plus en plus. Toi qui prenais autrefois pour moi la peine d'avoir une figure propre, des joues douces, à présent tu restes des jours...

ROGER, *du même ton de badinage* – Que veux-tu, c'est le métier qui veut ça. Je ne pourrais guère me mettre en habit de soirée pour...

LOUISE – Oh, tu peux faire de l'ironie. Tu ne m'arrêteras plus, cette fois, avec tes moqueuses réponses. Cette fois, j'ai du courage. Cette fois, Roger, tu m'entendras. Roger! Rappelle-toi... Quand je me suis donnée à toi, tes plus grands, tes plus purs plaisirs, tu les plaçais dans la vie de l'intelligence. Depuis un an, depuis deux ans, combien de fois ai-je essayé de causer avec toi des hautes questions qui te passionnaient autrefois, que d'efforts j'ai faits pour te ramener aux idées qui élèvent l'âme au-dessus des trivialités matérielles! Mais tu ne m'écoutais plus. Toujours, tu en revenais à tes plans pour abattre ces bois, pour conquérir ta terre. Malgré tous mes efforts, cette sournoise rivale te fascinait, elle s'insinuait en toi. Son despotisme asservissait non seulement ton corps, il détruisait tes goûts intellectuels... Elle m'enlevait, elle m'arrachait ta pensée.

ROGER, *sérieusement* – Voyons, Louise, tu exagères. Je ne suis pourtant pas devenu tout à fait une brute. Mais c'est vrai; cette contrée neuve, je ne puis m'empêcher de la trouver belle, attirante. Avoue qu'au fond si tu voulais lui accorder un peu d'amitié, au lieu d'un parti-pris d'aversion, cela vaudrait mieux, et pour toi, et pour moi. Pour toi, parce qu'alors tu saurais beaucoup mieux supporter cette existence.

LOUISE – Ce marché, je m'y attendais, Roger. Il y a longtemps que je l'attendais. Ah, comment donc pourrais-je ne pas le haïr, ce pays? Il t'arrache à moi et il voudrait me forcer à ne rien dire. Il aurait voulu que je ne puisse pas même me plaindre. Il voudrait m'obliger, par toi, de peur d'encourir ton déplaisir, à le regarder sans hostilité. Je suis ici, oui, je suis devenue comme une épouse dont le mari exigerait qu'elle vécût en bons termes avec sa maîtresse. Et, n'est-ce pas[o]? tout ce que je devrais faire c'est de me résigner au partage.

ROGER – Ma pauvre Louise, jamais je n'aurais songé que tu pouvais te faire de telles idées. Comment as-tu pu en venir à d'aussi déraisonnables sentiments de jalousie? C'est la surexcitation qui t'égare. Non, vraiment, tu ne sais plus voir juste. Jalouse d'êtres inanimés, jalouse de choses insensibles... Mais voyons, si nous étions restés à la ville, si je m'étais pris de passion pour une autre femme?...

LOUISE – Une autre femme, Roger, elle t'aurait fait moins de mal que cette sauvage terre. Tu es trop fort, toi, tu as une volonté trop tenace pour qu'une simple femme puisse t'asservir. Mais ici, ici, ce n'est pas à une créature fragile, ce n'est pas à une maîtresse humaine que tu t'es donné, c'est à une maîtresse surhumaine... Mais moi, Roger, elle ne me tient pas encore. Je ne me suis pas donnée. Elle t'a pris, mais elle ne me soumettra pas, moi... Jamais! Je partirai... malgré elle, malgré toi, je veux partir!

ROGER, *implorant* – Louise!

LOUISE – Oui, je le sais, si tu décides d'abandonner ce pays, tu ne le feras pas sans déchirement, sans m'en garder une longue rancune. Je le sais. Mais le moment est venu, il faut choisir... Il faut choisir entre ta terre et moi. Ah, j'ai déjà trop attendu. Patienter encore... mais ce serait la pire folie.

ROGER – Voyons, Louise, penses-tu donc qu'entre ma terre et toi j'hésiterais? Crois-tu donc que je ne t'aime plus?

LOUISE – Ah, notre amour, notre cher amour, ce pays sans pitié, qu'en a-t-il fait? De ta tendresse d'autrefois, des si délicats sentiments que tu avais pour moi aux premiers temps, comme j'en ai senti, comme j'en ai suivi, jour après jour, la lente ruine! Que de fois j'ai pleuré, quand j'étais seule, prisonnière, au milieu de ces immobiles et impassibles puissances... Comme je sentais bien que je n'étais plus que leur pauvre proie, dont la chair déjà était demi-morte, dont le cœur seul battait encore, et saignait!

ROGER, *la serrant contre lui* – Ma pauvre Louise, si j'avais su... Mais pourquoi, pourquoi n'en parlais-tu pas?

LOUISE – Avais-je donc besoin de te le dire? Mon Dieu,

quelle peine je ressentais quand, à cause de mes pauvres vêtements défraîchis, usés, tes regards ne se posaient plus sur moi qu'avec une croissante indifférence! Et pourtant, ce n'était pas ma faute, non, ce n'était pas ma faute, si je n'avais plus rien, plus rien de bon, pour que tes yeux trouvent plaisir à me regarder…

ROGER, *embrassant Louise* – Ne crois pas cela. Oui, il y avait des jours où j'étais distrait, trop occupé par mon ouvrage, fatigué par le rude travail de la hache ou de la charrue. Mais je t'ai toujours aimée, Louise, toujours. Et je ne t'aime pas moins aujourd'hui qu'autrefois.

LOUISE, *tristement* – Non, Roger, tu ne m'aimes pas comme autrefois. De l'amour que tu avais quand nous sommes venus, toute la plus belle part, toute la spiritualité, peu à peu, les fatales forces de ce pays te les ont retirées. De l'amour, elles ne t'ont laissé que les moins nobles sentiments. Comme elles prenaient ton intelligence, elle me prenaient aussi le plus précieux de ton cœur. Elles ne m'ont abandonné de toi que ce qu'il fallait pour m'imposer une plus misérable servitude, pour me causer une nouvelle blessure, pour me faire sentir une douleur encore non connue.

ROGER – Je t'en prie, Louise, ne dis pas cela(p), ne crois pas cela. Je le vois maintenant, j'ai dû te faire bien souffrir. Mais je ne le savais pas. Je t'assure que je ne le savais pas. Louise, ma chère femme, je te l'affirme, jamais je n'ai rien aimé plus que toi.

LOUISE – Peut-être ne dis-tu cela que par pitié… Oh, si c'était vrai!

ROGER – C'est vrai.

LOUISE – Alors, Roger, donne-m'en la preuve. Donne-m'en la preuve décisive. N'hésite plus. Fais-moi ce sacrifice : laissons cette terre, laissons cette forêt, avant qu'elles puissent achever leur œuvre. Oh, Roger, comprends-moi. Comment ne le vois-tu pas? Quand tu pourrais, dans un milieu plus relevé, devenir vraiment quelqu'un, quand tu pourrais développer ce qu'il y a en toi de plus haut, comment ne vois-tu pas ce que tu perds à te contenter d'une vie comme celle-ci? (*Elle pleure d'impuissance.*)

ROGER – Louise, Louise, ma chère Louise, ne pleure pas… je t'en prie… ne pleure plus. Si j'avais pu prévoir que tu souffrirais tant, que jamais tu n'aurais la force d'accepter la vie dans ce pays nous n'y serions jamais venus… Pour toi, Louise, pour que tu saches bien que tu es toujours mon plus grand amour, je veux bien consentir… Mais… qu'as-tu donc?… Qu'as-tu donc?…

LOUISE, *prête à défaillir; elle chancelle* – C'est la fièvre, vois-tu, la fièvre d'attendre ainsi… sans savoir… ma tête se perd (*Avec un retour de force grandissante .*) Pourtant il le faut… Il le faut… Il faut leur échapper. Promets-le-moi. Promets-moi que nous allons partir. Promets-le-moi!

ROGER – Puisque tu le veux, Louise, puisqu'il le faut…

LOUISE, *lui fermant la bouche de la main* – Non! Non! [q]… Ne promets pas! Ah, ne promets pas!… Dieu! Oh, Dieu! est-ce possible de tant souffrir…

ROGER, *la soutenant* – Louise! Ma femme!

LOUISE, *se tordant les mains, désespérée* – Mon enfant… mon pauvre petit enfant… Je sens que je deviendrai folle, Roger. Mais je les ai devinées, je les vois agir… Ah, la terrible rançon qu'elles nous auraient imposée si tu m'avais donné ta promesse[r]… Non… il ne faut pas nous enfuir… Non, il ne faut pas chercher à leur échapper… Je me soumets,… une fois de plus je me soumets… Écoute,… c'est moi qui vais leur faire une promesse… Écoute… Si elles nous rendent vivant l'otage qu'elles tiennent... je fais serment... je fais serment... de demeurer ici... des années... oui, s'il le faut, de rester ici,... encore des années... jusqu'à ce qu'elles consentent...

ROGER – Que dis-tu? Louise, Louise! Mais c'est fou... c'est fou! (*Tous deux apercevant Madame Roy, demeurent comme figés. Madame Roy se montre, gênée, n'osant pas avancer. Un instant de silence.*)

Scène VI

LOUISE, *avec un calme où l'on sent l'effroi intérieur* – Où est-il?...

MADAME ROY, *hésitant à parler* – Ma chère dame,... voilà... on l'a trouvé...

ROGER – Il n'est pas mort... voyons, il n'est pas mort?...

MADAME ROY – Non... Non... On n'est pas sûr... On va essayer tout ce qu'on pourra. (*Louise et Roger se précipitent vers Tom Watt qui apparaît portant une petite forme inerte cachée sous le tablier qu'avait auparavant Madame Roy. Il est suivi de quelques hommes, qui resteront un moment sans avancer. Au besoin, un chien en laisse. Dès que Tom Watt paraît, Mme Roy lui dit :*) Vite, portez-le sur le lit. (*Mais Louise et Roger découvrent le visage, touchent le petit corps. Louise recule de quelques pas en vacillant. Roger se prend le front à deux mains.*)

LOUISE, *les yeux hagards, qui s'éteignent, d'une voix morte, désespérée* – Elles l'ont tué... Elles me l'ont tué... (*Comme écrasée, elle tombe sur un genou.*) Mon Dieu... (*Ceci comme un gémissement, puis elle glisse à terre et y demeure étendue sur le côté. Roger, sur un genou, lui soulève la tête et le buste. Tom Watt et Madame Roy vont à la maison et tout en marchant, celle-ci est à demi-retournée.*)

MADAME ROY, *à Roger* – Attendez... On va encore faire tout son possible... peut-être qu'à la fin... On n'est pas sûr... (*Elle rentre derrière Tom Watt, dans la maison.*)

ROGER – Louise!... Louise!... (*Lentement, Louise revient à elle, passant le revers de la main sur son front, machinalement, à plusieurs reprises.*) Louise!...

LOUISE, *se relevant, écartant Roger, passant encore quelquefois la main sur son front, puis, les bras en avant, comme pour repousser la vision, avec un accent de terreur, mais plutôt sourdement, lentement, sans trop d'emphase* – Je l'ai vue... Je l'ai vue de près... Sa face était terreuse... sa face était de grès... Elle était maigre... Elle était nue... Je l'ai vue... Je l'ai vue...

ROGER, *comme assommé, hébété* – Mais qui donc?

LOUISE – La Mort... ses os lui perçaient tout le corps... ses yeux étaient ternes et morts... Je l'ai vue... Je l'ai vue...

ROGER – Louise!

LOUISE, *elle regarde son mari d'un air surpris, se prend le front dans la main, puis s'abat aux bras de Roger en gémissant* – Mon pauvre petit bébé. (*Mme Roy est accourue. Elle et Roger soutiennent Louise, la font asseoir et elle demeure insensible, la tête renversée, une main pendante, l'autre sur ses genoux. Roger alors se précipite dans la maison.*)

MADAME ROY, *écoute assez longuement si le cœur bat encore. Ensuite elle*[(s)] *retire de sa poche un mouchoir, va le mouiller dans la tasse d'eau, puis l'applique sur le front de Louise. En ce faisant, elle dira :* – Pauvre chère dame... pauvre chère dame... pauvre chère dame... c'est tout de même bien dur pour elle... (*Roger revient d'un air accablé, et va prendre la main inerte de sa femme. Il est suivi de Tom Watt qui lui parle.*)

TOM WATT – Non, monsieur Bourgouin, non, vous ne pouviez pas le voir. Personne n'aurait pu le voir. Le courant l'avait entraîné jusque sous les herbes. Le ruisseau s'y était bien pris pour le cacher à tous les yeux. (*Un temps. Puis d'un accent d'honnête et sincère sympathie, et non d'un ton de supériorité.*) Je compatis à votre peine... Mais laissez parler un vieillard... Pour vivre avec la nature, Monsieur, et n'y point perdre, il faut être de ses enfants. Les autres, voyez-vous, elle les repousse, et parfois rudement, sans pitié. Elle le fait pour eux, pour leur propre bien. Croyez-moi : (t) dès que votre pauvre jeune femme sera rétablie, retournez aux sociétés polies et douces. La terre canadienne, Monsieur, la terre canadienne encore vierge, elle est trop forte pour vous...

RIDEAU

Annexe

Comparaisons entre «La Défaite» et «La Forêt»

L'âge des personnages principaux :

Selon les indications de Bugnet au début de *La Défaite*, Roger et Louise Bourgouin ont respectivement 32 et 23 ans. Ils en ont 36 et 30 dans *La Forêt* (1984 : 11) : «Dans dix ans nous aurons fait fortune et nous retournerons en France. [...] Je n'aurai guère que trente-six ans, et toi à peine trente».

Les personnages secondaires :

Seule Madame Roy figure dans la pièce. Pierre et Mélie Roy, ainsi que leurs enfants Gédéon et Eudore, sont présents dans le roman. Tom Watt, dans *La Défaite*, remplace Tom Beaulieu.

La disparition de l'enfant :

Dans les deux œuvres, le fils des Bourgouin s'appelle Paul, et sa disparition ne cause pas trop d'émoi au départ. À la première scène de la pièce, Roger est convaincu qu'on «le découvrira endormi dans quelques buissons»; et dans le roman, il est prêt à parier que l'enfant «est entré dans le bois [...] pour y grappiller des cerises» (p. 229).

Les justifications de la mère :

Louise s'explique à la troisième scène de *La Défaite* : «Il s'amusait tranquillement, ici même, tandis que je lavais le plancher de la maison. Au bout d'un moment, je regarde, il n'était plus là.» Dans le roman (p. 226), les circonstances sont différentes : «Sur la fin de l'après-midi, Louise et Madame Roy laissant un moment dans la maison, sur le lit, l'enfant qui venait de s'endormir, fermèrent doucement la porte derrière elles et s'en allèrent porter à leur mari du pain, du beurre et du lait. Ayant servi les hommes, elles [...] revinrent promptement, et découvrirent que la porte qu'elles avaient fermée était entr'ouverte».

Variantes

[a] V.O. : quelqu**e** buisso**n**...

[b] V.O. : quitté **notre patrie**,...

[c] V.O. : aider **un peu** moi-même aux recherches.

[d] Cette dernière phrase a été ajoutée. Le texte original s'arrêtait avec : «vous me donnez du courage».

[e] V.O. : de quel bord il a eu l'idée de **tourner.**

[f] V.O. : les magasins, **et les cinémas**...

[g] V.O. : Si vous sav**ez**...

[h] V.O. : du fond **de mon** cœur...

[i] V.O. : **Le conte** de Lisle.

[j] V.O. : si vous sav**ez**...

[k] V.O. : le Canada, avec les hommes qui savaient révérer la nature, et tout peuplé de nobles animaux!

[l] «les uns sur les autres», ajouté à la version originale.

[m] V.O. : ni de l'argent,...

[n] Phrase ajoutée au texte original. Dans une première version, Bugnet avait écrit : «Un mille aller et retour c'est l'affaire de dix, quinze minutes».

[o] Point d'interrogation ajouté.

[p] V.O. : ne **me** dis pas cela,...

[q] V.O. : Non! **B**on!...

[r] V.O. : si tu m'avais donné **la** promesse...

[s] V.O. : Ensuite retire de sa poche un mouchoir,...

[t] V.O. : Croyez-moi : **vendez tout** et dès que votre pauvre jeune femme sera rétablie,...

5. Ivan et Fédor[1(a)]

Contrairement à *La Défaite* (1934) dont l'action se situe dans la nature sauvage de l'Ouest canadien, cette pièce-dialogue *Ivan et Fédor* (1938) se situe en URSS dans le bureau d'un journal à tendance communiste. Seuls textes dramatiques de Bugnet, ils ont tous deux pour sujet l'échec, la soumission. Dans un cas devant la force de la nature, dans l'autre devant le pouvoir politique. Deux pièces en partie autobiographiques: la première inspirée par son expérience de colon au Canada, la seconde par celle qu'il a vécue comme journaliste en France. Le fait que dans les deux cas les personnages fictifs capitulent devant la puissance, fait davantage ressortir le courage réel de Bugnet devant ces mêmes situations.

Au début de ce texte, Fédor, porte-parole de Bugnet, avouera que la politique ne l'intéresse pas beaucoup. Pour quelles raisons donc Bugnet aurait-il écrit cette pièce? Fort probablement pour exprimer ce qu'il ne pouvait pas dire en 1904 avant de démissionner de son poste de rédacteur en chef de *La Croix de Haute Savoie*. Devant la montée du mouvement communiste au Canada, «cet apôtre du catholicisme intégral» se devait de protester publiquement (voir annexe). [THÈMES : Autobiographie. Communisme. Spiritualité.]

Décor et jeux de scène au gré des acteurs

IVAN – Tu m'inquiètes, Fédor... Grâce à mon influence, grâce à l'indulgence de nos amis, tu as été reçu dans

---

[1] *Le Canada Français*, Québec, vol. XXVI, n° 2, octobre 1938, pp. 166-184.

nos rangs. On t'a placé parmi les travailleurs intellectuels de notre soviet*. Mais, vraiment, tu ne travailles pas très fort.

FÉDOR – On se plaint encore, n'est-ce pas? Et en haut lieu, puisque tu m'en parles. Probablement le directeur politique du journal où l'on vient de me caser. Pourtant, comme les autres rédacteurs, je fournis chaque jour les articles demandés.

IVAN – Oui, tu écris. Tu écris bien. Mieux que tant d'autres, tu as le don. Mais, avoue-le, ça manque de vie. C'est froid. Du beau marbre, supérieurement sculpté, mais du marbre. Nous aimerions mieux quelque chose de moins littéraire, si l'on y sentait plus de chaleur; quelque chose qui secoue le sang dans le cœur et dans les veines du prolétariat*; quelque chose qui lance le peuple, avec un dynamisme sans cesse renouvelé, vers cet idéal qui fera monter nos républiques soviétiques à un état de perfection telle que toutes les autres nations de la terre, converties enfin par l'évidence même, se feront les dociles disciples d'un intégral et triomphant communisme.

FÉDOR – Voyons, voyons, Ivan, mon vieil ami... Toujours perché sur ta bonne Rossinante* : la formation des masses. Tu n'es pas en ce moment à la tribune d'un congrès.

IVAN – C'est vrai. C'est plus fort que moi. C'est que je suis un vrai travailleur, un ouvrier de la parole, un ouvrier convaincu. Si ta plume avait seulement la moitié de l'entrain que possède ma langue... Et cependant je n'ai jamais pu te convertir... Et même, Fédor, il me semble que tu deviens de plus en plus tiède.

FÉDOR – C'est ce nouveau métier. Professeur de littérature, on me met aux rubriques politiques. D'une vie de réflexion, de méditation, on me jette dans le grouillement des activités, des actualités, aux quatre coins du monde.

IVAN – Tu t'y perds?

FÉDOR – ... Non... Ce n'est pas tant cela. Le vrai, c'est que la politique, chose transitoire, ne m'intéresse pas beaucoup. C'est comme si, chaque jour, je regardais une table où sont installés, du matin au soir, des joueurs de cartes qui n'en finissent jamais.

IVAN – Je m'en doutais. Tu ne veux pas modifier ta tournure d'esprit. Jadis, cela n'avait aucune importance. Sous l'ancien régime, les rêveurs pouvaient rêver. Aujourd'hui que tout est changé, Fédor, il faut prendre garde. D'autres que moi s'aperçoivent que tu es un tiède. Certains même soupçonnent en toi un secret adversaire des soviets. C'est pour cela que l'on a voulu essayer ta plume au service de nos doctrines économiques et politiques. C'est pour t'éprouver, te soupeser. Prends garde, Fédor. Tâche d'être moins indifférent. Tâche d'y mettre un peu plus d'ardeur, de conviction.

FÉDOR – Entre nous... j'en ai si peu.

IVAN – Il y va de ta place, de ta liberté, de ta vie peut-être, si tu te laissais entraîner par quelque révolté. Voyons, tu admets pourtant comme nous qu'il n'est pas au monde plus noble entreprise que le perfectionnement de la société humaine.

FÉDOR – Là-dessus, depuis Platon au moins, et surtout depuis Jésus, les hommes, et je suis homme, ont toujours cru la société susceptible d'un état plus parfait et capable de progrès. Seulement, après des milliers d'années, après tant d'essais divers, de changements de régime, de prometteuses révolutions, l'humanité demeure fort loin d'être satisfaite, sauf, bien entendu, ceux qui ont pu s'adjuger les meilleures places.

IVAN – Dis-tu cela pour moi?

FÉDOR – Non. Tu n'as pas encore une des meilleures

places. Je ne cherche qu'à t'expliquer mes idées... Si tous les hommes croient viser au même but, d'abord ils ne le conçoivent pas tous de même façon et surtout ils ne sont presque jamais d'accord sur la voie à suivre pour y parvenir. Ici, vous ouvrez un nouveau chemin. Parce que les autres n'ont point conduit où vous désirez aboutir, vous pensez tenir enfin la vraie route. Pourtant elle est rude, encombrée d'obstacles qu'il faut arracher de force. Mais, comme tous les découvreurs de routes nouvelles, vous avez la foi et l'espérance. Vous allez, vous allez, regardant tout droit devant vous, pleins d'ardeur, rivalisant à qui dépassera l'autre.

IVAN – Tu concèdes que nous avançons.

FÉDOR – Certes, nous donnons au monde un spectacle neuf, gigantesque, comme aucune nation n'en a présenté. Nous sommes devenus un peuple d'hercules ; d'autres diraient peut-être : d'hercules forains[2]. Nous tenons à battre tous les records, excepté celui de la sainteté. Après tout, c'est dans la note du siècle. L'ours russe doit être capable de plus beaux tours de force que le coq français, l'aigle allemand, la louve romaine, le vieux[(b)] lion britannique ou l'adolescente Amérique. Mais, Ivan, si je comprends bien vos projets, tout cela nous mène à quoi? À mieux manger, à nous mieux vêtir, mieux loger, mieux nous amuser. Pour le corps, c'est bien, c'est parfait. Mais l'âme, Ivan, qu'en faites-vous?

IVAN – Bon, je m'y attendais. Te voilà encore, toi aussi, jouant de ta petite marotte*. L'âme... l'âme immortelle... et, naturellement, son invention préférée : Dieu. Il me semble pourtant que les modernistes fournissent là-dessus satisfaisante réponse. Apparemment, ils ne t'ont pas encore convaincu. C'est pourtant clair : nous avons l'idée de Dieu, entendu, mais cela prouve-

[2] L'expression «hercule de foire» désigne un acteur qui exécute des tours de force dans les foires, dans les grands marchés.

t-il son existence réelle? Nous avons l'idée d'une hydre* à cent têtes, cela prouve-t-il qu'il en existe ailleurs qu'en notre imagination?

FÉDOR – C'est trop facile, Ivan, beaucoup trop facile. Dieu, une idée forgée par notre esprit, une pure idée qui n'aurait aucune réalité extérieure... Fort bien... Mais alors, vous, pourquoi parlez-vous au peuple de justice et de vérité? Tout comme s'il y avait quelque chose de vrai, tout comme s'il y avait quelque chose de juste!... Soyons modernistes, Ivan. La vérité, la justice... «figments[3]» de notre esprit, illusions, des mots sans rien derrière eux, des hydres à cent têtes!...

IVAN – Ah, mais non. Ces choses-là sont nécessaires, sans quoi il n'y aurait plus moyen de s'entendre. Il faut donc affirmer qu'elles existent.

FÉDOR – Tiens! Tu n'es pas aussi parfait moderniste que je pensais. Ta réponse est assez bonne. Mais ne vois-tu pas qu'elle vaut aussi pour la réelle existence d'un Créateur du monde, puisque, sans cette existence, tout l'univers nous devient incompréhensible?... Au fond, s'il s'agit d'être sceptique, je crois que c'est moi qui le suis le plus.

IVAN – Toi, sceptique?

FÉDOR – Apparemment plus que toi. Je n'ai jamais tenu ma propre raison pour infaillible, moi. Et j'avoue carrément n'avoir pu mieux que toi ni personne découvrir aucune démonstration mathématique ni pour, ni contre, l'immortalité de l'âme, la réalité de Dieu, l'existence de la justice ou de la vérité. Je le confesse : je ne suis qu'un croyant... par la foi... par la grâce de Dieu, je pense... et non par les péremptoires* déductions d'un entendement supérieur. Encore une fois, je n'estime point ma raison infaillible ni meilleure que la

[3] «Figments», que nous avons mis entre guillemets, est un mot anglais qui signifie inventions.

tienne. Si la croyance en Dieu était affaire de pénétrante intelligence, d'habileté dans la logique, cette croyance serait alors réservée aux mieux doués, elle irait en raison de l'intensité de la culture; le peuple n'en pourrait jamais avoir que des miettes. Or cela n'est pas. De grands penseurs ont été croyants. De grands savants le sont aujourd'hui. Mais le peuple, notre cher et pauvre peuple, Ivan, n'est-ce pas lui qui était le plus vraiment, le plus constamment croyant et qui l'est encore en dépit de vous? Comme je voudrais pouvoir l'aider à conserver cette force de perfection, de perfection intérieure plus qu'extérieure, qu'il trouvait dans l'Évangile. Mais, à présent, il est défendu de jamais écrire le nom de Dieu.

IVAN – Tu ne l'ignores pas, Fédor, il y a assez longtemps qu'on l'a dit : la religion, c'est l'opium du peuple[4]. Au reste, officiellement, nous ne l'attaquons pas. Prends donc modèle sur ton confrère : *Le Journal de Moscou*. Là-dedans, Dieu, religion, on n'en parle pas. C'est comme si ça n'existait pas. D'ailleurs, sous ce rapport-là, nous ne persécutons personne, sauf, bien entendu, ceux qui veulent gêner la marche de l'État. Ils n'ont alors que ce qu'ils méritent. Pour nous, chefs du prolétariat, nous n'avons à nous occuper que de son progrès en ce monde. Le reste, s'il y en a, il ne nous regarde pas. C'est affaire à chacun, suivant que bon lui semble, de croire ou non à une vie future. Et puis voyons, Fédor, n'est-ce pas le bon sens même? Dans un pays où il y a je ne sais combien de religions différentes, adverses, comment voudrais-tu que nous allions officiellement nous mêler de théologie?

FÉDOR – Personne ne vous le demandera. Mais il y a cependant parmi toutes les religions une base commune. D'un bout à l'autre des soviets la majorité de nos frères de toutes races ont l'idée d'un Dieu, d'un Dieu unique, éternel...

---

[4] Idée de Karl Marx.

IVAN – Peu importe... Entre nous, mon vieil ami, je parlerai clairement. D'ailleurs, tu le sais : aucun vrai communiste ne saurait admettre le surnaturel. Pour nous, il ne peut y avoir qu'une forme de religion : la foi dans l'avenir de l'humanité. Tu comprends bien que des notions comme les tiennes : Dieu, l'immortalité de l'âme, une vie future, ce sont des inconnues, des perplexités, qui entraveraient notre œuvre. Si le prolétariat se mettait à s'en préoccuper sérieusement, à douter que le but maintenant poursuivi n'est pas le seul qui vaille, le seul où il doit porter son effort, tout l'élan des masses perdrait son entrain. Assurément elles mettraient beaucoup moins d'ardeur au travail. Il nous faut donc absolument remplacer la vieille mystique d'un vague au-delà, d'une problématique immortalité, par une autre mystique plus rapprochée des hommes : la croyance au bonheur du genre humain, non point là-bas, on ne sait où ni comment, mais ici, sur cette terre même, et par le propre et seul effort de l'humanité. Il faut que ceci devienne une ferme conviction, universellement acceptée, partout. Il faut que cet espoir soulève le monde entier. Il faut que chaque homme, fort de cette mystique nouvelle, soit prêt, comme un chrétien, à faire généreusement le sacrifice de son individuel égoïsme en faveur du bonheur commun, comprenant enfin clairement que, sans une satisfaction générale pour tous, il ne peut y avoir ni sécurité, ni complète félicité pour chacun.

FÉDOR – Tu dis : mystique nouvelle... N'est-elle point la même? L'autre aussi, tu l'admets, demande à l'individu l'effort sur soi pour être utile à ses semblables. Ne dit-elle pas : aime ton prochain comme toi-même. Non, vous n'avez pas changé la méthode. Ce que vous changez, c'est la façon de la manier. Auparavant, le sacrifice personnel était libre, volontaire. Vous le rendez obligatoire. J'en sais quelque chose. Auparavant, c'était à chacun de travailler à son propre progrès intérieur. Aujourd'hui c'est plutôt le progrès des autres que vous exigez, que vous imposez. Et puis, cette bonne vieille mystique, vous la prenez pour vous diriger vers un tout autre but, celui que tu dis : l'avenir de l'humanité, ce qui, je suppose, signifie qu'au bout de plusieurs étapes tous les hommes seront heureux parce qu'à peu près tous leurs désirs pourront être ici-bas pleinement satisfaits. Mais ne te vient-il jamais à l'esprit, Ivan, mon vieil ami, que vous leurrez le peuple d'un espoir chimérique, d'un fantôme qui ne prendra jamais corps?

IVAN – Voyons, voyons, Fédor, ouvre les yeux, regarde. Vois ce qu'en si peu d'années nous avons accompli. Du plus bas échelon des nations civilisées nous nous sommes haussés au plus élevé. Les vrais travailleurs, jadis courbés sous le joug des classes riches, sont à présent libres, maîtres de leurs destinées et de celles du pays. Déjà, la production centuplée, voici que le bien-être commence à pénétrer partout chez des millions de pauvres diables qui n'en connaissaient que le nom. Naturellement, tout n'est pas encore parfait. On ne peut tout accomplir à la fois. Mais ce n'est qu'une question de temps. En tous cas, d'après les premiers résultats si vite obtenus, et sans être exagérément optimiste, il est permis de croire qu'avant la fin du siècle nos soviets ne seront pas loin de pouvoir fournir à chaque individu tout le bien-être qu'auront rendu possible les derniers perfectionnements de la science. Ah, les jeunes d'aujourd'hui! Ils sont bien autrement fortunés que nous. Ils verront ce que nous ne pouvons qu'à peine imaginer. Ils jouiront sur leurs vieux jours du parfait confort, fruit du labeur acharné que nous nous imposons aujourd'hui.

FÉDOR – Est-ce bien certain?... Ne connaîtront-ils plus ni les accidents qui vous ruinent la vie d'un homme, ni les maladies pénibles, ni l'enfer des mésintelligences* dans la même maison?... Et puis, de quoi demain sera-t-il fait? Votre nouvel édifice est-il assuré contre toutes les tempêtes, celles du dedans, celles du dehors?

IVAN – J'entends. Il y a, dans tous pays, des mécontents, des agitateurs, des groupes de réactionnaires, des traîtres. Mais tu as déjà pu voir que nous n'y allons pas par quatre chemins. Sitôt que nous avons la preuve... à mort[(c)]! Le risque serait trop grand de laisser le champ libre à ceux qui voudraient saper notre œuvre. Sois tranquille, nous y veillerons. Quant aux ennemis du dehors, quel est celui qui oserait s'attaquer à la plus puissante armée du monde?

FÉDOR – C'est sans doute ce qu'on disait autrefois à Rome, et pourtant, malgré sa puissance militaire, l'empire romain fut écrasé par les barbares. Mais, soit, je te fais crédit sur ce point. Il y a plus douteux et plus grave encore.

IVAN – Tu voudrais m'inquiéter. Tu n'y parviendras pas.

FÉDOR – Je ne cherche qu'à voir clair. Tu parlais de parfait confort, de bien-être. À vous écouter, il me reste l'impression que vous considérez l'humanité comme une sorte de bétail supérieur dont le bonheur consiste à être bien soigné. Eh bien, mon vieil ami, je crains qu'il y en ait beaucoup qui, comme moi, se refuseront à être traités comme un bétail. Personnellement, d'une bonne étable, je m'en moque. Le confort, c'est quelque chose, mais, tout de même, ce n'est pas le plus important. Ce n'est pas des satisfactions matérielles, ce n'est pas du dehors que je tire mes plus forts aliments de vie, c'est du dedans. Pour quelle valable raison irais-je m'amputer d'une partie du cerveau, la meilleure à mon avis, la seule où je trouve ces valeurs distinctives qui me permettent de me croire un homme? Orgueil d'intellectuel? Non. Je ne suis qu'une minuscule unité parmi ces millions, ces milliards, qui, depuis que le monde est monde, ont toujours senti et sentent encore, oui, même en Russie, que ce qui doit dominer dans l'homme, c'est l'esprit. Confort!... Bien-être!... Tous les désirs d'ici-bas pleinement satisfaits!... Mais alors, Ivan, votre idéal du prolétariat, c'est donc d'en faire la plus confortable de ces bourgeoisies repues que vous tenez aujourd'hui pour exécrables?

IVAN – Pas tout à fait. Non, non. Si nous parlons surtout de bien-être et de confort, c'est pour donner aux masses plus d'entrain à la besogne. Dans l'état où elles sont aujourd'hui, elles ne savent guère se faire du bonheur une autre conception que de voir enfin comblés leurs plus primitifs appétits, ceux que tu disais : mieux manger, mieux se loger, mieux s'habiller, mieux s'amuser. Mais tu n'es pas sans te douter que nous visons plus haut. Tu n'ignores pas notre immense effort pour l'éducation, ces milliers d'écoles surgies pour l'instruction de toute la jeunesse, tant de laboratoires installés pour nos spécialistes de toute sorte. Quel peuple fait autant que nous pour accroître le trésor de ses plus impérissables richesses en permettant à ses écrivains, à ses penseurs, à ses savants, de se consacrer pleinement à leur noble tâche sans souci du pain quotidien? Ah, Fédor, qu'on nous donne vingt ans, trente ans encore et l'on verra jusqu'où peut s'élever la grandeur intellectuelle de tout un peuple lorsqu'il en trouve enfin les moyens.

FÉDOR – J'admets que vous avez déjà fait beaucoup pour l'instruction d'une foule d'enfants qui sans vous n'en auraient jamais eu. Mais quelle sorte d'instruction leur donnez-vous? Où les menez-vous avec ce genre de savoir qui se borne à tirer de la vie terrestre tous les plaisirs qu'elle peut offrir? Et puis, Ivan, cela deviendra presque sûrement dangereux pour vous. L'appétit intellectuel n'est pas différent des autres. Une fois éveillé, il a faim. Et ce sera là un autre besoin qu'il faudra satisfaire.

IVAN – C'est bien notre intention.

FÉDOR – Alors, vous contenterez-vous, comme on le fait

presque partout ailleurs dans ces contrées bourgeoises que vous détestez, d'alimenter cet appétit avec des bêtises, d'innombrables notions élémentaires, enfantines, chaque jour multipliées et éparpillées par ces quantités de livres et de magazines où, sous prétexte d'actualité, on traite de tout sans jamais fournir à l'intelligence une once de nourriture solide? Vous contenterez-vous de tenir en haleine, par le journal, la radio, le cinéma, cet appétit de connaissance en le gavant chaque jour d'un salmigondis* d'agréables et surprenantes puérilités déguisées sous un verbiage pseudo-scientifique? Si c'est là votre programme, comment notre pays parviendra-t-il à la primauté intellectuelle?

IVAN – Pour qui nous prends-tu? Crois-tu qu'un prolétariat conscient se pourra satisfaire des soporifiques à quoi se plaisent aujourd'hui les inconscientes bourgeoisies? De ces tas d'inanités qu'on déverse abondamment sur un peuple afin de l'empêcher de penser? Ne vois-tu pas quelle sorte d'avenir se prépare? Partout déjà les esprits lucides perçoivent qu'un jour approche où, grâce à l'incessant progrès des inventions scientifiques, les travailleurs vont avoir de larges loisirs. On en arrivera à la semaine de vingt ou vingt-cinq heures.

FÉDOR – C'est en effet fort probable.

IVAN – Et c'est alors qu'ayant, dès maintenant, éveillé chez eux l'appétit des plaisirs intellectuels, nous les leur offrirons de plus en plus intensément et profondément. Au lieu de ce demi-savoir enfantin dont tu parles, c'est à la vraie science que nous les convierons, au savoir véritable, à celui qui ne se contente pas de se bercer aux fluides et changeantes péripéties de la surface des choses, mais qui découvre et étudie le ferme terrain des permanentes réalités, le solide et vaste fondement où pourra s'établir enfin l'inébranlable et parfait édifice tant et si longuement souhaité par notre pauvre humanité.

FÉDOR – Est-ce vraiment votre intention de donner à tous ceux qui en sont capables une instruction supérieure?

IVAN – Mais certainement et, de ces capables intelligences, il y en a beaucoup plus qu'on ne se l'imagine.

FÉDOR – C'est précisément ce que je crois aussi. Et tu m'assures qu'on élèvera le niveau intellectuel du peuple jusqu'à lui apprendre à penser? Jusqu'à pouvoir porter sa pensée aux fondements mêmes du savoir humain?

IVAN – Mais oui. Si nous voulons un prolétariat définitivement supérieur aux bourgeoisies par l'intelligence, il n'y a pas d'autre moyen. Ne vois-tu pas que sans cela nous en resterions sempiternellement au présent système féodal; les plus malins, les seigneurs, exploitant par le savoir et l'astuce les foules ignorantes et vassales*?

FÉDOR – Oui, c'était le système d'hier et c'est bien encore, il me semble, le système d'aujourd'hui. Toi-même, Ivan, avoue-le, n'es-tu pas l'un des chefs, l'un des seigneurs qui dominent et dirigent une foule de pauvres diables qui vous obéissent et vous suivent de confiance? Et, entre les seigneurs, n'est-ce pas le plus habile et le plus fort qui impose sa volonté?

IVAN – Soit, pour le moment. Mais le peuple n'y a rien perdu.

FÉDOR – Je n'en suis pas sûr. D'un côté vous lui faites gagner des avantages matériels. De l'autre, au point de vue moral, spirituel, combien en avez-vous rendus malheureux, combien souffrent, d'une souffrance muette, parce qu'ils ont perdu ce qui les fortifiait, ce qui les consolait autrefois, leur adoucissait les inévitables peines de la vie, les rassurait devant la mort. Combien, en ce moment, sur toute la terre de Russie, meurent, les yeux hagards, et glissent, perdant tout, l'âme serrée d'angoisse, vers le mystère de l'éternité?

IVAN – Cela, c'est la faute des anciennes superstitions.

FÉDOR – Là, Ivan, ta réponse n'est pas franche. Tu te dérobes à la logique. Tu sais aussi bien que moi que personne, depuis qu'il y a des hommes, et qui pensent, que personne n'a jamais pu démontrer qu'il n'existe au monde que de la matière. Aucun, jamais, n'a pu prouver l'inexistence du spirituel.

IVAN – Mais enfin, je t'assure que je n'y crois pas.

FÉDOR – Entendu. Seulement, cela ne prouve pas du tout que tu aies raison.

IVAN – Et toi? Parce que tu crois, cela prouve-t-il quelque chose?

FÉDOR – Réponse prévue. À nous deux, Ivan, nous représentons assez bien les deux camps séculaires : les incroyants et les croyants. Et notre cas nous conduit à cette conclusion : qu'on ne parvient pas à résoudre cette grande question à coup d'arguments purement intellectuels. N'est-ce pas pour cela que, comme tu disais, vous préférez ne pas vous mêler officiellement de théologie, et ignorer le problème dans l'espoir qu'on l'oubliera?

IVAN – Nous pensons qu'en effet le silence là-dessus est de bonne stratégie.

FÉDOR – Fort bien. Mais alors si, comme tu le dis, vous avez l'intention de laisser plus tard libre carrière à l'intelligence dans votre prolétariat supérieur, voilà vos enseignements matérialistes remis en question. De nouveau, l'inéluctable problème du monde et de la destinée humaine sera librement discuté. Voilà votre édifice secoué jusque dans sa base. Voilà restauré l'éternel conflit du matériel et du spirituel. Voilà dans l'individu la guerre entre son corps charnel et sa conscience morale. Voilà dans l'État la lutte entre le politique et le religieux[d] avec toutes ces alternatives de victoires et de défaites dont est tissée la véritable histoire de l'humanité, d'une humanité qui cherche la victoire de l'esprit, d'une humanité...

IVAN – Ne t'emballe pas, mon vieux Fédor. D'ici là nous aurons solidement établi notre édifice. Ce ne sont pas des discussions philosophiques ou théologiques qui parviendront à l'ébranler.

FÉDOR – Tu as évidemment la foi robuste. Mais poursuivons. Donc, d'après vous, plus tard, la liberté de pensée et, par suite, la liberté religieuse, pourront être rendues au prolétariat, complètement. Vous estimez qu'avec le perfectionnement mécanique et une bonne organisation économique, le peuple aura de moins en moins besoin des travaux manuels, qu'il jouira de plus en plus larges loisirs, que vous développerez en lui un appétit de plaisirs intellectuels vraiment supérieurs. J'en crains pour vous les conséquences sous le rapport de la ...

IVAN – Il n'y a pas là non plus de quoi s'inquiéter. Il restera toujours un bon nombre de citoyens qui préféreront le travail manuel à l'enrichissement de leur intelligence.

FÉDOR – Les purs prolétaires... une classe inférieure...

IVAN – Mais satisfaite de l'être.

FÉDOR – Satisfaite? Est-ce que l'homme est jamais satisfait de ce qu'il a? N'est-il pas toujours à réclamer ce qu'il n'a pas? Non, Ivan, vous n'en aurez pas fini avec les luttes de classes.

IVAN – Eh bien, rien n'empêcherait alors, pour calmer les jalousies, de faire un devoir aux intellectuels de donner, chaque jour, quelques heures à des occupations manuelles.

FÉDOR – Crois-tu? Que l'on nous mette, toi et moi,

demain, et chaque jour ensuite, pendant trois ou quatre heures à écorcer des billes* de sapin ou à visser les pièces d'une machine et je réponds que ni toi ni moi ne dirons que le communisme est le parfait bonheur. Avoue-le, ni toi, ni moi, ni quantité d'autres, n'aurions grande aptitude pour ce genre d'ouvrage, pas plus qu'un vrai prolétaire n'aurait de goût à composer une simple étude[e] de la peinture ou de la musique russe au siècle dernier. Et d'ailleurs, pourquoi obligerait-on à des travaux manuels un homme capable d'étude alors que le vrai prolétaire, lui, serait libéré du labeur intellectuel? Ce serait exiger du premier plus que du second. Si donc, plus tard, vous avez développé chez un grand nombre l'appétit des plaisirs de l'esprit, ce grand nombre ne s'insurgerait-il pas d'une proposition comme celle-là? C'est, il me semble, un sentiment très humain.

IVAN – Tu t'obstines à ne voir que les obstacles. C'est parce que tu n'as pas la foi.

FÉDOR – Hé! je voudrais une foi logique. Fournis-moi donc au moins quelque solide raison de croire. Tu m'accusais d'être un rêveur. Mais c'est vous, c'est vous qui rêvez, qui rêvez l'impossible : un prolétariat intellectuel. Comment, diable, pourrez-vous jamais accoupler ces deux mots-là? Vous rêvez de bâtir toute une nation, et le monde entier sur un modèle qui n'est même pas applicable à un seul homme.

IVAN – Je devine à peu près ce que tu veux dire. Mais vas-y, explique-toi clairement.

FÉDOR – Oh, c'est simple. Dès qu'on l'a poussé à un certain degré de culture, l'homme trouve plus de plaisir dans les labeurs et les délassements intellectuels que dans les occupations et les satisfactions physiques. Sa vie devient intérieure. Il n'est plus ce qu'on appelle un homme d'action ni un vrai prolétaire. Et, inversement, les hommes physiquement actifs ont généralement peu de goût pour la vie de l'esprit. C'est pourquoi, logiquement, il vous faut, aujourd'hui, pour le développement matériel, étouffer le spirituel qui, tout comme la religion, serait un opium pour le peuple.

IVAN – Jusqu'ici tu raisonnes assez bien.

FÉDOR – Bon. Mais si, demain, on pousse les nouvelles générations dans une forte culture de l'esprit, ce sera au tour du progrès matériel de se voir étouffé. Il aura perdu son importance aux yeux d'un peuple qui commencerait à comprendre que le perfectionnement, l'enrichissement de la pensée, doit prendre le pas sur la richesse matérielle. Vois-tu où cela conduit?

IVAN – Certes, comme tu le dis, une forte vie de l'esprit nuirait à l'activité économique, à la vigueur musculaire de la nation. L'homme qui préfère vivre d'une vie intérieure accepte trop docilement de boire la ciguë* ou de se laisser martyriser sans même en vouloir à ses bourreaux. C'est bien pourquoi, à présent, nous voulons un prolétariat robuste, musclé, agressif. Seulement, nous espérons fermement qu'un jour viendra où, tous les pays étant soviétiques, la guerre disparaîtra de la surface du monde.

FÉDOR – Et d'ici là?

IVAN – D'ici là, on pourra s'en tenir à un prudent équilibre entre les travailleurs manuels et les travailleurs intellectuels.

FÉDOR – Et tu crois que ce sera facile?

IVAN – Non, mais il le faudra bien. Nous sommes certains que l'heure sonnera, et dans un avenir prochain, où tous les hommes pourront jouir, la paix enfin définitivement établie, d'un complet bien-être.

FÉDOR – En somme, je n'aperçois chez vous qu'un seul but qui soit vraiment précis : remplacer les présents bourgeois par d'autres bourgeois.

IVAN – Pourquoi bourgeois? Un prolétaire ne peut-il jouir du confort et demeurer prolétaire

FÉDOR – Me soutiendras-tu sérieusement que, par exemple, Maxime Litvinof* (sic), ou toi, ou moi, sommes de vrais prolétaires?

IVAN – Maxime Litvinof et moi le sommes sûrement de cœur.

FÉDOR – Oh! de cœur… moi aussi… mais de fait?

IVAN – Le bourgeois est celui qui exploite le prolétaire. Nous ne l'exploitons pas, nous.

FÉDOR – En es-tu bien sûr?

IVAN – Fédor!… Ah, Fédor, prends garde!

FÉDOR – Oh, tu pourras me laisser dénoncer si tu veux. Je ne tiens pas tant que cela à cette vie. Et ce n'est pas toi que je vise, Ivan. Je te crois vraiment sincère. Mais, je te l'ai dit en toute sincérité : vous rêvez. De bonne foi, vous conduisez les déshérités vers une terre promise, et ce n'est qu'un lointain mirage. De bonne foi, ces pauvres gens vous acceptent, vous élisent pour chefs, et vous suivent. Est-il cependant si impossible que, cédant aux instincts de l'humaine nature, les têtes les plus habiles vous manœuvrent pour que le prolétariat demeure à jamais un prolétariat, un prolétariat docile, patient, un prolétariat qui ne suscite pas de grèves…

IVAN – Tu veux dire un peuple de bons travailleurs. Mais si l'on prend bien soin d'eux, s'ils ont de larges loisirs, s'ils jouissent d'un vrai confort, s'ils peuvent se procurer tous les plaisirs qu'ils aiment, n'est-ce pas là déjà un idéal digne de notre effort?

FÉDOR – Idéal… Idéal ou chimère?… En tous cas idéal trop incomplet. Idéal incapable d'enthousiasmer la plupart des hommes parce que, quoi que vous en pensiez, l'immense majorité des hommes tient la grandeur d'âme pour supérieure au bien-être et au plaisir. Idéal trop inférieur pour tenir tête à d'autres : à l'idéal chrétien du sacrifice, à cet idéal de contentement immatériel, de joie intérieure où s'élèvent ceux qui croient à une morale surhumaine, à l'immortalité de leur âme, à des cieux éternels où trône une divine Paternité.

IVAN – Vieille chanson.

FÉDOR – Antique, mais toujours neuve. Si entraînante, si conquérante, qu'elle est aujourd'hui la seule véritable et vivante Internationale[5].

IVAN – Nous la supplanterons.

FÉDOR – Je ne vois pas comment. Il semble que votre idéal de confort et de plaisir n'est pas même capable de lutter contre cet autre, purement humain, qui fait appel à l'orgueil.

IVAN – J'entends. Tu veux parler des idéologies fascistes.

FÉDOR – Oui. Je ne les approuve pas. Je ne juge point. Je constate simplement, alors que vous rêvez d'internationalisme, l'étonnant succès de ceux qui s'adressent à l'esprit national. Au fond, c'est naturel. L'homme se sent plus lié à ses proches, à ceux de sa race, à son pays propre, qu'à de lointains inconnus. N'est-ce pas là ce qui fit la force de grands peuples depuis la Grèce et Rome jusqu'à la France, l'Angleterre et l'Amérique [(f)]? Peut-on nier la neuve énergie de l'Italie, du Portugal, de l'Allemagne, du Japon? Et, jusqu'en Espagne, ceux qui n'ont que votre idéal me paraissent bien avoir le dessous contre ceux qui en ont un autre. Ne serait-ce pas que la mystique matérialiste engendre

[5] On pourrait trouver le texte de cet hymne révolutionnaire, l'Internationale, notamment dans l'ouvrage de M.-C. Bartholy et J.-P. Despin, *Le Pouvoir*, collection «Critique», n° 2, Paris, Éditions Magnard, 1987, pp. 37-38.

moins de vigueur, et qu'on obtient davantage des hommes en faisant appel à des puissances spirituelles, fût-ce l'orgueil, plutôt qu'en les convoquant à la satisfaction de leurs plus vulgaires appétits? Ah! mon vieil ami, combien de fois ai-je senti, moi, Russe, le rouge de la honte me monter au front devant les insultantes ironies de ce Japon qui sans répit, contre nous, allonge sur l'Asie ses avides tentacules...[6]

IVAN – Hé! tu sais aussi bien que moi les risques d'une guerre. Que la France juge bon de rester neutre, et nous voilà pris comme dans un étau entre des nations fascistes. Que survienne alors une simple défaite, et c'est peut-être aussitôt chez nous une autre révolution.

FÉDOR – Je ne souhaite pas une défaite. Mais...

IVAN – Mais quoi?

FÉDOR – Cette autre possible révolution, si vous la redoutez, serait-ce donc qu'après tant d'efforts vous vous sentez encore si faibles, si incertains de cet avenir dont, tout à l'heure, tu te disais si sûr? Pour moi, après tout, une autre révolution...

IVAN – Ah, Fédor, tais-toi... tais-toi. Si je rapportais ce qui vient de t'échapper... Brisons là. Tu me ferais perdre patience. Mais prends garde... prends bien garde... Tu es mûr pour la trahison.

FÉDOR – Trahison?... Non, Ivan, ni toi ni moi n'avons des âmes de traîtres. Et pourtant... pourtant... il y a tant de manières de trahir son pays. Mais, au fond, vois-tu, je suis trop lâche pour désirer de mourir. Ne crains rien. Je continuerai de marcher suivant les ordres, docile mouton dans le grand troupeau docile du prolétariat qui s'en va vers le lointain mirage... Ah, quelle misère, Ivan... quelle misère...

---

[6] Allusion à la controverse entre le Japon et la Russie concernant en particulier l'île de Sakhaline.

IVAN – Qu'y puis-je faire? Sans doute, maintenant que je comprends mieux les raisons de ton indifférence à notre égard, je compatis à ta peine. Mais reculer, regimber, ce serait pour toi la mort. Il faut marcher avec nous, Fédor. Nous devons suivre nos chefs. Il le faut… Il le faut!

FIN

Annexe

Rappelons le contexte historique dans lequel s'insère *Ivan et Fédor*.

Source : Jean Hamelin et Nicole Gagnon, *Histoire du catholicisme québécois*, dirigée par Nive Voisine, «Le XXe siècle», tome I, 1898-1940, Montréal, Boréal Express, 1984, pp. 373-384.

1921

Affilié à la Troisième Internationale, le Parti communiste canadien est fondé en 1921, à Toronto. S'appuyant sur le système des cellules, il cherche à implanter le régime de soviets. Le Parti dirige des écoles où s'offrent des programmes intensifs pour la formation d'une élite communiste à Preston (Nouvelle-Écosse), à Timmins (Ontario) et à Ranfurly (Alberta). Il dispose d'associations qui encadrent la jeunesse : Pioneers (six à douze ans), Young Comrades (douze à seize ans).

1927

À cette date, le Parti possède plus de soixante écoles du soir que fréquentent des jeunes et quelque quarante-trois journaux, dont vingt-deux sont imprimés au Canada. *The Worker*, édité à Toronto, est l'organe officiel du Parti et *The Ukrainian Labour News*, de Winnipeg, le plus influent.

1930

À Montréal, les communistes qui ont déjà leurs cercles et l'Université ouvrière redoublent d'activité. En mai, le

Parti commence la publication de *L'Ouvrier canadien* à l'intention des milieux francophones et, en décembre, le drapeau rouge ouvre une parade de chômeurs à travers les rues de la ville.

Pendant ce temps la réaction s'organise. L'Église s'apprête à livrer une guerre totale contre un mouvement, qui, à ses yeux, incarne le mal. Le communisme est une anti-Église. Il est une pensée matérialiste, une vision du monde qui ne laisse place ni à Dieu ni à la religion. Le 11 novembre 1930, dans la salle du Gesù à Montréal, le jésuite Paul Doncœur, éminent théologien français, plaide en faveur d'une contre-attaque. «Ce n'est pas par des mesures violentes, en interdisant les assemblées, en déportant les chefs, qu'on endiguera la vague communiste, c'est en lui opposant doctrine à doctrine. Nous possédons la vérité. Faisons-la connaître.»

Mgr Gauthier fait écho aux paroles du père Doncœur et s'en remet aux jésuites, plus précisément au père Joseph-Papin Archambault, pour organiser la défense du Royaume. Le 7 décembre 1930, le père Archambault avait déjà un plan de contre-propagande.

1931

En janvier 1931, Mgr Gauthier sonne l'alarme et les leaders des associations religieuses répondent avec enthousiasme. Le père Archambault les regroupe, le 2 février, dans un état-major qu'il coiffe du nom de Comité des œuvres catholiques de Montréal. Ce comité dont il assume la présidence concerte l'action des forces catholiques : contacts avec la police qui passe au Comité d'utiles «tuyaux»; sensibilisation des autorités publiques à la menace bolchevique; pétition contre le *dumping* russe et incitation à une action énergique.

De son côté, le parti communiste, après sa mise hors la loi en Ontario en 1931, change son nom en Canadian Labour Defense League (CLDL) et dirige le mouvement révolutionnaire en s'infiltrant dans diverses associations. Parmi celles que la CLDL contrôlerait, citons : The Ukranian Farmers and Workers Temple Association, The Farmers Unity League, The Industrial Lumber Workers, The Workers Unity League, The International Workers Aid.

1932

Toute l'Église québécoise fait front avec le Comité des œuvres catholiques. Dans leur lettre collective sur la crise, les évêques du Québec dénoncent les «semeurs de fausses idées» et demandent aux autorités publiques de contrer «le prosélytisme des agents de désolation spirituelle». En mai, le délégué apostolique enquête auprès des évêques sur les activités communistes dans leur diocèse respectif.

1933

Sur le front national, l'engagement que prend le premier ministre Taschereau, en janvier 1933, de combattre, par tous les moyens mis à sa disposition, les idées subversives, ne rassure qu'à demi. Joseph-Papin Archambault évalue les effectifs communistes à dix-sept mille membres canadiens, répartis en trois cent cinquante sections, auxquels il faut ajouter douze mille membres affiliés.

Tour à tour en 1933, l'épiscopat québécois en mai, puis l'épiscopat canadien en octobre condamnent le communisme soviétique.

1935

Le succès que rencontre le communisme auprès de larges couches de la population, surtout les néo-Québécois d'origine juive et slave, accroît l'inquiétude. En mai, quelque quatre mille ouvriers, dont de nombreux Canadiens français, affrontent la police; le professeur Frank Scott, de McGill, et d'autres personnalités annoncent qu'ils se rendront en URSS.

1936

Les choses vont encore plus loin : les cellules communistes se multiplient; un échevin aurait adhéré au parti communiste et le maire de Montréal, Camilien Houde, serait sympathique au mouvement; quelques associations catholiques adhèrent au Front populaire. Le chef de police de Montréal explique au Comité des œuvres catholiques la difficulté d'enrayer l'activité des communistes, car «si le Parti communiste est illégal, les idées ne le sont pas».

Le Comité riposte par la formation d'un Front catholique. Les militants catholiques sont de plus en plus nombreux à penser qu'une intervention gouvernementale s'impose pour juguler les activités communistes : requêtes auprès d'Ottawa pour l'application de l'article 98 du Code criminel avec plus de sévérité et pour la sélection des immigrants, insistance auprès du premier ministre du Québec pour qu'il mette le Parti communiste hors la loi... Aux élections municipales montréalaises de décembre 1936, le Comité des œuvres catholiques demande aux candidats à l'échevinage de s'engager par écrit à faire respecter l'observance du dimanche, à lutter contre les communistes et contre la pègre.

1937

Maurice Duplessis fait voter la «loi du cadenas» qui interdit la propagande et les lieux de réunion des communistes. De plus en plus souvent, les autorités ecclésiastiques interviennent auprès du Bureau de la censure et des mass media. La collaboration des militants catholiques avec la police se fait plus étroite en ce qui concerne l'activité des communistes, les Témoins de Jéhovah, l'observance du dimanche et la moralité publique.

C'est dans cette atmosphère surchauffée que paraissent tour à tour – entre juin 1938 et mai 1942 – trois textes de Bugnet : *Science et foi*, *Ivan et Fédor* et *Propagande soviétique*.

Variantes

[a] La note suivante, incluse au texte original, a été rayée de la main de l'auteur dans cette version.

L'auteur nous écrit : «… Je n'attaque pas le communisme *ex cathedrâ* (sic). C'est en soulevant, jusque dans les esprits préconçus en sa faveur, des doutes, des objections plausibles, logiques, que ma pièce, surtout si elle était jouée un peu partout où les idées bolchevistes ont déjà pénétré, pourrait produire de bons résultats. Elle pourrait même être présentée dans des milieux fortement communistes sans qu'ils lui puissent faire une opposition raisonnée.

Je consentirai volontiers, pour la province de Québec, à ne réclamer aucun droit d'auteur, sauf au cas où quelqu'un s'en voudrait servir pour profit personnel, exclusif.»

[b] L'adjectif **vieux** a été ajouté au texte original.

[c] Le texte original ne comportait pas l'exclamation.

[d] V.O. : la lutte entre **la** politique et le religieux…

[e] V.O. : une simple **esquisse** de la peinture.

[f] Toute cette phrase interrogative a été ajoutée à la version originale.

Troisième partie

Essais et critique

Présentation des essais

Tout travail de présentation et d'établissement de textes vise un double objectif : faire connaître l'auteur, mais aussi faire connaître le milieu socio-historique dans lequel s'inscrivent ses écrits. Ainsi, pour saisir la portée du message de Bugnet, il est indispensable de ne pas perdre de vue que Les Essais *s'échelonnent entre 1932 et 1946. Or, jusqu'à la fin de la Deuxième Guerre mondiale, les écrivains canadiens-français suivent presque tous le sillage idéologique tracé par les maisons d'édition, les revues et les journaux qui ne pouvaient survivre sans l'appui du clergé. Nous avons déjà vu, dans l'annexe du texte n° 5, le rôle que l'Église a joué dans la lutte contre le communisme; nous verrons ici son rôle dans le domaine du livre. En effet, pendant les années 1930,*

> *...le clergé est également très actif dans les milieux intellectuels et les divers mouvements nationalistes [...].*
>
> *Ces années sont celles, en effet, des véritables débuts de l'édition littéraire, dans l'orbite du mouvement nationaliste qui connaît alors un regain de vitalité [...]. Ainsi, à côté des maisons desservant le marché scolaire et religieux [...], apparaissent de nouveaux éditeurs qui, avec l'appui d'une librairie ou d'une revue, s'adressent plus directement au marché indépendant. C'est le cas, entre autres, [...] des Éditions du Totem, fondées en 1933 par Albert Pelletier, directeur de la revue* Les Idées[1] *[...].*

[1] Six textes de Bugnet sur les vingt présentés dans cette anthologie ont été publiés dans cette revue.

> *Malgré des nuances parfois importantes, ce qui caractérise globalement les œuvres publiées par ces éditeurs, c'est le souci de créer et de propager une littérature proprement «canadienne», distincte par le fond et la forme de la littérature française contemporaine, que certains jugent décadente. Conçue comme l'expression des valeurs nationales, cette littérature se manifeste dans deux genres principaux : l'essai et le roman, qui se prêtent mieux que la poésie à la propagation de l'idéologie. L'essai, par exemple, permet de réaffirmer, en période de crise, les grands thèmes conservateurs et de chercher des voies nouvelles qui ne rompent pas radicalement avec la tradition*[2].

Les quinze essais et critique qui composent cette troisième partie de l'ouvrage répondent aux exigences des éditeurs de l'époque, et révèlent, malgré leur diversité, des préoccupations constantes chez Bugnet. Par un jeu de variations sur le thème de l'identité canadienne, l'auteur insiste tantôt sur la langue ou sur la littérature, tantôt sur les valeurs spirituelles et morales.

Il est indispensable d'ajouter ici quelques observations prudentes. Les normes des éditeurs des années 1930 n'étaient pas aussi rigides que celles d'aujourd'hui : les citations n'étaient pas toujours textuelles et les références restaient vagues. Aussi les avons-nous fournies dans cette édition.

---

[2] Paul-André Linteau et al., *Le Québec depuis 1930*, Montréal, Boréal, 1986, p. 170.

6. Canadiana[1]

Quelque tranchantes que puissent paraître les opinions formulées par Bugnet dans *Canadiana*, il faut songer qu'elles répondaient à un état d'esprit. En effet, les critiques parues lors de la publication de *La Forêt* en 1935, n'étaient pas toutes aussi élogieuses que l'aurait souhaité Bugnet; la comparaison de son roman avec celui de Louis Hémon, *Maria Chapdelaine*, ne lui rendait pas justice. Aussi a-t-il éprouvé le besoin de faire le point. (Voir aussi le texte n° 16, «La Forêt»). [THÈMES : Autobiographie. Identité canadienne.]

Il y avait une fois dans une petite ville du Canada un homme remarquable. Il était intelligent, bon, honnête, fort utile à sa paroisse, enfin pourvu de qualités assez éminentes pour qu'une petite ville en pût être fière. Lorsqu'il parlait en public il savait s'exprimer pour être clairement entendu de tous ses concitoyens. Il avait des idées personnelles, saines, souvent bonnes, mais peu de cette faconde* qui emporte les foules. Toutefois, on le tenait pour[a] orateur bien au-dessus de la moyenne.

[b] Un jour, arriva de la grand'ville un avocat qui, durant deux heures, souleva des tempêtes d'applaudissements, puis s'en fut. Dès lors on ne tarit plus d'éloges sur le brillant météore étranger, et du grand citoyen de la petite ville on n'osa presque plus parler. La comparaison l'avait tué.

---

1 *Les Idées*, vol. III, n° 1, Montréal, Éditions du Totem, janvier 1936, pp. 13-23.

Et c'est ainsi que nous faisons pour les meilleurs de nos écrivains[c].

On a dit que toute comparaison cloche, mais nous en enfourchons qui, pour boiteuses qu'elles soient, nous rejettent si rudement par terre que nous en demeurons longtemps tout éclopés. J'entends à chaque instant proclamer que cet auteur-ci est un rival de Louis Hémon – et cet honneur me fut aussi maintes fois asséné, à moi, chétif, roide sur la tête, – que ce roman-là est fait d'une étoffe assez semblable à celle dont s'habillait Balzac, que cet ouvrage en vers est un pur chef-d'œuvre qu'en France on mettrait au plus haut rang.

Quelle rage nous pousse à vouloir être classés avec les écrivains d'un autre pays? Pourquoi nous compter notre prix dans une monnaie qui n'est point nôtre[d]? Faudra-t-il donc, pour établir une bonne géographie canadienne, avoir à côté de soi tous les reliefs du sol de France et déduire la valeur des régions du Saint-Laurent d'après celle du bassin de la Loire, de la Seine, ou du Rhône? Viendrait-il jamais à l'idée d'un cultivateur québécois d'aller rivaliser avec un vigneron[e] de Bourgogne et concourir avec lui pour le meilleur vin de France? Qu'il se serve des mêmes instruments de culture que son cousin français, soit; encore qu'il les doive adapter à son terrain propre. Mais qu'il se croie obligé de produire, exactement de même façon, les mêmes récoltes, pas un n'aura jamais ambition si saugrenue.

S'il désire aller de pair avec ces nobles Français qui font, de nos jours, la gloire de leur pays, un Canadien n'a qu'une ressource : suivre l'exemple de Jean-Jacques Rousseau, habiter la France, en devenir citoyen[f].

On me répondra encore[g] que les enfants doivent imiter leurs parents. Voire. Cela dépend de quel bois se chauffent les parents. Et les parents fussent-ils parfaits, un fils, s'il ne vit plus sous le même toit, s'il a choisi un autre état, ne peut, quoi qu'il veuille, reproduire tous les gestes de son père. Qu'il tâche à lui ressembler, qu'il en garde les traits, la langue, la religion, les vertus, fort bien. Mais il devra devenir autre que lui, s'il veut être soi[(h)].

Lorsque, en 1636, voici donc trois cents ans, apparut *Le Cid**, le public pensa qu'il avait devant lui une bonne œuvre bien française. Que la pièce ne fût point parfaite, on l'entendit assez. Les critiques du jour s'empressèrent de la comparer aux plus belles pages des tragiques grecs et d'y relever cent défauts. Le pauvre Corneille, en son for intérieur, devait se dire : «Que me viennent-ils chanter avec leurs Eschyle, Sophocle et Euripide? Je suis Français, que diable! Pourquoi veulent-ils que j'aille leur fabriquer de la marchandise grecque? Malgré ses faiblesses, ses fautes de langage, ses impropriétés de termes, ma pièce est tout de même la meilleure qu'on ait encore écrite en France. Peut-être s'en apercevra-t-on plus tard». Et c'est le bon Corneille qui avait raison, et le public qui, en cet heureux temps, savait goûter les belles et bonnes choses. Les critiques et le grand cardinal* en furent pour leur encre. Trois cents ans après, *Le Cid* est toujours comme l'aube victorieuse du plus beau soleil des lettres françaises.

Assagis, les critiques retombèrent moins souvent dans leur manie de fausses mesures. J'imagine la verve du court mais vigoureux Boileau si quelqu'un se fût avisé de planter son *Lutrin** en face des grandes orgues d'Aristote ou de Platon. S'il n'avait point l'esprit vaste, il l'avait clair. Il voyait qu'on pouvait rapprocher les noms de Sophocle et de Racine sans que celui-ci fût écrasé par celui-là. Il savait que, seul, le génie peut soutenir sans pâlir l'éclat d'un autre génie.

[(i)]Quand il vante Malherbe, c'est comme écrivain de France. Il ne lui vient point à l'idée de le mesurer avec des maîtres d'autres littératures. Il sent trop bien qu'à ce jeu-là son héros n'y gagnerait pas; ni, par suite, les lettres françaises.

[j]Comme lui, nous devrions savoir éviter l'inhabile maniement d'un compas qui risque de nous éborgner tous : écrivains, critiques et public. D'ailleurs, encore qu'il eût l'esprit plus clair que beaucoup d'entre nous, Boileau ne laissait pas d'être parfois fort myope. Parce qu'ils n'écrivaient point dans la langue de Malherbe, il ne trouvait guère de mérite aux auteurs plus anciens. Il était loin de se douter qu'un jour viendrait où les[k] Français camperaient un François Villon parmi leurs grands poètes.

Plusieurs paraissent croire qu'une littérature n'acquiert une réelle valeur que lorsqu'elle a produit au moins un génie comparable à ceux qui culminent en d'autres pays; comme si c'était un génie qui fait une littérature. Est-ce qu'une forêt ne vaut que lorsqu'on y peut découvrir quelque arbre géant[l]? J'estimerais plutôt qu'une littérature est digne d'être connue, étudiée, goûtée, dès qu'elle est différente des autres. Je ne pense pas que, pour des voyageurs, la province de Québec soit l'une des sept merveilles du monde; mais elle a, sur ce continent, une physionomie bien à elle. Cela suffit, puisque des milliers de touristes la viennent visiter et lui trouvent un charme singulier. Que gagnerait-on à en faire un calque exact de la France d'aujourd'hui, sinon qu'elle y perdît son caractère propre? Demeurons donc citoyens du Canada[m], de notre paroisse. Dans une paroisse, comme dans une famille, les comparaisons, pour être justes, doivent savoir se borner. S'il fallait que chacun, pour évaluer les membres les mieux doués de sa famille, se crût tenu de les mettre en parallèle avec Homère, Virgile, saint Thomas d'Aquin, ou Napoléon... quel beau massacre des meilleurs des nôtres!

[n] Les critiques français modernes, pour restaurer les écrivains du Moyen Âge oubliés par les classiques, n'eurent aucun besoin de sortir de leur pays, ni d'aller placer Villon à côté de célèbres poètes latins ou grecs. Ils virent très nettement que, tout inégales, tout imparfaites qu'elles

soient, beaucoup d'œuvres longtemps dédaignées forment, simplement parce qu'elles sont françaises et non autres, quelques-unes des maîtresses branches parmi la frondaison[2] littéraire. Il est, je le sais, plus facile d'en juger lorsque l'arbre est pleinement développé. Au début, telle pousse n'a l'air de rien qui plus tard deviendra robuste et merveilleusement féconde. L'œil expérimenté d'un Boileau s'y est trompé. Toutefois, pour trier les fruits de son temps, il n'avait d'ordinaire qu'à les comparer entre eux, sans norme étrangère : Corneille était bien supérieur à Chapelain*, Racine valait Corneille et dépassait Pradon*, Molière n'avait pas son égal dans la comédie. Par ce classement, entre eux, des écrivains de son temps, il donnait au public des idées précises, claires, justes; il formait le goût, ce goût si sûr, si délicat, aujourd'hui presque entièrement disparu.

On se plaint, en France, du divorce entre les écrivains et le public. Je le crois bien. Combien y a-t-il encore d'auteurs, là-bas, qui excellent dans le meilleur français[(o)]?

En Canada, où la langue du peuple est encore plus éloignée des genres de style maintenant en vogue par-delà l'Atlantique, le danger du même divorce ne sera-t-il pas plus redoutable si nos gens de lettres veulent introduire chez nous ces modes étrangères, prétentieuses, maniérées, tortillées?

Comment parviendrons-nous jamais à écrire canadien, à être nous-mêmes, quand nous nous travaillons sans répit pour ressembler à d'autres?

[(p)] Qu'on s'y laisse prendre en Canada, c'est l'historiette

---

[2] Frondaison : Littéralement, apparition des feuilles sur les arbres. Les métaphores qu'utilise Bugnet dans ces pages témoignent de ses goûts d'horticulteur aussi bien que d'homme de lettres.

du début de cet article. Comme les fleurs d'autres climats, le brillant causeur exotique l'emporte à peu près à tout coup sur les nôtres. Nous sommes tellement persuadés de notre infériorité, et nos cousins d'outre- océan tellement convaincus que leur langage, astheure*, doit être pour nous le parfait modèle! Je vois d'ici les sourires de ces demi-lettrés qui pêcheraient dans les pages de nos écrivains des expressions comme celles-ci :

Autant fort comme il l'était. – Toujours riant, toujours buvant d'autant à un chacun. – J'étais encore si très exténué de ma maladie. – Pour crainte que nous lui donnissions (sic) la bataille. – Faisant trop plus de cas de l'honneur que du gain. – On voit qu'il parle non jamais, sinon qu'il en soit besoin pour le regard de quelque chose de conséquence. – Dressant de superbes meulons (et non meules) de foin.

Mais, s'ils découvrent ces locutions dans Amyot, Montaigne, Calvin, Montluc, Rémi Belleau, ils ne songent plus à s'en moquer; ils estiment tout naturel que ces auteurs-là eussent un parler leur. Et alors, pourquoi ne nous serait-il pas permis d'avoir aussi des paroles nôtres? Pourquoi voudrait-on que notre verbe fût un langage qui n'est pas canadien[(q)], celui de la France du vingtième siècle, plutôt que le français de Rabelais, de Montluc ou, mieux encore, si nous y pouvions atteindre, la merveilleusement riche substance d'un Montaigne qui «s'abriait» sous une toile[(r)] solide, tissée d'une trame pareille à celle que nous employons, tellement durable qu'après trois siècles et demi elle est encore neuve.

Et si nous étions assez fins artisans pour aiguiser notre style jusqu'à cette simplicité[(s)], et cette grandeur, et cette clarté vive, des vrais maîtres de la langue, qui posaient le culte de la pensée, de l'âme, au-dessus de celui du corps et de la sensation, qui étaient des hommes, parlant à des hommes, et non point des auteurs quêtant, comme des acteurs, les applaudissements si facilement obtenus par d'ingénieux simulacres ou d'expertes simagrées; si nous montions jusqu'à cet art où le verbe devient comme une âme pure, la lumière presque immatérielle de l'idée, jusqu'à cet art qui nous élève au-dessus de nous et du monde quand notre esprit est emporté dans les souffles puissants d'un Descartes, d'un Pascal, ou d'un Bossuet... Ah, puisse le Ciel qui veille sur nos destins suspendre, pour guider les pas de ceux qui marchent dans la nuit, si belle étoile!

Mais enfin, me dira-t-on, le français d'aujourd'hui n'est pourtant pas à dédaigner. – La question est complexe. Il y a, comme il y a toujours eu, français et français, et il y en a des fleuves de mauvais, astheure, aussi bien que du temps de Molière, où certaine école littéraire proclamait furieusement sublime un genre qu'il rendit furieusement ridicule[3]. Quittes à vouloir retourner en France pour y copier des modèles, n'y choisissons que ceux dont le talent est incontesté : les classiques du grand siècle. Leurs œuvres ne sont pas si hautes en couleur, si voyantes, que celles d'hier et d'à présent; elles ne cherchent point à palper le lecteur dans ses sens. Molière, l'unique Molière, se souciait fort peu de composer de belles phrases musicales, chatoyantes, pour les anthologies. Mettez-le côte à côte avec un Théophile Gautier*; il y fera bien terne figure, comme styliste. Ira-t-on pour autant placer celui-ci au-dessus de celui- là? Plusieurs d'entre nous, je le crains, en seraient tentés, tout ainsi qu'on se laisse aisément leurrer par une femme qui sait astucieusement s'habiller et se maquiller. Il est grandement temps de nous remettre en tête que, si nous sommes âmes et corps, c'est tout de même l'âme qui a plus d'importance[(t)].

Je me reprends, revenant [(u)] sur mes pas, comme font chez nous ceux qui cherchent des filons d'or. Encore une

[3] Référence à la préciosité que Molière ridiculisa dans ses pièces : *Les Femmes savantes* et *Les Précieuses ridicules*.

fois[v], si nous voulons écrire canadien, acquérir des traits distincts, personnels, c'est en regardant les visages de nos ancêtres, plutôt que ceux de nos cousins contemporains, que nous y parviendrons. Dans les écrivains du seizième siècle nous trouverons à nous raccrocher à une filiation directe. Par nous repaître, quotidiennement s'il le faut, de Du Bellay, du meilleur Rabelais, d'Amyot, de Montaigne surtout, si fort et si souple à la fois, du gracieux saint François de Sales, et enfin des maîtres du dix-septième siècle, je crois que nous réussirons à nous forger une langue à nous, parfaitement française, mais nettement canadienne aussi, parce que le pays la teindra de ses nuances, parce qu'à l'engendrer nous-mêmes nous et nos enfants lui infuserons nos caractères propres, notre âme et notre sang.

Ainsi que le pic aime à tambouriner[w] sur un arbre creux, j'aimerais, avant de rentrer au nid, tambouriner un peu sur un préjugé.

C'est Voltaire qui lança la vogue des phrases courtes, légères, ailées. Depuis, on a souvent conseillé de supprimer les *qui* et *que*, sous prétexte qu'ils alourdissent le style. Il est certain que latins et grecs avaient ici sur nous un avantage, la déclinaison glissant au bout de leurs plumes des signes et sons plus variés. Néanmoins, j'estime fort les auteurs français qui n'hésitent point à se servir de ces conjonctifs, tant qu'ils n'en abusent pas. La sentence* gagne en solidité ce qu'elle y perd de légèreté. La pensée en est moins sautillante, mieux liée, formant un corps ferme dont chaque pas laisse un vestige net, plus profond, et durable, dans l'esprit où elle fait sa marche. Notre époque, je le sais, se soucie fort peu d'une allure méditative, ni des écrits qui donnent à penser[x]. Il faut filer, foncer à toute vitesse et tout droit devant soi, n'attrapant au long du chemin que des vues rapides et superficielles[y].

Mais sommes-nous obligés d'adopter les maladies du voisin? Parce que d'autres trouvent bon de ne plus réfléchir, suis-je tenu de me vider la cervelle? – Nenni. Et la digestion de judicieux *qui* et *que* vous remplit autrement l'intellect que toutes ces proses nerveuses, mais souvent déséquilibrées, agiles, mais invertébrées, de tant des disciples de Voltaire, qui trottinent agréablement, dansent avec beaucoup de grâce, se contorsionnent superbement, mais qui sont à peu près incapables de marcher comme un homme ordinaire.

J'aurais encore beaucoup à dire[(z)]. Je m'évade par cette conclusion :

Au fond, le meilleur style n'est que la fleur de la meilleure pensée, et ce n'est pas tant notre plume qu'il faut aiguiser, c'est notre esprit. Lire, étudier de bons écrivains, c'est bien. Réfléchir, nous examiner nous-mêmes, et ceux qui sont autour de nous, et le pays où nous vivons, c'est encore mieux. Dès qu'un concept est vraiment nôtre, son expression l'est aussi.

Comme la pensée française enfanta des œuvres parfaitement françaises, la pensée distinctement canadienne portera des fruits parfaitement canadiens. Rien encore, nulle part au monde, n'a démenti la vieille maxime : *Scribendi recte sapere est et principium, et fons*[4]. Mais, cette source d'humaine sapience*, elle n'est pas hors; elle est en nous, au plus intime de notre cœur.

---

[4] Traduction : C'est le principe et la source que de savoir écrire correctement.

Variantes

[a] V.O. : on le tenait pour **un** orateur.

[b] Paragraphe requis sur le manuscrit.

[c] **tout comme Boileau aplatissait, d'un mot, tous les poètes français qui avaient précédé Malherbe.** Cette fin de phrase a été rayée.

[d] V.O. : qui n'est point **de chez nous**?

[e] V.O. : **fermier**.

[f] Tout ce paragraphe : **S'il désire aller... en devenir citoyen** a été ajouté à l'édition originale.

[g] Le texte original ne portait pas le mot **encore**.

[h] Le texte original concluait : **Car enfin, les Français de 1935 sont-ils nos pères?**

[i] Paragraphe requis dans le manuscrit.

[j] Paragraphe requis dans le manuscrit.

[k] V.O. : où **des** Français...

[l] Le pluriel était employé dans le texte original : quelque**s** arbre**s** géant**s**.

[m] V.O. : citoyens **de chez nous**.

[n] Paragraphe requis dans le manuscrit.

o. V.O. : qui **sachent écrire** français?

p. Le paragraphe suivant est rayé dans le manuscrit :

Si encore nous savions discerner la bonne marchandise et rejeter le clinquant... Il n'y a pas très longtemps, nous étions en extase devant Edmond Rostand et ses acrobaties prosodiques. À tout propos, il nous fallait citer son fameux coq et ses cocoricos «par quoi le cri du sol s'échappe vers le ciel». Cet échappement me faisait l'effet d'une bien curieuse valve de sûreté. Durant des années, englué dans l'admiration universelle, je demeurai perplexe. Je n'aime guère les personnes ni les choses criardes. Je n'ignorais pas le «Terra clamevit ad Dominum» qui, dans sa sonorité grave, chanté par une voix auguste, n'est point sans majesté. Mais d'imaginer les clameurs de la Terre vers les Cieux sous forme d'étourdissants cocoricos partant de tous les poulaillers et de tous les tas de fumier, qui sont une tribune ordinaire des coqs de France et d'ailleurs, cela me gâtait considérablement la métaphore. Le sol me semblait avoir bien mal choisi sa trompette. Que des citadins, des Parisiens, se laissent piper à ces images, je ne m'en étonne pas trop. Mais le peuple, celui surtout des campagnes, qui voit les coqs au naturel, sent tout de suite le divorce entre son bon sens inné et l'écrivain qui va chercher midi à quatorze heures. Pauvre chanteclerc... requiescat in pace. Si la France retrouve jamais une période de bon goût, elle s'étonnera qu'une œuvre aussi alambiquée ait pu séduire même un seul jour, le clair esprit de ses enfants.

[q] V.O. : qui n'est pas **de chez nous**...

[r] V.O. : sous une **étoffe**...

[s] V.O. : jusqu'à **nous permettre d'écrire avec** cette simplicité,...

[t] Le paragraphe se terminait ainsi dans le texte original...

La suprême, parmi nos reines de beauté, si elle n'a ni cœur ni cervelle, ne sera jamais, en prenant de l'âge, qu'une insupportable vieille depuis longtemps oubliée, détestée de ses premiers adorateurs.

[u] V.O. : Je me reprends, **pour revenir davantage**...

[v] V.O. : Je dirai que...

[w] Ainsi que le pic aime à tambouriner du bec... **du bec** a été omis.

[x] V.O. : qui donnent **trop** à penser.

[y] Paragraphe requis dans le manuscrit.

[z] V.O. ajoutait : et à redire si des voix plus autorisées n'avaient, à se faire entendre ici, un droit de préséance.

7. Dialogue des morts[1]

À partir de 1891, alors âgé de 12 ans, Bugnet passe quatre ans au Collège des oblats de Saint-François de Sales, à Mâcon. Ces années «marqueront sa pensée et son style. En effet, comme dans toutes les institutions françaises de l'époque, on enseignait surtout le classicisme et ses règles de style et de composition sous les formes rigides que lui ont données un La Harpe et plus tard un père Longhaye. Cette vision du classicisme entraînait la certitude de l'excellence des Anciens et des grands classiques; [...] elle commandait la réserve la plus stricte pour [les autres mouvements littéraires qui suivirent, mouvements] considérés comme des dégénérescences lamentables du romantisme, lui-même une décadence déjà si pénible du classicisme». (Jean Papen, *Georges Bugnet*, Éditions des Plaines, Saint-Boniface, 1985, p.19.)

Aussi n'est-il pas surprenant de voir, dans le *Dialogue des morts*, Boileau – porte-parole de Bugnet – attaquer le mouvement romantique en s'en prenant à son chef de file, Hugo. [THÈMES : Classicisme. Romantisme.]

Boileau et Hugo

BOILEAU – Je suis bien aise de vous trouver[(a)], mon cher Hugo. Depuis longtemps je ne rencontre, dans nos demeures éternelles, que des âmes férues de sciences physiques, chimiques, génétiques, eugéniques*, économiques, et Dieu sait quoi! Les derniers arrivants,

---

[1] *Les Idées*, vol. II, n° 3, Montréal, Éditions du Totem, juillet 1935, pp. 1-12.

bien qu'étant débarrassés de leurs corps, ne savent parler que de crise des marchés, production et surproduction, distribution des richesses terrestres, confort moderne, mécanisme, chômage, enfin d'une infinité de choses où, de mon temps, on était fort ignorant. Il me vexe, au milieu de ces âmes, d'avoir à demeurer muet. Une chose me console : c'est que, dans ces nouveaux problèmes, personne ne semble voir beaucoup plus clair que moi.

HUGO – J'avoue, mon cher Boileau, que, comme vous, je me sens un peu dépaysé parmi nos nouveaux venus, et je suis bien aise aussi[b] de vous rencontrer. Ouvriers d'un même œuvre, le grand art du verbe[c], si parfois nous différons d'opinion, nous pouvons du moins nous comprendre.

BOILEAU – Veuillez me pardonner. Si, comme le fait à peu près tout le monde, vous entendez parfaitement mes écrits, je n'en saurais dire autant des vôtres.

HUGO – La cause en est dans le progrès de la langue française, progrès qui vint d'un plus large épanouissement de la pensée humaine. Ayant des idées nouvelles, il nous fallut de nouvelles façons de les exprimer.

BOILEAU – Vingt fois déjà vous m'avez donné cette explication, sans me jamais convaincre. Je persiste à soutenir que vous n'avez rien épanoui du tout. Vous avez inventé des choses, oui, et avec ces choses, des mots. Mais des pensées, mais des idées, par ma foi, je n'en ai point découvert de nouvelles. Je suis tout prêt à concéder qu'auprès de la vôtre ma façon d'écrire manque d'éclatant coloris. Du moins, elle est solide, durable. Quantité de mes vers sont encore cités comme proverbes. Combien, des poètes de votre siècle, en peuvent dire autant[d]?

HUGO – Vous êtes bien, mon cher Boileau, toujours la même âme : autoritaire et sans ménagements. Pour moi, depuis ma mort, je suis beaucoup moins vigoureux. Tout de même, nous, les romantiques, avons aperçu quelque chose où vous, les classiques, étiez demeurés aveugles. L'idée étant neuve, il nous fallut, pour la bien rendre, un style neuf. Et c'est de là que provient notre principal désaccord.

BOILEAU – Je vous entends. Vous voulez parler de ce fameux «sentiment de la nature». Eh bien, puisque nous avons l'éternité devant nous, rien que je sache ne nous empêche de discuter cela pendant quelques moments.

HUGO – Je ne m'y refuse pas. Mais comment pourrez-vous discuter d'une chose où vous n'avez jamais rien compris?

BOILEAU – Hé! Je ne demande qu'à m'instruire; à trouver, grâce à vous, ce plus large épanouissement de la pensée dont nous, classiques[e], étions si dépourvus. Çà! Donnez-m'en quelque exemple.

HUGO – J'ai tellement écrit sur ce sujet que mes souvenirs sont un peu diffus et je ne sais pas bien au juste quelle citation serait la plus propre à me faire clairement entendre.

BOILEAU – Ma mémoire à moi est toujours[f] fort bonne. Vous avez écrit :

> *Pleurez sur l'araignée immonde, sur le ver,*
> *Sur la limace au dos mouillé comme l'hiver...*

Est-ce là ce que vous appelez le sentiment de la nature?

HUGO – En partie. Vous y pouvez percevoir cette universelle pitié pour les créatures...

BOILEAU – Fort bien. Seulement, ce n'est point neuf. Longtemps avant vous, m'a-t-on dit, Saint François d'Assise* écrivait ainsi, mais mieux. Car enfin, voyons, si vous pleurez sur le dos mouillé de cette pauvre limace, ça le lui mouillera encore davantage. Mon ami,

Jean de La Fontaine ne vous eût jamais pardonné un arrosage si mal placé[g].

HUGO – Mais, là-dedans, c'est l'idée qu'il faut voir.

BOILEAU – Je la vois, cher Hugo. Mais je la vois en bon classique, c'est-à-dire avec le sens commun. Et, comme tout homme raisonnable, quand je trouvais des limaces, ce qui était surtout dans mes laitues, je n'ai jamais songé à leur mouiller le dos de mes pleurs. Non, là-dessus, inutile d'essayer de me convertir à l'épanouissement de la pensée humaine. Je le regrette pour les romantiques : les hommes aujourd'hui continuent, comme les classiques, à juger que les insectes nuisibles sont nuisibles, et qu'il les faut détruire. Parlons d'animaux plus nobles. Vous avez publié, dans votre *Légende des Siècles*, un beau poème où les fiers lions parlaient aux rois farouches. Puis Dieu intervient, fait aux lions, pour les calmer, un discours qui se termine ainsi :

Je suis toute l'aurore et je suis toute l'ombre;
Je suis celui qui sème au hasard et sans nombre,
Et qui, lorsqu'il lui plaît, donne des millions
D'astres au firmament et de poux aux lions[2][h].

Sans être sûr que ce soit là langage divin[i], j'ai trouvé cela fort bien dit. Pourtant il m'a semblé que le véritable «sentiment de la nature» demanderait quelques lignes de plus, à peu près dans ce genre :

Et l'on vit, à partir de ce même moment,
Les lions se gratter interminablement.

HUGO – Monsieur Despréaux, vous devenez tout à fait impertinent. Si vous continuez sur ce ton...

BOILEAU – Je pourrais en effet citer bien d'autres exemples tirés de vos ouvrages pour montrer que votre

---

[2] Hugo, *La Légende des Siècles*, VII, ENTRE LIONS ET ROIS, «Quelqu'un met le holà», derniers vers.

sentiment de la nature animale est de la plus haute fantaisie et que vous n'avez rien de commun avec notre Jean de La Fontaine. Lui, en quelques mots, nous peignait lapins, hérons, loups, singes, chats, renards, enfin quantité de bêtes, avec plus de vie, de pénétrante vérité qu'aucun romantique n'y parvint jamais[j]. Non, pas même votre Leconte de Lisle. Pour superbes que soient ses tableaux, ils ne représentent que des apparences. On n'y voit point au-delà de la surface. Ce sont des choses, non point des pensées; non point du sentiment, mais des sensations. Cela s'adresse à l'imagination, point du tout à la raison.

HUGO – Soit. Mais enfin, dans la nature, il n'est pas que des animaux. Vous, les classiques, avez-vous jamais su lever les yeux jusqu'aux vertigineuses étoiles[k]? Avez-vous jamais prêté l'oreille à l'ouragan farouche, aux âpres frissonnements de la forêt ténébreuse, aux sinistres rumeurs de l'océan vorace, aux spectres hagards qui hantent les antres formidables parmi les monts aux fauves cimes?

BOILEAU – Pas beaucoup. Les spectres et nous étions peu familiers. Pour nous, la vie raisonnable, celle de l'homme qui pense, paraissait domaine suffisamment vaste. J'estime encore que c'eût été perdre notre temps que de nous amuser à noircir page sur page pour décrire à des lecteurs, qui ont des yeux pour les voir, une foule d'objets extérieurs, et détourner ainsi les âmes loin d'occupations plus sérieuses et plus profitables.

HUGO – Par là, mon cher Boileau, vous admettez donc que vous ne connaissiez pas le sentiment de la nature.

BOILEAU – Je n'admets que ceci : que nous n'avons point cru bon de l'exprimer longuement. De là à l'ignorer, c'est une autre affaire. Un écrivain de mon siècle a dit fort brièvement :

J'ai besoin du silence et de l'ombre des bois.

Pour un classique, ce n'est point si mal, n'est-ce pas?

HUGO. – Oui, La Fontaine, mais lui seul, savait ainsi goûter

Les forêts, les eaux, les prairies,
Mères des douces rêveries.

BOILEAU – Pardonnez-moi, mon cher Hugo. Si vous aviez lu plus attentivement mes ouvrages, vous sauriez que le vers que je viens de citer fut écrit par moi, dans mon épître à Lamoignon.

HUGO – Ah, bah!...

BOILEAU – Vous n'en revenez pas. Mais voilà : la plupart d'entre vous ne connaissez nos œuvres qu'à travers des opinions toutes faites. Tel ou tel critique ayant déclaré, pour rehausser sa propre époque, que nous n'entendions rien à ceci ou à cela, on le répète sur tous les tons. – Pas le sentiment de la nature? Mais qui donc, parmi vous, a jamais écrit phrase plus pleine de sentiment et de pensée que celle-ci : «Le silence éternel de ces espaces infinis m'effraye[3]... »? Qui donc a su trouver plus de noblesse et de simplicité que notre Pascal pour sentir et faire sentir la véritable réalité du monde, sa majesté et son mystère? Lorsqu'il passe de l'infiniment grand à l'infiniment petit, détruisant d'avance, d'un rayon de son génie, cet atome sur quoi votre science crut pouvoir poser une base définitive, qui peut le lire sans éprouver les émotions et les pensées les plus naturellement humaines?

HUGO – Ce n'est pas précisément cela que nous entendons par sentiment de la nature.

---

[3] Pascal, *Œuvres complètes. Pensées*, texte établi et annoté par Jacques Chevalier, Première partie, Chapitre I, n° 91, Gallimard, Bibliothèque de la Pléiade, 1954, p. 1113.

– Dans l'édition de la Pléiade, le dernier mot de la citation est écrit : «m'effraie».

– Notons que cette même citation est répétée par Bugnet dans les textes n° 10 et n° 17.

BOILEAU – Je le sais parbleu bien. Mais à qui la faute si nous ne nous comprenons plus en parlant français? Depuis Jean-Jacques, vous avez tellement déformé la langue[l] que, maintenant, ce sont les mots qui vous tiennent lieu des choses. Depuis Rousseau, ce que vous avez cultivé, ce n'est pas le sentiment, c'est la sensation physique de la nature; et souvent pas même cela, mais tout au plus des manières, des poses convenues, des attitudes que vous jugiez élégantes. Inférieurs aux classiques païens de la Grèce et de Rome qui, sous les merveilles du monde, percevaient quelque chose de surhumain, des forces divines, vous avez, à la place des dieux, posé chacun votre petit moi, le gonflant comme une baudruche. Et de là naquirent : la nature à la Rousseau, la nature à la Chateaubriand – et celle-ci ne manque pas trop de vérité, – la nature à la Byron[m], la nature à la Hugo, la nature à la Vigny[n], la nature à la Zola, enfin la nature à toutes les sauces, mais à peu près toujours : la nature simple ornement d'un moi énorme. De sorte qu'à présent, au lieu de considérer l'homme dans la nature, vous regardez la nature dans un homme. Chacun se croit tenu d'avoir sa petite nature à soi, bien vide d'idées fortes et de sentiments vrais, mais bien pleine de sensations, aussi physiques qu'il est possible, et de mots à tintamarre qui n'atteignent point la pensée mais qui frappent fort l'œil, et l'oreille, et tous les nerfs[o]. Vous êtes devenus pareils à ces femmes qui, déchues de leur beauté naturelle, se croient forcées, pour réparer des ans l'irréparable outrage, d'avoir recours à toutes sortes de faux attraits. Votre littérature n'est plus virile, elle est efféminée. Je dirais même qu'elle devient puérile.

HUGO – Ne vous emportez pas, monsieur Despréaux. Quoi que vous en pensiez, nous avons cependant produit quelques œuvres qui, après tout, ne sont point un déshonneur pour la langue française.

BOILEAU – Je le concède. Vous avez, parfois, fait de

vraiment belles choses. J'avoue que, par certains côtés, vous nous surpassez. Prenez garde néanmoins que vos beautés véritables sont illustrées surtout par les humaines valeurs qu'elles renferment et non point précisément par la matière dont nous discutons : le sentiment de la nature. Vos romantiques ne s'élèvent à la grandeur que lorsqu'ils reviennent à l'esprit classique; je veux dire : à la pensée raisonnable, solide, durable, et à la sincérité du cœur. Ce n'est point parce qu'un homme a l'œil plus perçant et voit mieux les objets extérieurs qu'il en devient plus homme. C'est lorsqu'il comprend plus clairement, plus franchement, soi-même; et, en soi, ce qui est proprement humain, sa conscience.

HUGO – Voir ensemble en soi et hors de soi me semble préférable.

BOILEAU – Sans doute. Mais peu ont un esprit assez fort pour le pouvoir faire sans danger; peu l'ont assez juste, assez pénétrant, pour maintenir l'essentiel au-dessus de l'accident. Vos ouvrages attestent qu'à trop observer autour de soi la raison s'y égare. Le dehors fait oublier le dedans. De notre temps, nous pensions que l'intelligence est bornée. Après nous, on se voulut persuader qu'elle deviendrait sans bornes. On se mit sérieusement à l'assaut de l'infini. Vous étiez pourtant avertis, et depuis longtemps, de l'inévitable résultat. Pascal, entre autres, après avoir contemplé l'infiniment grand et l'infiniment petit, vous disait : «Manque d'avoir contemplé ces infinis, les hommes se sont portés témérairement à la recherche de la nature, comme s'ils avaient quelque proportion avec elle. C'est une chose étrange qu'ils ont voulu connaître les principes des choses, et de là arriver jusqu'à connaître tout, par une présomption aussi infinie que leur objet[4]... (p). Nous brûlons de désir de trouver une

[4] Pascal, op. cit., p. 1107.

assiette ferme et une dernière base constante, pour y édifier une tour qui s'élève à l'infini; mais tout notre fondement craque, et la terre s'ouvre jusqu'aux abîmes[5]».

HUGO – Comme vous le pouvez voir dans mes ouvrages, mon cher Boileau, mes idées sont fort différentes de celles de votre Pascal. Je ne l'ai d'ailleurs jamais beaucoup lu. Il me donnait mal à la tête. Mais enfin, si nous l'avions écouté, l'immense registre de la profonde et mystérieuse nature nous serait à jamais demeuré fermé. Sans Rousseau, qui rouvrit les portes, nous aurions sans doute longtemps continué à nous enfermer dans la vie factice des salons.

BOILEAU – Je vous demande pardon, mon cher Hugo. Celui qui a ouvert les portes au grand large[(q)] sur le monde extérieur, qui est allé s'y promener en s'occupant de l'homme intérieur beaucoup[(r)] moins que Rousseau, celui qui révéla à votre Jean-Jacques tout le parti que l'on pouvait tirer des beautés de la nature, celui à qui réellement vous devez vos nouvelles routes, c'est quelqu'un que vous estimez, et à juste titre, un classique : le classique Georges-Louis Leclerc, qui fut fait comte de Buffon. S'il en est un qui, le premier des modernes, sut examiner et sentir la nature, toute la nature, s'il en est un qui fut poète, et très grand poète, en prose, au sens où vous l'entendez aujourd'hui, c'est lui. Auprès du magnifique Buffon, Rousseau n'est qu'un pauvre cœur malade. Loin de voir le monde tel qu'il est, il tenta de le transformer suivant sa personnelle conception, le couvrit de son propre moi, prenant ses émotions et ses rêves pour de l'externe réalité. Et, à sa suite, vous avez imité et dépassé toutes ses plus invraisemblables faussetés. Un paysage devint triste, parce que vous étiez triste; ou simplement parce qu'il vous convenait de prendre une

---

[5] Idem, p. 1109.

attitude de romantique tristesse. Si vous étiez joyeux, la terre entière, et les étoiles mêmes, en rayonnaient, en tressaillaient d'allégresse. Voyons, voyons, mon cher Hugo, croyez-vous sincèrement qu'une forêt puisse éprouver de la mélancolie parce qu'elle se trouve là quand ça vous prend? Croyez-vous vrai que, comme un homme, la nature souffre et pleure; qu'une sombre montagne se mette à frissonner d'émoi religieux parce qu'au-dessus d'elle se lèvent les étoiles?

HUGO – Ce n'est peut-être pas bien vrai, mais c'est un sentiment poétique.

BOILEAU – Ah, voilà! Pourvu qu'il soit poétique, et, dans votre jargon nouveau, cela signifie tout simplement, au fond, pourvu qu'il vous surprenne et(s) vous émeuve, peu vous importe qu'un sentiment soit vrai, ou qu'il soit un mensonge. Eh bien, nous, les classiques, préférerons toujours, même lorsqu'elle est moins séduisante, l'émotion qui sort de la vérité à celle qui provient du mensonge(t).

HUGO – Vous êtes évidemment, monsieur Despréaux, dans l'un de vos pires accès de mauvaise humeur. Brisons là. J'ai bien l'honneur de vous saluer(u).

Variantes

a V.O. : Je suis bien aise de vous **re**trouver...

b «aussi», ajouté à la version originale.

c V.O. : le grand art **d'écrire**...

d V.O. : en peuvent-**ils** dire autant...

e V.O. : **les** classiques...

f V.O. : **est restée** fort bonne...

g V.O. : Jean de La Fontaine, **qui aimait fort les bêtes**, ne vous eût jamais...

[h] V.O. ajoutait pour commencer :

> Sachez que je suis là. J'abaisse et j'humile;
> Je tiens, je tords, je courbe, et je lie et délie
> La vague adriatique et le vent syrien;
> Je suis celui qui prouve à tous qu'ils ne sont rien;...

[i] «Sans être sûr... divin», ajouté à la version originale.

[j] Particule de négation ajoutée à la version originale : **n'y** parvint jamais.

[k] V.O. : Avez-vous jamais su lever les yeux **aux** vertigneuses étoiles?

[l] V.O. : Depuis Jean-Jacques, **qui eut le malheur de faire trop tard ses études latines**, vous avez tellement déformé la langue... (Relative omise de cette version.)

[m] V.O., après Byron : **la nature à la Lamartine.**

[n] V.O., après Vigny : **la nature à la Leconte de Lisle.**

[o] V.O. ajoutait ici : Ce n'est plus de la raison, ce n'est plus du vrai, ce n'est plus de la sincérité, c'est du maquillage.

[p] V.O. ajoutait ici : Voilà notre état véritable. C'est ce qui nous rend incapables de savoir certainement et d'ignorer absolument... Quelque terme où nous pensions nous attacher et nous affermir il branle et nous quitte; et, si nous le suivons, il échappe à nos prises, nous glisse et fuit d'une fuite éternelle... (Voir référence à la note 5.)

[q] V.O. : ouvert les portes **du** grand large...

[r] V.O. : s'occupant de l'homme **encore bien** moins que Rousseau...

[s] «vous suprenne et», ajouté à la version originale.

[t] V.O. : Eh bien, nous, les classiques, préférerons toujours l'émotion qui sort de la vérité, même partielle, à celle que nous tend le mensonge.

[u] La version originale portait comme signature : **(À défaut du fidèle Brossette) Georges Bugnet.**

8. Montaigne et les Canadiens[1]

Assez curieusement, Bugnet cite dans ce texte quelques phrases des *Essais* de Montaigne sans préciser les références exactes. Quelle édition a-t-il consultée : celle de 1580, de 1588 ou de 1595 (fondée sur l'*exemplaire de la Bibliothèque municipale de Bordeaux*)? En révisant son texte en vue de cette anthologie, l'a-t-il comparé avec celui de l'édition de 1950? Comme certains textes qu'il cite ne se retrouvent que dans les deux dernières éditions, il nous est permis d'en exclure les premières. Mais encore, a-t-il volontairement et librement modifié l'orthographe? Il n'en dit rien.

De plus, une phrase détachée de son contexte peut quelquefois prêter à de fausses interprétations. Aussi avons-nous transcrit au bas des pages les textes exacts établis dans l'édition de 1950. Toutes nos références se rapportent donc aux *Essais de Michel de Montaigne*, texte établi et annoté par Albert Thibaudet, Gallimard, Bibliothèque de la Pléiade, 1950.

Pour l'influence de la formation de Bugnet sur sa langue et sur sa pensée, voir les commentaires au début du texte n° 7. [THÈMES : Éducation. Langue. Pensée. Religion.]

C'est une mienne tenace opinion que, tout ainsi qu'un fils se modèle plutôt d'après ses parents que d'après ses cousins[a], nous aurions tout bénéfice à ne point tant frotter notre style aux récents écrits français et à davantage étudier nos véritables ancêtres.

On nous présente quelquefois, pour chatouiller notre vanité, ce compliment : que nous parlons comme on le

---

[1] *Les Idées*, vol. III, n° 4, Montréal, Éditions du Totem, avril 1936, pp. 208-222.

faisait à la cour du grand roi. En réalité, une bonne partie du peuple canadien n'en est même pas à la langue d'Amyot, de Montaigne, ou de saint François de Sales. Néanmoins, quand nous entendons un parler qu'on puisse dire franchement canadien, original, non imité du français contemporain ni trop gâté par des anglicismes, c'est tout de suite à ces anciens auteurs que nous pensons. Il m'est advenu plusieurs fois que, n'ayant pu trouver dans mon dictionnaire telle expression, tel mot, rencontrés chez l'un ou l'autre de ces écrivains, ce fut en bavassant – comme on disait en ces bons vieux temps – avec quelqu'un de mes voisins illettrés que j'en découvris la claire signification. J'ai beaucoup de respect pour des illettrés qui parfois en savent plus long qu'un professeur de Sorbonne.

Aucun Canadien, je pense, ne songerait à démolir complètement les traditions, les mœurs, que nous tenons de nos aïeux afin de rebâtir entièrement à neuf gens et choses de chez nous. Si notre maison est solide, pleine des souvenirs, des leçons du passé, qui à tout instant éveillent l'âme aux sérieuses méditations, qu'avons-nous besoin de la réédifier, repeindre et remeubler pour en faire une copie de celle du voisin? Penserions-nous affirmer ainsi notre personnalité? Or il arrive souvent que pour le langage, fondement de cette nôtre demeure, séduits par d'exotiques constructions dernièrement plâtrées en France, nous nous empressons de les admirer, de les étudier, de les imiter, oublieux des vieux parents que bientôt nous ne comprendrons plus; oublieux de nous-mêmes.

Ils ont pourtant beaucoup de bon, nos vieux parents, et l'un surtout d'entre eux, Montaigne, qui, de ses idées et de son style, nous aiderait merveilleusement à garder une âme et un verbe nôtres. Je ne le recommanderais point, en entier, pour la jeunesse. De jeunes arbres en si riche terrain produiraient trop de folles pousses. Mais un judicieux esprit pourrait aisément extraire des *Essais* très[(b)] nourrissante substance et la déposer dans un livre à l'usage de toutes mains. Peut-être l'a-t-on déjà fait.

D'autres ont assez bellement vanté Montaigne pour que je n'aille point monter sur la scène avec un mien panégyrique. Mais j'aimerais, de mon banc, ajouter quelques mots afin de préciser certains traits à quoi l'on n'a point, je crois, toujours apporté bien pénétrante attention, du moins en Canada.

Il n'est pas surprenant qu'ayant commencé d'écrire vers le début de 1572, et achevé en 1592, Montaigne emploie une langue si semblable à celle des premiers parents de notre peuple; ni que nous entendions encore, depuis la pointe de Gaspé, jusqu'à l'Outaouais, jusqu'aux pieds des Rocheuses, jusqu'aux rives mêmes du Pacifique, ses vieux mots, ses tours de phrases, astheure morts ou mourants en France. Et pourtant ils étaient si français, «si plus» conformes au génie de la race que tant de ces «nouvelletés» de langage inventées depuis et qui sont cause, là-bas, entre le style des écrivains et le commun parler, de cette déchirure dont on gémit sans la pouvoir recoudre. Pourquoi ne pas conserver ici ce verbe d'autrefois, simple et naïf, tel sur le papier qu'à la bouche[2] , mais à la Montaigne, c'est-à-dire à la façon d'un maître artisan qui «ne va pas courir un quart de lieue hors sa voie pour attraper un beau mot[3]», comme on le fait aujourd'hui; qui «tord plus volontiers une bonne sentence pour la coudre sur soi qu'il ne déroule son fil pour l'aller chercher[4] »; et qui nous offre ainsi un modèle de discours sien, serré, solide, qu'on croirait,

---

[2] La description d'«un parler simple et naïf, tel sur le papier qu'à la bouche» est de Montaigne (*Essais*, I, xxvi, p. 107.)

[3] «Il en est de si sots, qui se destournent de leur voye un quart de lieuë, pour courir après un beau mot» (Idem, p. 206.)

[4] «Je tords bien plus volontiers une bonne sentence pour la coudre sur moy, que je ne tors mon fil pour l'aller querir.» (Idem, p. 206-207.)

Montaigne fait ici allusion aux citations qu'il adapte pour mieux les insérer dans ses écrits. Ce principe – que suit Bugnet – quoiqu'admis au XVIe siècle ne l'est plus aujourd'hui.

pour un peu, composé en bonne langue canadienne, si nous en avions une.

Par politesse nous devrions nous intéresser à lui puisqu'il s'intéressa aux choses et gens de notre pays. Il n'est pas douteux que, s'il en avait eu le moyen, il fût venu visiter le Canada. Le Nouveau Monde[(c)] l'intriguait fort. Il en cite maintes histoires, dont bon nombre sont des contes, qu'il a l'air de croire (mais il faut se méfier de cette apparente crédulité), et dont bon nombre sont véritables. Il garda longtemps chez lui «un homme qui avait demeuré dix ou douze ans en cet aultre monde qui a été descouvert en nostre siècle, en l'endroict où Villegaignon[5] print[6] terre, qu'il surnomma la France antarctique[7]». Sa curiosité se porta sur le boire et le manger des indigènes : «au lieu de pain, ils usent d'une certaine matière blanche comme du coriandre confict : j'en ai tasté[8]; le goust en est doulx et un peu fade[9]». [(d)] Sa visite à trois Peaux-Rouges, à Rouen, est très amusante.

Outre qu'il est intéressant, qu'il nous serait un maître modèle ès[10] art d'écrire en pure langue française, Montaigne nous servirait encore, et surtout, en ceci : qu'il nous apprendrait à penser. Je ne connais pas d'autre esprit aussi fort, et aussi souple, et mieux à notre portée : je veux dire pour le commun d'entre nous.

[(e)] Quant à sa force, tous ceux qui ont lu *L'Entretien*

---

[5] S'écrit aujourd'hui Villegagnon ou Villegaignon. Ce navigateur français, avec l'appui de l'amiral Coligny, entreprit une expédition vers la côte orientale de l'Amérique du Sud. Il atteignit probablement la baie de Guanabara (1555) et fonda Fort-Coligny et Henryville. Il nomma cette région du Brésil, la France antarctique.

[6] Du verbe prendre – «prit terre».

[7] «un homme qui avoit demeuré dix ou douze ans en cet autre monde qui a esté descouvert en nostre siecle, en l'endroit où Vilegaignon print terre, qu'il surnomma la France Antartique.» (I. xxxi, p. 239.)

[8] Ancien français : du verbe tâter, dans le sens de goûter.

[9] «Au lieu du pain, ils usent d'une certaine matière blanche, comme du coriandre confit. J'en ay tasté : le goust en est doux et un peu face.» (Idem, p. 245.)

[10] Contraction de «en les». En matière de, dans les.

avec M. de Saci ont senti combien le puissant génie de Pascal était nourri des *Essais*, et *Les Pensées* montrent le parti qu'on peut tirer des arguments de Montaigne contre la superbe de l'intelligence. Quant à sa souplesse... ah, c'est là que ses adversaires ont toujours eu beau jeu. Il sait si bien manier, tirer, ployer le pour et le contre qu'on est tenté[(f)] de conclure, parfois, qu'il est un complet sceptique. On a même dit et redit qu'il était un incroyant. De vrai, il ne fut ni l'un, ni l'autre.

Convenons d'abord, avec lui, qu'il était loin d'être un saint. De là, pour descendre jusqu'en l'athéisme, chacun de nous sait qu'il y a de nombreux degrés.

J'ai lu, relu, et relis encore fréquemment les *Essais*. En toute sincérité, selon mon humble jugement, je pense que Montaigne était, intellectuellement, non seulement croyant mais, pour son époque, bon catholique. En pratique, il ne l'était que médiocrement.

S'il a une vertu, qu'il montre jusqu'à l'excès, et où je ne crois pas qu'on l'ait guère pris en défaut, c'est la franchise ou, comme il dit, la bonne foy. En pleines guerres de religion, il avait le courage non pas seulement de ses humaines opinions mais aussi de sa foi religieuse : «Il ne fault mesler Dieu en nos actions qu'avecques reverence et attention pleine d'honneur et de respect... ny[11] [(g)] n'est certes raison de veoir tracasser, par une salle et par une cuisine, le sainct livre des sacrés mysteres de notre créance[12] : c'estoient aultrefois mystères, ce sont à présent déduits[13] et esbats[14] ... C'est une histoire à révérer, craindre et adorer. Plaisantes gents, qui pensent l'avoir rendue

[11] Ancien français : ni.

[12] Croyance.

[13] Divertissement.

[14] Ébats.

palpable au peuple, pour l'avoir mise en langage populaire[15]!» Montaigne en parle à son aise, il savait le latin. Il n'empêche que voilà une fort nette affirmation de ce qu'il pense du credo des protestants. Au début de ce même chapitre (LVI, du livre I) il écrit : «Je ne sais si je me trompe; mais puisque par une faveur particulière de la bonté divine, certaine façon de prière nous a été prescrite et dictée mot à mot par la bouche de Dieu, il m'a toujours semblé que nous en devions avoir l'usage plus ordinaire que nous n'avons... C'est l'unique prière de quoi je me sers partout, et la répète au lieu d'en changer[16].» Après cela, quand j'entends quelqu'un proclamer que Montaigne n'était qu'un sceptique, eh bien, je me dis que, pour un sceptique, il ne savait point si mal prier, et qu'il est à souhaiter, pour nombre de croyants, qu'ils cultivent de leur mieux ce genre de scepticisme.

Si je ne craignais de trop étendre mon labour j'y ajouterais plusieurs sillons de même terre, mais je crois qu'il sera plus profitable au lecteur de bonne foi s'il continue lui-même l'ouvrage. Pour moi, je m'en vais fouiller, ailleurs, deux endroits. On y a découvert, paraît-il, deux solides[h] preuves d'impiété.

De la première voici le texte : «Après tout, c'est mettre ses conjectures à bien hault prix, que d'en faire cuyre un homme tout vif[17].» On a cru que Montaigne visait ici

---

[15] «Il ne faut mesler Dieu en nos actions qu'avecque reverence et attention pleine d'honneur et de respect. [...]

Ny n'est certes raison de voir tracasser par une sale et par une cuysine le Sainct livre des sacrez mysteres de nostre creance. C'estoyent autrefois mysteres; ce sont à present desduits et esbats. [...]

[...Ce n'est pas une histoire à compter,] c'est une histoire à reverer, craindre, adorer. Plaisantes gens qui pensent l'avoir rendue maniable au peuple, pour l'avoir mise en langue populaire!» (I, LVI, p. 357.)

[16] «Je ne sçay si je me trompe, mais, par une faveur particuliere de la bonte divine, certaine façon de priere nous a esté prescrite et dictée mot à mot par la bouche de Dieu, il m'a semblé que nous en devions avoir l'usage plus ordinaire que nous n'avons. [...] C'est l'unique priere de quoy je me sers par tout, et la repete au lieu d'en changer.» (Idem, p. 354.)

[17] «Apres, tout, c'est mettre ses conjectures à bien haut pris que d'en faire cuire un homme tout vif.» (III, xi, p. 1159.)

catholiques et protestants au sujet de ces procès dont Jeanne d'Arc avait été illustre exemple; qu'il employait ici «conjectures» avec la signification de «dogmes religieux»; qu'ainsi, précurseur d'une certaine école en vogue trois cents ans plus tard, il estimait que la théologie était le domaine de l'inconnaissable. C'est, je crois, s'égarer dans l'anachronisme. Pour qui veut lire attentivement le contexte (Ch. XI du livre III) il devient clair que ce mot ne s'applique qu'à certaines décisions des tribunaux séculiers dont les juges lui semblaient manquer de clairvoyance[18].

Au début, curieusement, il se demande s'il est vrai que, comme disent «aulcuns», les cieux se compriment vers nous en vieillissant. Aujourd'hui, avec l'abbé Lemaître[19] , nous imaginons le contraire. Puis il se promène à travers des événements étranges, diverses merveilles de sorcelleries, pour conclure, citant saint Augustin, «qu'il vaut mieux pencher vers le doute que vers l'assurance, ès choses de difficile preuve et dangereuse créance[20]». Du reste, il y affirme à plusieurs fois la distinction qu'il faut placer entre la divine parole et les assertions humaines. Pour les vrais miracles, «très certains et irréfragables[21] (i) exemples... Dieu en doit estre cru, c'est vrayement bien raison; mais... en ces aultres accusations extravagantes, je dirai volontiers que c'est bien assez qu'un homme, quelque recommandation qu'il aye, soit creu[22] de ce qui est humain : de ce qui est hors de sa conception, et d'un effet supernaturel, il en doibt estre creu lors seulement qu'une approbation supernaturelle l'a auctorisé. Ce

[18] Montaigne a toujours prôné la tolérance et récusait l'Inquisition et la chasse aux sorcières.

[19] Chanoine Georges Henri Lemaître (1894-1966). Pionnier de la cosmologie dynamique, ses études portaient sur les théories de l'Univers en expansion.

[20] «[Et suis l'advis de sainct Augustin,] qu'il vaut mieux pancher vers le doute que vers l'asseurance ès choses de difficile preuve et dangereuse creance.» (Idem, p. 1158.)

[21] Qu'on ne peut contredire.

[22] «Cru», du verbe croire.

privilège, qu'il a pleu à Dieu donner à aulcuns de nos tesmoignages, ne doibt pas estre avily et communiqué legierement[23]».

Ce qu'il condamne, c'est l'emploi des tortures usitées en son temps. Car il s'agit, là, de sorciers, dans les prisons d'un prince qui, pour rabattre l'incrédulité de Montaigne, les lui fit voir «et une vieille entre aultres... très fameuse de longue main en cette profession[24]». Il eut avec eux un entretien «y apportant la plus saine attention[25]», et il conclut; «Enfin, et en conscience, je leur eusse plustost ordonné de l'ellébore[26]» – comme le lièvre de La Fontaine le conseillait à la tortue. Il lui peinait de voir ces pauvres diables, victimes d'une trop cruelle justice sur pures présomptions de surnaturels et diaboliques maléfices. Et c'est alors qu'il dit que c'est mettre à bien haut prix ses conjectures que d'en faire cuire un homme tout vif. Il faudrait, pour trouver ici une preuve d'incroyance, s'aveugler sur tout le contenu du chapitre, sur cent autres passages des *Essais*, ou tenir ce «livre de bonne foy[27]» pour l'œuvre d'un parfait hypocrite. Entreprises bien malaisées.

Et voici maintenant le second texte incriminé : «Je me

---

[23] «...tres certains et irrefragables exemples, [...] Dieu en doit estre creu, c'est vrayement bien raison; mais [...]

En ces autres accusations extravagantes, je dirois volontiers que c'est bien assez qu'un homme, quelque recommendation qu'il aye, soit creu de ce qui est humain; de ce qui est hors de sa conception et d'un effet supernaturel, il en doit estre creu lors seulement qu'une approbation supernaturelle l'a authorisé. Ce privilege qu'il a pleu à Dieu donner à aucuns de nos tesmoignages ne doibt pas estre avily et communiqué legerement.» (Idem, pp. 1156 à 1158.)

[24] «...et une vieille entre autres, [...], tres-fameuse de longue main en cette profession». (Idem, p. 1158.)

[25] idem.

[26] «En fin et en conscience, je leur eusse plustost ordonné de l'ellebore [que de la cicue]». Montaigne ajoute ici une citation en latin de Tite-Live. VIII, xviii : «Et cela me parut ressortir plutôt à l'alliénation qu'au crime» (III, xi, p. 1158.)

– Ellebore (ellébore ou hellébore) : plante dont la racine a des propriétés purgatives et vermifuges, qui passait autrefois pour guérir la folie.

– Cicue (ciguë) : plante très vénémeuse dont on extrait un poison. Socrate fut condamné à en boire.

[27] «Au lecteur», p. 25.

repends (sic) rarement[28]». On le rencontre au chapitre II du livre III. Là, je crains de ne pouvoir blanchir Montaigne aussi bien que l'ont fait, ou cru faire, de trop fervents admirateurs.

Certains ont pensé le justifier de ces rares repentances en disant que, comparé à tant de chrétiens de son temps, lui qui avait eu honorable et méritoire conduite, qui était honnête homme, juste, excellent ami, il ne pouvait donc avoir grand'chose à se reprocher et qu'en effet, à recommencer sa vie, il n'aurait point eu besoin de la faire meilleure. On a conclu qu'il était un chrétien vraiment très insuffisant.

Le malheur, pour cette conclusion, est qu'un bon païen en eût pu faire autant, ou peu s'en faut.

Je ne sais si d'autres ont remarqué, dans ce chapitre, que Montaigne prête au mot repentance un sens assez différent de celui où l'on l'entend ordinairement. Pour lui, le repentir est une «desdicte de nostre volonté, et opposition de nos fantaisies[29]», mais opposition durable, constante, car «ce n'est pas guérison si on ne se décharge du mal; si la repentance pesait sur le plat de la balance, elle emporterait le péché[30]». Il n'entend donc point ici une passagère contrition, mais quelque chose comme une solide reformation du caractère et complet[(j)] changement dans la conduite. Or Montaigne, assez satisfait de soi «non comme de la conscience d'un ange ou d'un cheval, mais comme de la conscience d'un homme[31]», se repent rare-

[28] Voici la phrase complète : «Excusons icy ce que je dy souvent, que je me repens rarement et que ma conscience se contente de soy: non comme de la conscience d'un ange ou d'un cheval, mais comme de la conscience d'un homme;» (II, ii, p. 901.)

[29] «Le repentir n'est qu'une desditte de nostre volonté et opposition de nos fantaisies» (Idem, p. 903.)

– «Une desditte» – un dédit, révocation de la parole donnée, d'une volonté, d'une décision prise.

[30] «Si n'est-ce pas guerison si on ne se descharge du mal. Si la repentance pesoit sur le plat de la balance, elle en-porteroit le peché.» (Idem, p. 909.)

– «Si est ce que» – toujours est-il que.

ment parce qu'il pense que, selon ses forces, qu'il estime pesantes, molles, il fait d'ordinaire son possible et ne pourrait que rarement agir mieux, à moins que Dieu ne lui donnât «nature plus haute et plus reiglée[32]» que la sienne.

Je soupçonne qu'il ne devait guère choisir pour confesseurs des prêtres bien rigoristes. Lui-même, tout pétri d'humaine sagesse puisée aux meilleurs ouvrages des anciens, s'étant fait un esprit très large et tolérant, ne devait évidemment pas avoir une conscience bien austère. Grand admirateur, chez les autres, de la force d'âme et des plus nobles vertus, son admiration demeurait plutôt platonique; très notable exemple de tant d'hommes doués de supérieure intelligence et qui n'ont qu'une maigre, et tiède, et flasque volonté; de tant de chrétiens qui croient, pratiquent la prière et les sacrements, sans beaucoup avancer, dans l'habituelle conduite de leur vie, vers la sainteté, parce qu'ils se «repentent rarement[k]».

Non, de vrai, je ne crois pas qu'on puisse nous présenter Montaigne comme un très suffisant disciple de Notre-Seigneur. Ce n'est point du tout à ce titre que j'en irais recommander la lecture. Assurément, pour notre spirituelle perfection, c'est à de meilleurs modèles qu'il nous faut courir. Faguet pensait, de Montaigne, qu'on le devrait lire à vingt ans pour apprendre comment on doit vivre. J'en suis bien fâché, mais mon opinion n'est point même. Qu'on se nourrisse à vingt ans, voire à quinze, de ce qu'il y a de plus succulent et sain dans les *Essais*, cela je le trouverais très bon. Quant à les offrir au complet à tous les jeunes gens, je ne croirais pas qu'on leur rendît par là merveilleux service. Il est fort probable qu'au lieu de

---

[31] Voir note n° 26.

[32] Le texte de Montaigne se lit comme suit : «Mes actions sont reglées et conformes à ce que je suis et à ma condition. Je ne puis faire mieux. [...] J'imagine infinies natures plus hautes et plus reglées que la mienne; je n'amande pourtant mes facultez: comme ny mon bras ny mon esprit ne deviennent plus vigoreux pour en concevoir un autre qui le soit.» (Idem, p. 909.)

«Amander» – amender : modifier, changer.

piquer la fourchette en pleine et forte substance ils n'y choisiraient que ce qui flatterait le plus leur goût propre, et leurs penchants. Pour lire profitablement tout Montaigne il faut avoir déjà l'esprit sérieux, la tête solide, toute l'âme bien équilibrée. Cela n'arrive pas toujours à vingt ans, ni même plus tard.

Toutefois, comme je l'ai dit, ce maître artisan d'un verbe français vraiment parent du nôtre, ce maître dans la culture de l'humaine pensée, s'il était mis à notre portée par un judicieux recueil, donnerait alors à tous de très intelligentes, très claires, et très fortes leçons. Peu de livres secouent aussi énergiquement la réflexion, et c'est là dont nous avons, astheure, fort besoin. Il nous décollerait de ces tenaces admirations qui nous maintiennent figés devant les gestes et les voix d'une foule de pantins bruyants, bigarrés, sans âme, qui remplissent de leur vide toute la scène du monde.

L'homme, dit-on, est un animal raisonnable. Du moins, il le devrait être. Ce n'est ni par le sentiment, ni par la sensation, que nous différons des animaux, que nous méritons le titre d'homme; c'est par la raison. Tout écrivain qui, au lieu de s'adresser à nous comme à des êtres intelligents, au lieu de faire appel surtout au plus sérieux de notre pensée, nous parle comme à des enfants, à coups de phrases et d'images inédites, vives, hautes en couleurs, surprenantes; ou, nous traitant comme des ânes, ne veut nous faire marcher qu'à renfort de cajoleries, ou par de violents éclats de voix[1], des gestes frénétiques, voire assaisonnés de fouet ou de trique; cet écrivain se rabaisse et nous rabaisse.

Pour ceux d'entre nous qui tiennent à devenir ou à demeurer virils, chez combien de ces maîtres de l'heure, tant vantés, entendons-nous ce ton de l'honnête homme qui, d'abord, demande l'assentiment de notre raison, et non celui de nos sens; qui soit un esprit, une âme, avant que d'être un mâle[33], ou une femelle, ou un bébé qui joue à l'adulte?

S'il est un écrivain qui soit vraiment homme, et virilement, c'est Montaigne. C'est de votre raison même qu'il sollicite une audience pour lui présenter mille pensées, de face, de profil, de revers; et je doute qu'il y ait jamais eu cerveau plus varié que le sien. Mais, si intellectuel qu'il soit, il ne refuse point aux sens leur part légitime : secondaire, néanmoins extraordinairement riche. Aucune littérature, je crois, ni ancienne, ni moderne, n'offre l'exemple d'un style plus concret, où l'abstrait même se fait tangible, – sauf Shakespeare peut-être, et Montaigne l'emporte sur lui par le naturel et l'absence d'emphase et de mauvais goût. Tout comme un auteur de vingtième ordre, Shakespeare parfois ne dédaignait pas de se pavaner sous des atours trop recherchés, pailletés d'un verbe trop scintillant. Cette faiblesse, Montaigne ne l'a jamais eue.

Ceci est d'autant plus admirable qu'il vivait en pleine Renaissance, au temps où triomphait la Pléiade, où Ronsard écrivait : «Mignonne, allons voir si la rose...», où Rémi Belleau entendait partout[(m)] déclamer son bien joli : «Avril, l'honneur et des bois et des mois...», où tous les fignoleurs de rythmes nouveaux, plus délicats ou plus éclatants, s'en donnaient à cœur-joie; ce qui dura jusqu'au siècle suivant, le grand siècle, où l'on eut tôt fait de percevoir, surtout quand parut Descartes, que l'abondance,

---

[33] *Note de Bugnet.* Pour ceux qui connaissent imparfaitement la langue française [V.O. : la **pure** langue...] rare aujourd'hui, je crois bon d'expliquer que **mâle** n'est point synonyme de **viril**. La virilité suppose une qualité autre que celle d'un animal. Et ne serait-ce pas, de nos jours, un signe d'étiolement, non seulement intellectuel mais aussi sexuel, que cet appétit d'indécence chez tant de femmes comme chez tant d'écrivains? Nos «mâles» ont-ils donc tant besoin d'aphrodisiaques?

Dans le texte original, la note ici rapportée s'arrêtait avec la phrase : La virilité suppose une qualité autre que celle d'un animal.

la subtilité ou la somptuosité du langage ne sont que de brillantes guenilles sous quoi se dissimulent la maigreur et la puérilité de la pensée. Tous ces nouveaux falbalas, Montaigne ne les sentait pas à sa mesure. Il était trop grand esprit, et trop sérieux, pour s'affubler de ces nouvelletés.

S'il revivait de nos jours, il sourirait sans doute en constatant ce que l'on a fait d'un français qu'il avait pris tant de soin à rendre naturel et sans afféterie[n]. Il dirait que rien au fond n'a changé; qu'au vingtième siècle, comme au seizième, ce sont toujours les écrits où il n'y a guère que de la paille, et peu de grain, qui tiennent le haut vent de la faveur populaire. Et, comme sa norme était notablement plus vaste que la nôtre, il ne manquerait pas de s'amuser en nous voyant naïvement citer à tout propos, pour appuyer nos opinions, telle ou telle phrase sans substance puisée dans quelque ouvrage présentement à la mode. Lui, somme toute, ne reconnaissait guère d'autorité que divine; et, sous celle-ci, la sienne propre, dont il savait chaque jour pénétrer davantage l'inanité. Et c'est par là qu'il peut être très utile à toute âme sincère. C'est par là que, si nous le voulions étudier, il nous serait excellent professeur d'humilité. Il nous enseignerait à regarder moins au dehors et plus en nous-mêmes, à sa manière, d'un regard suraigu; nous ne pourrions qu'y gagner en science et en sagesse.

Le grand Pascal avait peur de Montaigne. Il le trouvait incomparable pour mettre en montre la faiblesse de l'humaine raison et les misérables côtés de notre nature. Mais je pense que, de nos jours, où l'homme est bien près de se croire un dieu, les drus flocons de cette froide ironie, tombant sur nos fronts superbement levés, rabattraient un peu nos poses insolentes et rafraîchiraient salutairement nos trop chaudes cervelles.

Enfin, surtout, et je ressème l'idée car j'y prévois plus certaine[34] récolte : c'est comme professeur d'une bonne langue canadienne, nôtre, qu'il n'aurait guère d'égal, non point les classiques mêmes, qu'il faut aussi lire et relire, mais dont la perfection est si élevée que l'on n'y peut atteindre sans d'abord gravir les degrés précédents.

Avec Montaigne et par notre propre et constant exercice, il nous sera plus facile, sans avoir à copier les modes de Paris rarement admirables aujourd'hui[(o)], d'apprendre à faire de nos pensées de belles personnes, simples et nobles, vêtues de riches mais discrets tissus, d'un goût fin, qui pourront alors être accueillies partout, comme filles non pareilles, de haute race, héritières de pure lignée.

Variantes

[a] V.O. : d'après ses **frères**...

[b] V.O. : **une** très nourrissante substance...

[c] V.O. : **Ce n**ouveau **m**onde...

[d] V.O. : ajoutait ici : Veut-il parler du maïs ou blé d'Inde? Ignorant comme je suis, c'est mon explication.

[e] Paragraphe requis dans le manuscrit.

[f] V.O. : qu'on **en** est...

[g] V.O. : n'y.

[h] V.O. : deux **formelles** preuves...

[i] V.O. : irréfra**y**ables exemples...

[j] V.O. : **notable** changement.

[k] «parce qu'ils se repentent rarement», ajouté à la version originale.

[l] V.O. : à renfort de cajoleries, **de sucreries**, ou par de violents éclats de voix...

---

[34] Entendons : une récolte certaine.

Ce paragraphe souligne la difficulté à comprendre les classiques sans avoir au préalable étudié l'époque qui précède, celle de Montaigne. Celui-ci serait donc un professeur «sans égal».

[m] «partout», ajouté à la version originale.

[n] V.O. : sans **prétention.**

[o] V.O. : les modes de Paris **souvent malsaines**...

9. Une lettre[1]

Bugnet nous invite à le suivre dans ses pérégrinations en France, à la recherche du «parisian French». Au bout de plusieurs expériences infructueuses, il écoute avec enchantement une conversation entre trois membres de l'Institut, et s'aperçoit «qu'aucun de ces trois éminents Français ne paraissait avoir d'accent distinctif».

Sur un ton ironique, et bien avant que les linguistes n'insistent sur la distinction entre le français de France et le français normatif, Bugnet nous en donne ici l'essence. [THÈMES : Identité canadienne. Langue.]

Elle me vint, au mois d'août, 1937[(a)]*, de Paris. La voici :*

Cher monsieur,

Après avoir achevé mes études à Montréal je me suis toujours efforcé, vous ne l'ignorez pas, de polir mon langage. Vous noterez en me lisant qu'il en a toujours besoin. Devenu professeur de français dans une école anglaise d'Ontario[2], plusieurs m'ont dit que je ne parlais pas le «parisian French», que c'était là pourtant ce qu'on attendait de moi, qu'il me fallait le pleinement posséder si je tenais à gagner un professorat dans quelque école supérieure.

La plupart de nos compatriotes, jusque dans Québec,

---

[1] *Les Idées*, vol. VI, n° 6, Montréal, Éditions du Totem, décembre 1937, pp. 327-341.

[2] Voir note n° 4.

estimant aussi que la langue française en Canada est bien inférieure à celle qui à Paris fait les délices de toute oreille délicate, je décidai de traverser l'Atlantique et de passer les deux mois de mes vacances dans l'Athènes du monde moderne. J'y arrivai le 10 juillet.

Au sortir du train, je fus entouré par un groupe de Parisiens. L'un d'eux, doué d'un très curieux chuintement, me dit :

– Chi mechieu veut bien me chuivre au grand hôtel de Chaint-Flour, ch'est tout près d'ichi, che lui garantis qu'il en chera chupérieurement chatichfait.

Ceci ne pouvait être le pur accent de Paris. J'eus même l'impudence[(b)] de me demander si notre prononciation canadienne n'est pas meilleure. Je me détournai un instant de cet homme pour écouter les autres. Mais aucune de ces bouches n'enchantait mon oreille de la délicieuse harmonie à quoi je m'attendais. En fin de compte j'acceptai la tutelle du premier, qui avait fort honnête mine. Il me conduisit à son grand hôtel de Saint-Flour, logis d'ailleurs très modeste. Encore qu'il n'y eût guère là que des Auvergnats, j'y fus bien accueilli, choyé, comme si j'avais été moi-même l'un de ces compatriotes de Pascal. J'y établis mes pénates.

Vous le devinez, cher monsieur : ce n'était point dans ce milieu que je pouvais acquérir la maîtrise du véritable français de Paris. Dès le lendemain, et chaque jour ensuite, je me mis à traquer mon gibier dans tous les coins et recoins de la capitale. Au bout d'une semaine je sus que l'on y pouvait, surtout dans les couloirs du parlement de la république, entendre parler la même langue de cent façons diverses.

Et j'appris aussi, non sans quelque consternation, que pour m'enrichir d'un accent et d'un vocabulaire authentiquement parisiens il fallait m'adresser principalement aux gamins des rues ou à de purs indigènes, adultes, mais sans grande culture. Les véritables autochtones seraient ceux qui appellent Paris : «Pèri» en grasseyant abondamment. Bien que ceci me fût affirmé par plusieurs personnes qui semblaient de bonne foi, je ne pus me résoudre à le croire. Le parfait français devait être l'apanage, sinon d'une élite, du moins, dans les classes moyennes, des gens de bonne société. Je poursuivis ma chasse.

Il me vint à l'idée qu'en prenant mes repas chez les restaurateurs de premier ordre, y liant connaissance avec des personnes de bonnes manières, en m'informant discrètement du lieu de leur naissance et des institutions où ils avaient fait leurs études, je ne pouvais manquer de rencontrer ce que je cherchais.

Un jour, à la table où je mangeais vint s'installer un jeune homme de mon âge, né à Paris d'où il ne sortait que pour ses vacances qu'il passait au bord de la mer ou dans les montagnes. Il était grand, blond, avec un corps robuste et un visage intelligent. Il savait s'exprimer beaucoup plus rapidement et plus abondamment qu'un homme ordinaire. Il me dit :

– Ce que j'aime, monsieur, d'une délectation singulière, ce sont les exercices du corps. Vous, Canadiens, qui jouissez des grands espaces libres, vous ne sauriez croire combien nous, pauvres prisonniers serrés, étouffés, dans ces amas de pierres que nous appelons une ville, combien nous éprouvons de plaisir à tendre, à faire jouer tous nos muscles. Il n'est aucun genre d'athlétisme qui ne me passionne. Chaque jour j'étudie les records de toutes les performances. Le fouteballe, le boxingue et fancingue[(c)] sont mes préférés, mais j'adore aussi le foutingue et campingue.

Comme je levais les yeux d'un air surpris, il m'expliqua :

– Ce sont des termes anglais. Puisque vous êtes professeur dans une école anglaise vous devez aisément les comprendre.

– Ces mots, lui dis-je, ne sont pas anglais et ne me semblent non plus guère français. Mes élèves prononcent : cammpigne, fenncigne...

Il m'interrompit :

– Cela, monsieur, n'a aucune importance. La prononciation peut varier, mais tout le monde aujourd'hui emploie ces vocables et tout le monde les comprend. L'usage est, vous le savez, le roi du langage. Laissez-moi poursuivre. Vous ne sauriez croire avec quelle allégresse mes amis et moi prenons notre culture physique au scatingue-palasse... Et, hier soir, lorsque j'ai vu cnoque-outer au quatrième rounnde...

Je ne l'écoutai plus qu'à demi. Mon allégresse à moi avait reçu un cnoque-oute dont elle ne se releva pas de tout ce jour-là. Décidément, cette langue, éclaboussée de sons qui provenaient plutôt du mandingue*, du yakoute* ou du patagon* que de l'anglais, n'était pas celle dont j'attendais le mélodieux enchantement.

Le lendemain, dans l'humble espoir de surprendre sur quelque lèvre la suave modulation proprement parisienne que, de si loin, j'étais venu chercher, je parcourais (on dit souvent ici, je ne sais pourquoi, arpenter) les rues, au cœur de la grande cité, lorsqu'une affiche m'annonça qu'un homme politique de haute renommée allait, ce soir même, parler de plusieurs questions économiques fort importantes. C'était précisément l'un de ceux dont j'attendais la réalisation de mon espoir. Je le savais enfant d'une famille qui avait toujours habité Paris. C'était dans la capitale et à l'entour qu'il avait sans cesse déployé ses remarquables talents d'organisateur. Chacun de ses discours faisait accourir les foules. J'allai donc, l'heure venue, à la salle indiquée. Tout un peuple l'emplissait.

Peut-être, cher monsieur, avais-je trop espéré. Certes, je trouvai ce grand orateur digne de sa réputation. Il avait de puissantes envolées. Il emportait les admirations de ce peuple dans un tumultueux enthousiasme, parfois jusqu'à une sorte de délire. Mais il n'avait point d'accent spécifiquement parisien et ma pauvre âme n'y sentait pas un plein contentement car, élevé sous un climat plus froid, nourri des classiques, plaçant l'intelligence au-dessus des passions, le spirituel au-dessus du matériel, j'ai, à tort ou à raison, un idéal de l'humaine éloquence qui ne parvenait point à estimer parfait le modèle qui m'était présenté. Malgré moi, je mesurais ce discours à ceux de Platon, de Cicéron, de Bossuet, où la pensée domine le verbe. Et puis j'avais un incurable défaut : je n'étais pas de la paroisse.

Je m'en aperçus fort nettement lorsque cet orateur s'écria :

– Non, citoyens, nous ne tolérerons jamais que la C.G.T. soit trahie par les émissaires de l'U.R.S.S. et jamais les S.F.O.B. ni les T.P.P.M. ne parviendront à saisir de leurs griffes ensanglantées les chairs pantelantes des héroïques défenseurs de la J.E.D.R. (Applaudissements frénétiques)... L'étendard victorieusement déployé par les A.V.D. ne deviendra jamais, en dépit des assauts les plus acharnés que lui pourront livrer les plus féroces partisans du L.V.C., la proie de ces tigres à face humaine qui se repaissent insatiablement des sueurs du prolétariat. (Tonnerre de clameurs et d'applaudissements.)

Pour moi, je n'avais guère mieux compris que s'il eût parlé mandchou. Sans une tranquille et sincère explication offerte à quelques-uns de mes voisins qui me regardaient d'un œil peu fraternel, j'aurais été sans doute vivement expulsé.

Parfois aussi j'avais l'outrecuidance de penser que si la diction de cet orateur était assurément bien préférable à celle qu'on entend d'ordinaire en Canada, son français me paraissait moins désirable. En une phrase assez longue dont je ne compris qu'une partie, il assura que l'on devait, tout d'abord, réaliser les difficultés de l'entreprise si l'on en voulait, ensuite, obtenir la réalisation. Il employait aussi des mots nouveaux qui, dans mon ignorance des progrès de la langue de France, me heurtaient le tympan comme des cacophonies. Il fallait, disait-il, solutionner les diverses parties du problème afin de ne pas les confusionner. Je ne pouvais m'empêcher de trouver illogiques ces façons de tantôt réduire certains mots à leurs lettres initiales et tantôt d'en allonger d'autres sans la moindre nécessité. Pour dire : il a la fièvre, il employait cette singulière expression : il fait de la température. Au reste, j'avais déjà entendu un Parisien m'affirmer que son chien *faisait* de la paralysie du derrière. J'avais su lui voiler ma surprise.

Enfin, peu satisfait, je quittai la salle, regagnai mon hôtel et me couchai.

Le lendemain, dans la matinée, toujours à la poursuite de l'idéale prononciation, j'errai aux environs de la Sorbonne. Mon oreille y put souvent jouir[d] d'exquises élocutions, surtout de personnes plus âgées que moi. Jeunes gens et jeunes filles au contraire employaient d'habitude un argot, peut-être très parisien, mais qui, enseigné à Toronto, n'y rehausserait certes pas le niveau du français.

Vers le milieu du jour j'entrai dans un restaurant de haut renom. À une table voisine de la mienne, où j'étais seul, deux hommes conversaient. L'un devait dépasser la cinquantaine. L'autre avait à peine trente ans. Au bout de quelques minutes, je ne perdis plus un mot de leur entretien. En vous écrivant, cher monsieur, j'ai sous les yeux la feuille où, deux heures après, je reproduisis, de fort près je crois, leurs paroles. J'y copie quelques lignes.

L'aîné disait :

– Pensez-vous, cher ami, que mes ouvrages, s'ils sont lus au Canada, y soient compris?

– Oh, cher maître, vos œuvres sont assurément beaucoup trop élevées pour le commun des lecteurs, mais nous avons une élite. C'est à cette élite que s'adresse notre grand périodique. C'est pour cette élite que j'y voudrais publier un article à votre sujet. Depuis le jour que j'ai commencé de vous lire je me suis fait votre champion auprès de tous ceux qui ont le goût des choses de l'esprit. C'est vous, à mon avis, que nos écrivains devraient choisir pour constant modèle.

– Vos écrivains? Auriez-vous donc, emmi* vos nivéennes* hyperborées*, quelques dynamiques mortels qui, sachant penser, soient idoines* à buriner* cette pensée sous le signe d'un style non vulgaire, en des phrases où l'art chatoie comme en ces filigranes de rubis ou de chrysoprases* qu'un prestigieux joaillier sertit en magiques arabesques, d'or pur et d'argent fin, dont les prunelles qui s'en sont une fois irradiées gardent à jamais la nostalgie haletante d'un immarcescible* envoûtement?...

Je me sentis en effet durant un bon moment comme envoûté. Ce langage effervescent et scintillant, cette élocution délicatement nuancée, c'était chose que l'on ne rencontre guère en Canada. Au bout de quelques minutes me réapparut[e], admirée l'avant-veille sur la scène d'un théâtre, l'image d'une danseuse qui, s'évertuant le plus gentiment du monde, faisait étinceler sous de changeantes lumières, tantôt adoucies, tantôt éclatantes, les mille feux des paillettes de son costume. Je m'avisai que l'art de ce causeur[f] n'était point sans analogie avec la science chorégraphique de ma danseuse; qu'il pouvait plaire un instant mais qu'enfin, la danse n'étant point généralement considérée comme l'un des principaux attributs de l'esprit, c'était ailleurs encore qu'il me fallait, dans Paris, chercher le parfait langage de l'honnête homme.

Et pourtant ce fut, quelques jours plus tard, en ce même endroit, à la même table, que se trouva résolu mon problème. J'y étais revenu, sans beaucoup d'espoir, et voici qu'à peine installé à cette seule table restée libre, trois messieurs, s'excusant, s'y vinrent asseoir aussi.

En peu de temps j'eus compris que mes compagnons étaient, par excellente fortune, de savants linguistes. Leur esprit se mouvait familièrement à travers la fine fleur de l'humanité de tous les siècles. Leur diction était si naturelle, si simple, si claire, que j'oubliai tout d'abord d'y porter mon attention. J'étais séduit par les idées qu'ils exprimaient et par la manière aisée dont, partant de choses présentes et tout ordinaires, ils s'évadaient en quelques phrases du passager pour se hausser dans le permanent. Peu à peu je perçus que j'étais en compagnie de trois membres de l'Institut de France*; qu'ils personnifiaient, fort aimablement, l'un les lettres, l'autre les sciences, et le troisième les beaux-arts.

Intimidé, je me tins coi. Malgré la bienveillance des regards qu'ils m'adressaient assez souvent je n'osai me joindre plus intimement à eux, ne leur dis point mon nom et n'appris pas le leur. Je réfléchissais, me disant : «Encore qu'ils soient habillés à la façon du vingtième siècle, ces hommes si notablement humains sont de tous les temps. Si au lieu d'être assis à cette table ils eussent, parés de robes blanches frangées de pourpre, été les hôtes de Platon ou, revêtus de la toge, les commensaux d'un Horace ou d'un Cicéron, ils auraient sans doute, sauf pour le détail, tenu les mêmes propos, émis ces mêmes dominantes idées qui évoquent en moi la vision de grands et beaux arbres, antiques et toujours jeunes, robustes et gracieux, dont les cimes ensoleillées, dépassant de haut la commune masse végétale, voisinent avec les nues tandis qu'au-dessous d'eux apparaissent et disparaissent les transitoires multitudes». Tous les sujets qu'ils touchaient devenaient lumineux, élevés et profonds. Mais ils employaient des termes et des expressions apparemment si simples qu'on n'y prêtait point attention, de sorte qu'ensuite, lorsque je les voulus reproduire, j'en fus incapable, comme on l'est souvent avec les maîtres de la langue, à moins de les apprendre par cœur.

Je ne puis donc vous offrir qu'une mauvaise reproduction d'une partie de leur entretien qui précisément, durant quelques minutes, s'occupa de ce qui me tenait tant à cœur. Et, lorsqu'ils en vinrent là, je m'aperçus qu'aucun de ces trois éminents Français ne paraissait avoir d'accent distinctif.

Ignorant leurs noms, je vais les désigner par leur qualité. Ils parlaient[g] d'un jeune docteur-ès-lettres (sic) récemment élevé à l'une des chaires de l'Université.

L'Écrivain – On lui reproche un léger accent méridional. Faute très vénielle, si c'est une faute.

Le Savant – Pindare et Théocrite ont écrit dans le dialecte dorien, ils avaient sans doute l'accent dorien. Pour n'être point attiques, ils n'en sont pas moins admirables.

Le Sculpteur – Quant à moi, je trouve déplorable cette moderne tendance à rechercher en tout la similarité. Nous voici, vous qui êtes Angevin, vous Champenois, moi Bourguignon, habillés comme trois jumeaux et parlant à peu près exactement de même façon. Est-ce un avantage? Jusqu'où cela ira-t-il? Sous prétexte d'égalité la foule moutonnière et singeresse finira par demander que tous les visages n'aient qu'une seule et même expression. Évidemment, ce deviendrait, au point de vue artistique, un notable bénéfice pour les peintres et sculpteurs de vingtième ordre.

L'Écrivain – Une excessive uniformité enlèverait aux âmes et aux choses presque tout ce qui fait leur charme. Assurément, quant à la science, si le monde avait été construit sans variété, sur un mode trop uniforme, le domaine du savoir en eût été réduit d'autant. Quant à l'art, si la conception grecque, et celle de la renaissance italienne, des écoles espagnole, flamande, française, se fussent trouvées semblables, je ne vois guère par où le gain nous aurait pu compenser la perte. Et quant aux lettres, si tous les grands écrivains, durant trois mille ans, avaient tous recréé, dans la même langue, du même style, les mêmes exemplaires d'un même modèle, fût-il parfait... Je n'insiste pas. Qui songerait à supprimer toutes les sortes de roses pour n'en conserver qu'une forme unique? Dieu, insufflant partout la diversité, fait bien ce qu'il fait. Il doit avoir de meilleures raisons que les nôtres. En dépit d'eux, nos semblables, heureusement pour eux, ne parviendront sans doute jamais à se rendre tout à fait des semblables.

Le Savant – C'est fort bien. Mais un excès de variété ne me plairait guère plus qu'un excès d'uniformité. Des températures qui s'écarteraient trop loin de la normale ne sont nullement souhaitables. Le son, dès qu'il devient trop aigu, blesse l'oreille. Dans le monde vivant, l'être qui transgresse les lois moyennes de sa nature est un monstre. Il en faut toujours revenir à la vieille maxime : *in medio stat virtus*[3], le sens de la mesure.

Le Sculpteur – La vieille maxime est juste, mais vous savez ce qu'en pensait Pascal : c'est une bien fine pointe d'aiguille.

L'Écrivain – Certes, et lorsqu'il s'agit de l'accent français, qui pourra décider quelle en est la norme? Il a changé. Il change sans cesse. Notre prononciation n'est plus celle du grand siècle. Elle n'est même plus celle de la génération qui nous a précédés. Est-elle meilleure? Aujourd'hui même, où se trouve la plus parfaite? Est-ce dans Paris? Il n'est plus ce qu'il était hier. Envahi de toutes parts, il ressemble à une Babel où les tons sont tellement mélangés que l'on passe sans transition de l'excellent à l'exécrable. On s'accorderait plutôt à concéder la palme à mon pays natal, l'Anjou. Pourquoi? Je n'en sais vraiment rien. Je suis sûr que vous admettrez avec moi qu'on entend de fort bonnes dictions dans beaucoup d'autres parties de la France, surtout dans les provinces du centre.

Le Savant – Assurément, et encore qu'il soit généralement proclamé qu'aucun accent particulier ne devrait être perçu dans la meilleure élocution[(h)] française, je

---

[3] Traduction : la vertu est au milieu.

laisserais volontiers, s'il dépendait de moi, vivre tous les accents, tant du moins qu'ils ne sont pas trop prononcés.

L'Écrivain – C'est aussi mon avis. Dès qu'un homme se fait parfaitement entendre, pourquoi lui proposerait-on de parler comme un autre?

Le Sculpteur – Ces tendances à l'égalité qu'on voudrait pousser jusqu'à l'uniformité ou, si je puis employer ce mot, jusqu'à la monoformité, ne sont, je pense, qu'une mode passagère, le complément des rêves de Jean-Jacques. Le temps sans doute dissipera les songes. L'expérience, celle de nos jours comme celle du passé, démontre que des lieux différents transforment non seulement les mœurs mais aussi le langage des hommes. Contre les puissantes et subtiles influences du sol qu'ils habitent les hommes se débattent vainement. Ils passent, le pays demeure…

Voilà, cher monsieur, moins bien écrite qu'ils ne l'ont parlée, la discussion, par trois éminents Français, du problème qui m'avait amené de Toronto à Paris. J'aurais dû les en remercier, mais je me sentais auprès d'eux si petit personnage que le silence me sembla préférable.

Vous pensez bien qu'après cela le «parisian French» perdit pour moi beaucoup de son importance. J'en suis venu à me demander s'il ne vaudrait pas mieux travailler à faire nous-mêmes, dans notre propre pays, ce qu'ont fait chez eux les Français : perfectionner notre propre langue, par la parole et par l'écrit. – Singulière coïncidence : les journaux m'apprennent que M. Louis Bertrand, délégué de l'Académie française au congrès de Québec, déclara qu'à nous trop laisser influencer par les présentes modes de France nous mettrions en péril l'expression, *et l'expansion*, de la pensée et de la sensibilité canadiennes.

Néanmoins, puisque l'on croit à Toronto qu'il faut dans les écoles enseigner le français de Paris, j'ai décidé d'achever mes vacances par des séjours successifs en

Nivernais, en Berry, en Touraine, en Anjou et en Poitou. N'est-il pas curieux qu'en France on place, non pas *au*, mais *en*, devant des[i] noms de pays qui sont du genre masculin et dont la première lettre est une consonne[k]? Serait-ce qu'on ne doit employer *au* que lorsqu'il s'agit de contrées étrangères[4]?

[k] J'espère que mon langage gardera de ces divers séjours des intonations qui seront remarquées à mon retour en Ontario. Si, comme il est probable, on estime que ce sont celles mêmes de Paris, je ne démentirai pas cette opinion.

Veuillez, cher monsieur, agréer ... [l]

---

[4] Signalons que le Nivernais, le Berry, etc., ne sont pas des pays. Par sa remarque finale, Bugnet essaie-t-il de justifier la raison qui le porte à utiliser constamment l'archaïsme **en Canada**, ou à écrire **d'Ontario**? Puisqu'il nous donne SA règle de grammaire, citons aussi celles de Grevisse, *Le Bon Usage*, Duculot, Paris-Gembloux, 1980.

- L'article s'emploie devant les noms propres de continents, de pays, de provinces, de montagnes, etc. : L'**Amérique**, LA **France**, LE **Périgord**, etc. N° 627, p. 342.
- Pour les noms propres de pays : Les noms masculins à initiale consonantique prennent l'article: **Aller** AU **Pérou**,... AU **Sénégal**, AU **Canada**. (Grevisse ajoute en note : Autrefois, **en Canada**. N° 629, p. 342.
- Pour marquer le lieu (situation ou direction), devant les noms d'anciennes provinces françaises ou étrangères, souvent on suit la distinction signalée ci-dessus... Mais la règle n'est pas absolue :
  - a) EN **Limousin** (Colette); EN **Berry** (A.Maurois); ... EN **Anjou** (L. Battifol); etc.
  - b) DANS LE **Berry** (A. Maurois); ... DANS LE **Poitou** (E. About); etc. N° 632, 2., p. 343.

Variantes

[a] V.O. : Elle me vint, **d**u mois d'août.

La date, 1937, a été ajoutée.

[b] V.O. : imp**r**udence.

[c] V.O. : fancin**q**ue...

[d] V.O. : Mon oreille y **jouis souvent**...

[e] V.O. : au bout de quelques minutes **je perçus**...

[f] V.O. : Je m'avisai que l'art de ce causeur **au verbe pyrotechnique** n'était point sans analogie ...

[g] V.O. : **Il s'agissait** d'un jeune...

[h] V.O. : la meilleure **éducation** française...

[i] V.O. : devant **l**es noms de pays...

[j] Le texte original s'arrêtait avec : les noms de pays qui sont du genre masculin? ...

[k] Paragraphe requis dans le manuscrit.

[l] Le texte original ajoutait ici, entre parenthèses :

(Il ne reste plus à ajouter, pour ne point paraître irrespectueux des règles, un peu désuètes mais classiques, de la vraisemblance, qu'avec la connivence de l'auteur cette lettre est publiée à mes propres risques et périls.)

10. Un Maître du style[1]

> Après nous avoir exposé ses idées sur la langue (texte n° 8) puis sur les accents régionaux (texte n° 9), Bugnet aborde ici la question du style. Il fait un constat d'échec, en donne les raisons et propose des solutions. [THÈMES : Classicisme. Instruction. Style.]

Notre éminent critique[(a)], Monseigneur Camille Roy*, déclarait[(b)] : «Il n'y a pas plus de génération spontanée en littérature qu'en biologie».

[(c)] Certes non. Et si nous n'enfantons pas de chefs-d'œuvre, c'est peut-être que nous n'ensemençons pas nos cerveaux des germes appropriés.

– Comment? me dira-t-on. Est-ce que nous n'étudions pas les meilleurs maîtres de la langue et de la pensée catholique et française?

Pour ce qui est du catholicisme, je bats en retraite. À ce point de vue le peuple canadien tient fort honorablement son rang, qui est peut-être le premier. Quant au français, avouons-le, nous n'avons personne à mettre en balance avec les plus grands modèles.

---

[1] *Le Canada Français*, vol. XX, n° 4, Québec, décembre 1932, pp. 317-323.

À mon humble avis, ceux que l'on nomme *les grands classiques* ne forment pas le style. Lequel, parmi les auteurs célèbres d'hier ou d'aujourd'hui nous rappelle, par son vocabulaire et sa syntaxe, Pascal, Bossuet ou Bourdaloue? Quel poète se rapproche de Racine? Faut-il alors les laisser de côté? Non pas. Avant de former le style il faut former l'esprit, la pensée, le goût, le verbe[(d)]. Là, nos classiques du XVIIe siècle demeurent sans égaux. Ils le demeureront à jamais. Eux, et plusieurs des Grecs et des Latins, ont réuni ces qualités qui font de ceux qui les possèdent les plus humains des hommes : la mesure, le goût, le naturel, la clarté, cette grandeur dans la simplicité qui est le sublime. Nul ne peut lire, étudier, méditer, aimer les classiques et demeurer un piètre spécimen d'humanité.

Toutefois, de ce que l'on est bon humaniste, il ne s'ensuit pas qu'on soit grand écrivain.

On répète souvent les deux vers :

Ce que l'on conçoit bien s'énonce clairement,
Et les mots pour le dire arrivent aisément[2].

Sauf le respect que je dois à Boileau, cet «aisément» est ce qu'en langue vulgaire on appelle «une bonne blague». Lui-même, quelques lignes plus loin, ajoute :

Vingt fois sur le métier remettez votre ouvrage[3];

C'est donc qu'il n'est pas si aisé de bien écrire. Qu'il y ait des exceptions, j'en conviens. Il peut se rencontrer des poètes, des orateurs qui, du premier jet, vous coulent un vers, une phrase, sans aucune bavure, parfaitement achevés. Cela est rare, extrêmement rare. Pour l'immense majorité des hommes, nul n'y réussit qu'à force de travail, d'étude, l'étude des maîtres.

Mais – j'y reviens – tous les maîtres n'ont pas la même influence. Si les classiques excellent à faire d'un adolescent

---

[2] Boileau, *L'Art poétique*, Chant I, v. 153 & 154.

[3] Idem, v. 172.

un homme, et d'un homme, un homme qui pense, ils ne valent plus autant pour diriger la plume. Et ce n'est pas leur faute, c'est la nôtre. Au risque de me faire honnir, je dirai mon soupçon – du moins en partie. On estime que l'instruction publique est une bonne chose. À voir ses résultats dans la plupart des pays «civilisés» on peut en douter. Ce dont on ne saurait guère douter est qu'aujourd'hui, instinctivement, inconsciemment, désirant se faire entendre du plus grand nombre possible des gens «instruits», intéresser «la moyenne» des auditeurs ou des lecteurs, – tandis qu'autrefois on n'avait devant soi qu'une élite, parfois très, trop raffinée, – l'orateur, l'écrivain, n'éprouve plus une bien forte tentation de s'égaler à un Platon, un Pascal, un Bossuet[e]. Il sait que peu reviendraient vers lui. Quelque paradoxal qu'il paraisse, c'est, à mon humble point de vue, l'instruction publique qui étrangle les humanités, qui bâillonne l'humanité. Même pour les œuvres de moindre envolée, je crains fort que, si elle revenait au monde, une Mme de La Fayette, voyant le succès, auprès du «grand public», de certains romans «sensationnels», nous écrirait une *Princesse de Clèves* fort différente et... fort inférieure. Mais *Maria Chapdelaine*? Oui, l'exception. Qu'est-ce que son succès auprès de celui de *Tarzan**, l'homme-singe? Et celui-ci fait école. Où sont les émules de Louis Hémon?

Que si l'on me pousse, j'admettrai peut-être que nos classiques ont un défaut, le défaut de leurs qualités. Si l'homme est un animal raisonnable, le classique est peut-être trop raisonnable, et point assez animal. Et, sans que l'on me pousse, j'admettrai encore que l'humanité d'aujourd'hui est peut-être trop animale et pas assez raisonnable.

Faut-il désespérer de revoir les jours où un Corneille, un Molière, un Racine, un Boileau étaient les gloires nationales, où un Vincent de Paul était estimé plus qu'un surintendant des finances? Je ne sais. En tous cas, et il en faut prendre notre parti, ce ne sera pas cette année, ni la suivante. Par conséquent, si nous voulons être bien accueillis dans la société, nous faire écouter par ceux de notre époque, surtout au-delà de la province de Québec, ne cherchons pas à nous habiller d'après une mode hors de saison. Étudions les classiques, aimons-les, mais à les vouloir reproduire, outre qu'il n'est pas facile, ce serait peine perdue. Aurions-nous aujourd'hui un Bossuet en puissance, il ne le serait jamais en acte. Il lui faudrait se mettre à la portée, au niveau de la plus grande partie de son auditoire. Ai-je besoin d'ajouter que, même à New-York, à Londres, à Paris, la majorité d'un auditoire tant soit peu nombreux est fort loin d'avoir l'oreille aussi délicate, l'esprit aussi élevé, l'âme hantée d'aussi nobles problèmes qu'au temps du premier, et dernier, Bossuet?

Au change, cependant, nous n'avons pas tout perdu. Nous avons même gagné quelque chose. Et c'est peut-être ce gain qui nous a fait perdre le reste. Au grand siècle régna surtout l'intelligence, non sans mélange de sentiment. Jean-Jacques fit dominer le sentiment, voire la sentimentalité. Chateaubriand mit en relief la sensation. La sensation fit trop oublier les autres richesses de l'héritage.

On peut, je crois, dire que les œuvres littéraires contemporaines sont presque toutes filles de Chateaubriand. Par malheur, beaucoup d'entre elles ne se sont pas contentées de la sensation, elles y ont ajouté la sensualité[(f)]. Faut-il l'en rendre responsable? La mode, à présent, est de mettre toute la responsabilité sur le dos des parents. Les enfants n'en ont plus aucune. Voire? Abraham lui-même n'a-t-il pas eu dans sa postérité d'assez lamentables neveux[4]?

Pour autant, je ne vois guère, pour plusieurs d'entre nous[(g)], meilleur maître de style que Chateaubriand.

---

[4] Référence probable à son neveu Loth (ou Lot) dont la femme fut transformée en colonne de sel lors de la destruction de Sodome. Ses filles, pour assurer une descendance, couchèrent avec leur père à son insu et en eurent deux fils. L'aînée donna naissance à Moab, et la cadette à Ben-Ammi (Ammon).

Si je me suis jusqu'ici clairement exprimé, il est à peine utile de préciser que, ce maître, ce n'est pas aux tout jeunes gens que je le présente, mais à ceux seulement qui, pourvus déjà d'une assez forte culture, ont quelque ambition d'enrichir par des œuvres plus parfaites notre littérature canadienne. De plus, je suis tout prêt à concéder qu'on lui en peut adjoindre d'autres. C'est d'ailleurs ce que l'on fait, ce que l'on fait trop. On flirte beaucoup avec les filles, les arrière-petites-filles, et l'on délaisse l'ancêtre. Or, est-ce juste vue, ignorance, ou préjugé, je ne sais, mais il me semble qu'aucune des descendantes, si jeune et si bien tournée soit-elle, n'égale le patriarche pour le bon ton, le maintien, l'allure, le *grand air*. Si quelqu'un m'objecte que tout cela n'est que façade[(h)], je l'entends bien ainsi : c'est de forme que nous parlons, non de fond.

De ce choix, je voudrais donner quelques raisons.

Si je fais assez bon marché des auteurs du vingtième siècle, c'est d'abord que, des louables efforts pour découvrir un style nouveau, le plus clair résultat, autant que je sache, est assez semblable à ce qui, dans le domaine industriel, est arrivé pour l'étoffe : au lieu de la bonne toile, du bon drap solide d'autrefois, on nous sert de somptueuses guenilles. Elles peuvent avoir d'éclatantes couleurs, mais à l'encontre du bon goût. Si elles se teintent de nuances délicates, leur tissu n'a pas de durée. Peut-être ne risqué-je que fort peu en avançant que, de nos écrivains contemporains, seuls survivront ceux qui n'ont point un style très neuf.

De plus, où est le style nouveau qui ne dérive pas de Chateaubriand, et le plus souvent en droite ligne? Car, si je ne m'abuse, toutes ces prétendues nouveautés de plume, elles étaient toutes déjà dans le style du patriarche – et il en est d'autres sans doute que l'on n'y a pas encore aperçues.

Un autre aspect de la question est celui-ci :

La difficulté, pour nous, d'écrire à la manière des auteurs du grand siècle est que ces hommes-là possédaient une culture, un cerveau, que nous n'avons plus. Au lieu d'éparpiller leurs idées sur ces foules de questions secondaires dont nous assaillent maintenant et les complexités de la vie moderne, et tant de journaux, et tant de revues, ils les concentraient sur l'essentiel : le domaine spirituel. La force de leur pensée était telle qu'en employant des mots tout ordinaires, ils parvenaient à des expressions d'une extraordinaire puissance, d'une étonnante intensité, tel ce très simple vers de Racine, lorsque Esther vient prier le Dieu d'Israël :

...Seigneur...

Me voici donc, tremblante et seule, devant toi[5]*;*

que nul, s'il a quelque fibre humaine dans le cœur, ne peut entendre sans que toute l'âme lui frissonne.

N'ayant plus autant qu'eux l'énergie du cœur et de la pensée nous la mettons dans les mots. C'est fâcheux, mais c'est humain, et cela peut se défendre, comme les épices pour relever une viande fade. Les grands maîtres ayant des procédés non seulement hors de notre portée dans l'application mais presque insaisissable à notre perception, rabattons-nous sur de moins grands dont les procédés sont à la fois applicables et plus faciles à démêler. La Bruyère? Oui, c'est bien; Chateaubriand, c'est encore mieux.

– Mais ils n'ont pas un style naturel! – Heureusement. Car c'est précisément pourquoi, ne nous éblouissant point par le sublime d'une forme simple en parfait accord avec la grandeur des idées, ils nous permettent d'examiner plus nettement les artifices de leur style. Ceux de La Bruyère sont transparents. C'est un fort bon maître de rhétorique

---

[5] «O mon souverain Roi!
Me voici donc tremblante et seule devant toi.»
[Racine, *Esther*, Acte I, scène iv, v. 247 & 248.]

à l'usage de tous, même des moins doués. Chateaubriand est d'un autre ordre.

Par plus d'un trait il s'apparente aux plus grands, sinon par la puissance constante de la pensée, du moins par l'ampleur de l'idée, la plénitude de l'expression. En voici deux exemples que je relève dans[(i)] *Les Martyrs* : «Régions maudites... qui resteront encore quand l'univers aura été enlevé ainsi qu'une tente dressée pour un jour[6].» – «J'entrevis le faîte du Capitole qui semblait s'incliner sous le poids des dépouilles du monde[7].» Si nous les comparons avec la phrase de Pascal : «Le silence éternel de ces espaces infinis m'effraye[8]», nous percevons aussitôt que si celle-ci vaut par la pensée presque pure, les autres se parent d'images. C'est inférieur peut-être, je n'en suis pas sûr; c'est tout de même très noble. Et comme, à défaut du cerveau puissant et complet d'un Pascal, nous avons tous plus ou moins d'imagination, rien ne nous empêche de nous rapprocher de Chateaubriand en apportant au choix de nos images un peu plus d'application[9].

Si l'on se sent incapable d'atteindre à ces hauteurs d'expression, le maître imagier, le maître dans l'art *de faire voir*, nous offre cent autres modèles de moindre envergure. À entrer dans le détail, il faudrait des pages. Chacun d'ailleurs peut aller à la découverte en lisant l'auteur avec un peu d'attention critique, le crayon à la main.

---

6 Chateaubriand, «Les Martyrs», *Œuvres romanesques et voyages*, vol. II, Gallimard, NRF, 1969, Livre VIII, p. 234.

7 Idem, Livre V, pp. 191-192.

8 Pascal, *Œuvres complètes*, «Pensées», texte établi et annoté par Jacques Chevalier, Première partie, Chapitre I, n° 91, Gallimard, Bibliothèque de la Pléiade, 1954, p. 1113.

– Dans l'édition de la Pléiade, le dernier mot de la citation est écrit : «m'effraie».

– Notons que cette même citation est répétée par Bugnet dans les textes n° 7 et n° 17.

9 *Note de Bugnet rajoutée au texte original.*
Témoin, ce magnifique vers de Louis Dantin :
«Le Doute, prêtre noir, porte l'ostensoir vide.»

Mais où surtout, pour nous, Canadiens, il est d'une incomparable utilité, je voudrais, en quelques lignes finales, le faire bien comprendre.

Chez la plupart de nos auteurs, même d'aujourd'hui, ce qui nuit le plus à la perfection ce sont les disparates, les dissonnances. Si la pensée, en général, est assez juste, l'expression est fragile, trop souvent fêlée. À la suite d'une phrase quelquefois fort belle, le lecteur s'enlise dans une terne poussière, quand ce n'est pas une flaque de boue, quitte à se retrouver plus loin dans le beau style. À l'analyse, il m'a paru que ceci provenait fréquemment d'un singulier amalgame : un vocabulaire, une syntaxe, mi-modernes, très modernes, et mi-anciens. Je crois bien qu'il en faut chercher la cause dans ceci, qu'après une bonne culture classique on s'est jeté tout de suite, sans transition, aux écrivains français récents. On essaye de faire parler Racine avec Rostand, Bossuet avec les Goncourt, Mme de Sévigné avec Mme de Noailles. Le malheur est que, faute de bien savoir par où leurs façons de parler se pourraient rapprocher, il en naît des rencontres dont on demeure un peu abasourdi. C'est encore Boileau qui disait – dans *Le Lutrin*, je crois :

Allons donc, de ce pas, par de saints hurlements[10]...

Certains passages de nos auteurs y vont de ce pas. Que sainte y soit l'intention, ce n'est pas toujours fort évident; mais, pour le hurlement, il n'y a pas de doute.

C'est là que serait l'incomparable utilité de celui qui a fait la transition, qui est l'interprète, le lien, le raccord entre les anciens et les modernes. Dans Chateaubriand

---

[10] Voici le texte exact:

Allez donc de ce pas, par de saints hurlements,
Vous-mêmes appeler les Chanoines dormants.
Boileau, *Le Lutrin*, Chant IV, v. 103 & 104.

nous retrouvons les classiques et nous entendons déjà à peu près tous les contemporains. C'est lui qui nous permettra, non plus d'amalgamer tant bien que mal le XVIIe avec le XXe siècle, mais de les fusionner dans un métal aux beaux reflets, solide, sonore et sans failles.

Et, n'eût-il pas cette utilité, d'autres raisons de ne le point délaisser nous sont indiquées par un critique dont aucun, je pense, ne récusera la haute compétence. Émile Faguet, qui écrivait :

> *Chateaubriand est la plus grande date de l'histoire littéraire de la France depuis la Pléiade. Il met fin à une évolution littéraire de près de trois siècles, et de lui en naît une nouvelle qui dure encore, et se continuera longtemps…*
>
> *Son génie littéraire a ouvert toutes grandes toutes les sources. Il a compris toutes les beautés de tous les temps et de tous les mondes, et invité tous les talents à y puiser*[11].

Si donc quelques-uns de nous se croient quelque talent…

[11] Émile Faguet, *Dix-neuvième siècle. Études littéraires*, Paris, Boivin, 1887(?), pp. 70 et 71.

Variantes

[a] Le texte original commençait ainsi : **Dernièrement, ici même,** Monseigneur Camille Roy,

[b] V.O. : **écrivait**.

[c] Paragraphe requis dans le manuscrit.

[d] «le goût», ajouté à la version originale.

[e] V.O. : à **un** Pascal ou à **un** Bossuet.

[f] V.O. : elles y ont ajouté la **sensibilité**.

[g] «plusieurs d'entre», mots ajoutés à la version originale qui donnait : je ne vois guère, pour nous, **de** meilleur**e** maître...

[h] V.O. : cela n'est que **de la** façade...

[i] V.O. : que je relève **au hasard** dans...

11. Du Roman[1]

Bugnet pose ici une question complexe contre laquelle les critiques littéraires butent constamment : qu'est-ce qu'un bon roman? La réponse qu'il fournit est marquée tant par sa propre formation, que par son attachement au Canada.

Il est vrai que les exemples choisis par Bugnet dans ce texte se limitent aux auteurs français et canadiens. Nous croyons, toutefois, qu'il a appliqué ses idées sur le roman et les romanciers dans une lettre au rédacteur de la Survivance, intitulée «Précisions au sujet de Hemingway», et signée «Bouquineur». La seule confirmation que nous ayons de l'identité du signataire de cette lettre, c'est qu'elle figure parmi les œuvres de Bugnet dans le livre de J. Papen. Par ailleurs, le style, le ton, les exemples, les particularités linguistiques... tout pointe vers Bugnet. Serait-il revenu aux pseudonymes? Nous estimons que cette lettre complète bien son essai sur le roman, aussi la soumettons-nous en annexe. Aux lecteurs d'en juger! [THÈMES : Identité canadienne. Roman. Spiritualité.]

En dépit de savants ouvrages, il nous demeure impossible de clairement comprendre les anciennes civilisations. Quelle était, au temps d'Homère, la vie intime d'une brave famille paysanne? Quel, le décor extérieur? Et même si[(a)] nous sommes un peu mieux renseignés sur les habitants des cités, que savons-nous de l'âme d'un bon bourgeois de Sparte, d'Athènes, de Troie, de Memphis, de Tyr ou de Babylone?

---

[1] *Le Canada Français*, vol. XXIII, n° 3, Québec, novembre 1935, pp. 217-225.

La fiction étant souvent plus vraie que l'histoire, il est fort probable que de bons romans éclos dans ces temps-là nous auraient permis, lorsque nous avons tenté de ressusciter nos aïeux, de les recréer plus ressemblants. Je dis : bons romans; car s'il ne reste à nos arrière-petits-neveux, pour se documenter en l'an 4000[(b)] sur les gens et choses d'aujourd'hui, que les œuvres de tel ou tel parmi nos célèbres romanciers, ils se feront sur notre époque d'assez singulières idées.

Que si l'on me demande ce qu'est un bon roman, je serais bien en peine de l'expliquer. Au fait, qu'est-ce d'abord que le roman? En a-t-on jamais donné une définition satisfaisante? Au début, il s'écrivait en vers (*Roman de la Rose*), puis en vers et prose (*Aucassin et Nicolette*). Finalement ce terme ne fut plus appliqué qu'aux fictions en prose, pourvu qu'elles soient plus longues qu'un conte ou qu'une nouvelle. Le mot a donc notablement changé de signification. La chose, elle, s'est muée en tant de formes qu'il a fallu d'innombrables étiquettes pour essayer de s'y reconnaître : romans allégoriques, romans grotesques, romans de mœurs, romans de caractères, romans réalistes, psychologiques, picaresques, romanesques, naturalistes, idéalistes, romans d'analyse, romans à thèse, romans historiques, – c'est-à-dire où il entre encore davantage d'imagination[(c)] que dans l'histoire proprement dite, – romans champêtres, romans fantaisistes, romans d'aventures, romans policiers, romans cinéma... Cette liste n'est point complète, et d'ailleurs, comme nous verrons apparaître[(d)] avant peu, grâce à l'admirable pullulement de nos hypothèses scientifiques, des romans eugéniques*, génétiques, biologiques, cosmiques, voire algébriques ou électriques, je prie qu'on ne me presse point pour donner du roman une définition adéquate.

Est-il donc si nécessaire de tout définir pour se faire entendre? Si je dis que *Tarzan* est un roman; que *La Princesse de Clèves* est un bon roman; à peu près tout le monde, je crois, me comprendra fort bien, encore que la plupart des gens, de la Floride au delta du Mackenzie, mettraient l'homme-singe bien au-dessus de la princesse. *Tarzan* a, dit-on, rapporté à son auteur plus de dix millions. Apparemment, en ce siècle des lumières[2], on estime que l'éducation inculquée par les gorilles du Congo l'emporte, et de beaucoup, sur celle que distribuent gratuitement, – à part les impôts, – écoles et universités. *Vox populi, Vox Dei*[3], clamait-on jadis. Je n'ai point cet article dans mon credo, mais il se pourrait parfois que le bon peuple américain ne soit pas si dénué de perception que les savants «educationalists*» l'imaginent.

Ce qui vaudrait bien mieux qu'une définition, ce serait une recette : quelle farine, quel levain, quel pétrissage, quelle exacte chaleur faudrait-il employer pour produire le beau roman croustillant et moelleux, savoureux, nourrissant, pas trop lourd et pas trop creux? Par malheur, on n'en sait aucune, pas plus que pour la poésie, la peinture ou la sculpture. Chaque grand artiste a sa façon propre, et il semble bien que le maître roman est précisément celui qui fut inventé sans recette, sans imitation. Le genre qui se peut fabriquer «en série», même s'il donne d'assez brillantes réussites, ne sera jamais estimé autant que la pièce originale, qui n'a pas son double. Parviendra-t-on jamais, par exemple, à tirer du roman d'aventures ou du roman policier un ouvrage vraiment supérieur, et qui reste? C'est fort douteux[4]. Comme ces ouvrages se peuvent composer par milliers, il arrivera toujours qu'un auteur fera aussi bien, ou mieux, en tous cas plus neuf, que ses devanciers, jusqu'à ce que ce plat nouveau soit remplacé par un suivant. Mais des œuvres aussi originales que *Gargantua*, *Don Quichotte*, *La Princesse de Clèves*, *Gil Blas*, *Robinson Crusoé*, *Paul et Virginie*, pour ne choisir qu'une demi-douzaine parmi celles qui subsistent depuis deux cents

[2] Bugnet emploie «siècle des lumières» pour se référer à notre siècle, alors que c'est une expression consacrée pour indiquer le XVIIIe siècle.

[3] « voix du peuple, voix de Dieu.»

[4] Georges Simenon et Conan Doyle, entre autres, ont fait la preuve du contraire.

ans et plus, ces maîtres romans ne courent pas grand risque de se voir éclipsés. Chacun d'eux porte une marque si personnelle qu'il est peu probable que jamais autre écrivain les puisse recommencer.

L'exemple de ces romans-là nous indique fort bien qu'un chef-d'œuvre ne se fabrique pas d'après des normes précises. On pourrait même croire, tellement ils se ressemblent peu, que leurs auteurs appartenaient à des races très dissemblables, sans plus de parenté qu'entre Français et Chinois. Si *Gargantua* et *Don Quichotte* sont absolument dépourvus de vraisemblance, – mais non d'une forte, et souvent triste, vérité, – les autres ont l'apparence de récits authentiques. Je puis ajouter ici que certains romans ne le sont point du tout, en ce sens que la fiction y entre à peine et qu'ils sont plus profondément vrais que la plus sérieuse histoire. Quoi qu'il en soit, il semble que pour être longuement estimé des hommes il faut que le roman porte en soi plus qu'une fiction. Un songe, un mensonge, peut plaire et l'emporter sur la réalité pendant quelque temps. Finalement l'humanité se lasse d'un divertissement sans substance. Et, plus ils trouvent de substance humaine, en largeur et surtout en profondeur, plus les hommes admirent et conservent les œuvres où elle est renfermée.

Dans toute nation, comme dans tout individu, la lutte est incessante entre le matériel et le spirituel. La littérature française nous est là-dessus forte leçon. Un jour viendra-t-il où, sans dédaigner les qualités de forme, on s'en prendra au fond du fond? Où l'on placera, sans hésiter, au premier rang les auteurs chez qui le spirituel prime le plus? Déjà, hors des furieuses batailles d'écoles, la plupart des gens du métier ne reconnaissent-ils pas que les plus grands écrivains de France sont ceux qui ont eu le culte de l'âme? Un Bossuet n'est-il pas à peu près unanimement accepté comme le maître des maîtres? Si, par moments, la gloire des meilleurs classiques fut enténébrée; si un Voltaire, un Rousseau, un Chateaubriand, un Victor Hugo, et tant d'autres depuis, furent proclamés aussi ou plus grands, le temps dissipe les fumées et les nobles figures réapparaissent, plus nobles encore.

Parmi les romanciers français, qui est le maître? Je ne sais s'il en est un, incontesté; mais il est sans grand conteste que ceux qu'on tient déjà pour maîtres ont su peindre le moral avec plus de relief que le physique. L'homme étant corps et âme, on ne peut ignorer l'un ni l'autre, non plus que le monde qui l'entoure. Et alors, y a-t-il un roman qui soit parfait, complet? *La Princesse de Clèves* ne nous développe guère que l'histoire d'une âme; du moins, tout humainement faillible qu'elle soit, c'est une âme d'élite. Madame de La Fayette n'avait certes pas le culte du physique. Elle a tout de même écrit là un bien beau livre. Pour autant, je n'assurerai pas que c'est le plus beau des romans. De ce qu'elle n'avait pas, Balzac avait trop; et l'on voit le visage, la stature, tous les gestes intérieurs et extérieurs de ses personnages, avec ces décors dont, vraiment, il abuse. Oh, l'implacable détail dans ses descriptions du mobilier! Lui non plus pourtant n'est pas complet, parfait. Il n'a guère connu de belles âmes, lui, et s'il en rencontre une, le voilà myope. Son regard, si aigu avec les méchants, n'aperçoit plus que la surface. Puis, trop souvent, comme style...? Enfin je ne sais guère[(e)] à quel romancier, français ou autre, on pourrait appliquer la marque de Pascal : rien de trop, rien de manque.

Hier et aujourd'hui, dans le culte du physique, on a laissé Balzac bien loin en arrière. De l'âme, des plus nobles parties de l'âme, il n'en faut plus trop parler. C'est le corps et le décor qu'il faut présenter en détail. Afin de corser la sensation, on a recours à un style sensuel, fébrile, haletant. Que cela surexcite l'attention, secoue les nerfs, je n'en disconviendrai pas. Mais y découvrons-nous une image intelligente de la vie humaine, de cette vie qui devrait être la saine vie française, avec des tares et des faiblesses, soit, mais aussi avec cette spiritualité qui jadis faisait de notre race la première d'Europe, de notre littérature un modèle pour tous les peuples? Dans combien de ces œuvres notre âme se reconnaît-elle?

Un bon juge en ces matières, Maurice Hébert*, écrivait voici déjà longtemps[f] :

> ... *On cherche ce qui est plus direct, plus incisif, plus spontané, et, partant, moins ordonné... La pensée ne répand plus de grandes et profondes clartés sur un sujet; elle projette une infinité de lueurs et d'éclairs sur une trépidante action, à moins que tout cela ne laisse qu'une impression de brume... On ne s'occupe plus guère de construire une œuvre, de décrire, de peindre, de situer les faits ni de les lier logiquement à leurs causes secrètes. Le roman a donc cessé, hors d'éminentes exceptions, d'instruire et de fortifier la pensée... Il a [ainsi[g]] gagné en agitation nerveuse ce qu'il a perdu en philosophie. Point de synthèses, point de conclusions motivées... Quand a-t-on plus éperdument transposé et romancé la vie que de nos jours? On en est même arrivé à ce [charmant[h]] paradoxe d'une reproduction exacte dans beaucoup de détails et fausse dans son ensemble. L'élémentaire raison de tout cela est qu'on ne prend plus le temps d'écrire, au sens où écrire et penser étaient jadis synonymes*[5].

Et je ne sache pas que, même en France, on eût pu mieux penser, ni mieux écrire.

S'il y faut tant de fièvre, tant de vie trépidante, tant de sensations exacerbées, pourquoi *Maria Chapdelaine* a-t-elle obtenu si vaste succès? Pourquoi lit-on encore ce paisible *Robinson Crusoé*? Et quelle douceur de se retrouver en compagnie de ce brave homme, fort, patient et pieux comme un pionnier canadien, après les danses effrénées de nos histrions* littéraires! Pourquoi la beauté si souverainement simple et calme de la Vénus de Milo trouve-t-elle toujours des admirateurs?

---

[5] Maurice Hébert, «Au tournant romanesque de nos lettres», *Le Canada Français*, vol. XIX, n° 5, Québec, janvier 1932, pp. 371-72.

Qu'on ne s'y trompe pas : l'homme, en dépit des apparences extérieures, n'a point tant changé. Si, faute de la puissante spiritualité qui le faisait fort et patient, on ne peut aujourd'hui l'émouvoir qu'à coups d'images physiques; si en littérature, comme en politique, on n'arrive à l'intéresser qu'en flattant son animalité, (allez donc aujourd'hui proposer comme principale occupation à des prolétaires conscients la construction d'une cathédrale...), l'homme sent, il sait, en dépit de tous les discours et de tous les écrits les plus frénétiques, qu'il devrait y avoir, qu'il y a, une façon de vivre meilleure, un vivre plus vraiment humain. S'il dévore aujourd'hui tant de romans, c'est peut-être que jamais il n'a cherché tant qu'aujourd'hui à fuir la réalité. Mais, encore une fois, que signifie cet extraordinaire intérêt pour *Maria Chapdelaine*, sinon qu'on y découvre un idéal autrement plus simple et grand que toutes les vides agitations des vieux peuples moutonniers qui courent et sautent, de ci, de là, aux cris des bergers, aux abois des chiens, sans savoir de quoi il retourne, sans même percevoir où ils vont? Ah, Panurge[6], mon ami, quelles belles noyades tu pourrais te payer avec les troupeaux d'à présent! – Au fait, combien en avons-nous, *astheure**, de ces Panurges-là?

De ce qui précède, le lecteur n'aura pas de peine à conclure que mon admiration pour la plupart des romanciers français contemporains n'est pas excessive. Qu'ils jouent d'un style plus prestigieux que le nôtre, accordé.

[6] Panurge, dont le nom en grec signifie «rusé, apte à tout faire», est un personnage du *Pantagruel* de Rabelais. Les étapes burlesques de son voyage en quête du bonheur, sont l'occasion pour Rabelais de critiquer son époque et de se moquer de la sottise humaine. Ainsi, pour illustrer la bêtise de ceux qui suivent aveuglément les autres, il raconte (dans le Quart Livre, au chapitre VIII), la vengeance de Panurge : il lui a suffi de jeter son mouton dans la mer pour que tous les moutons du marchand suivent; «comme vous savez être du mouton le naturel, toujours suivre le premier, quelque part qu'il aille».

Mais, sauf bien rares exceptions, ils me rappellent trop le vers de La Fontaine : «Belle tête, dit-il, mais de cervelle point[7]». On ne peut pas plus juger de la bonté d'un homme par son habit que de la chair d'un chapon d'après le coloris de ses plumes. [i] Quand je m'attable à un livre et que l'auteur me vient charmer l'œil et titiller l'oreille, c'est bien. S'il me laisse avec un estomac affamé, que diantre me fait-il perdre mon dîner? Le malheur est que, lorsqu'on se laisse prendre aux nuances du style, à la danse des images, on risque fort d'oublier la substance. Beaucoup d'entre nous s'y laissent attraper.

Et que penser du roman canadien[j]?

Il me semble qu'on nous caresse toujours à rebours[k] lorsqu'on cherche à nous flatter par des comparaisons avec les écrivains de France. Nous ne sommes pas du même climat. Pourquoi voudrait-on que je m'habille comme à Paris? Qui songerait à dire : «Quand du sommet du Mont Royal on examine la grande ville étalée devant soi, on se croirait presque transporté sur la hauteur de Montmartre». Assurément Paris nous dépasse encore, mais si nous tenons toujours les yeux sur ce modèle, un jour viendra où nous l'aurons si parfaitement imité que le spectateur pourra se demander : «Suis-je à Montréal, ou suis-je à Paris?» Que diriez-vous d'un Gaspésien qui vous conterait : «L'autre jour, au bord de la mer, le paysage était assez bien tourné. Il me rappelait celui de Nice et les eaux si bleues de la Méditerranée. Évidemment nous n'avons pas encore de ces jolies villas pleines de roses au cœur de l'hiver, ni des quais plantés de palmiers, mais avec le temps et ce parfait modèle, vous verrez...»

Notre pays, tel qu'il est, n'a-t-il point sa beauté propre, simple et grande, plus grande peut-être que celle de la France? Beauté plus rude, plus primitive, qui du moins n'a rien d'emprunté, de faux, de fardé. L'œil qui sait voir la percevra distincte de toute autre, nôtre; inférieure, point.

---

[7] «Le Renard et le Buste», *Fables*, IV, 14, v. 11.

Je n'y saurais jamais trop insister : le verbalisme, le stylisme sont devenus en France un mortel fléau. Avons-nous besoin de maîtres pour nous apprendre à écrire? Ne fréquentons que les plus grands, ceux qui avaient le culte du spirituel, le sens de la mesure et du goût, les virils. Laissons de côté les exaltés, les sensuels, les précieux, les puérils. Soyons de notre saine et robuste contrée, de notre climat. Si les Esquimaux créaient une littérature et qu'un d'entre eux m'allât composer un ouvrage dans le style de Dante, Hugo, ou d'Annunzio... Eh bien, je dirais que cet Esquimau-là n'est pas plus Esquimau que moi, et même moins, beaucoup moins. Notre climat est tempéré, très tempéré. Y produire de l'exubérant, du tropical, ce serait encore plus faux que toute l'enflure d'un Victor Hugo. Suivons l'exemple d'un Montaigne qui, contemporain des Ronsard et autres fignoleurs de la Pléiade, se souciait fort peu pour sa gouverne du genre en vogue à Paris. Il écrivit à la Montaigne. Aussi s'en nourrit-on depuis quatre cents ans : pain savoureux, incorruptible, qui vous remplit comme il faut l'estomac, même si l'on est un Pascal. Un bon fermier de mes amis, peu lettré, à qui je citais quelques phrases des *Essais*, me demanda si Montaigne était canadien. Il mériterait de l'être. Ce vieux modèle, où nous retrouvons un langage plus parent, nous serait autrement profitable que tant de ces mannequins dont la parade nous tient aujourd'hui tout béants d'admiration. Et si jamais nous arrivons à écrire canadien, ce ne sera certes pas en cherchant perpétuellement à nous habiller à la dernière mode française.

Redite? – Eh oui. Mais est-elle inutile[l]?

Pour en venir au fond, c'est là que l'originalité devient plus nécessaire encore; mais, si nous savons vivre[m] chez nous, notre pays, malgré nous, imprimera dans nos pages à tout instant sa personnalité.

En lisant *La Rivière à Mars*[8], qui est une façon d'antithèse de *Maria Chapdelaine*, il n'est point difficile de flairer que si Hémon est français, Potvin est nettement canadien; je veux dire : moins faussement sentimental en face de la nature. Hémon, disciple de Loti, voit toute cette primitive contrée avec des yeux d'artiste, certes, mais d'artiste triste, et sa tristesse déteint sur tout le décor. Aucun Canadien, à moins qu'il soit un littérateur très imprégné de romantisme, ne songe à trouver triste le pays qu'il habite ni, même s'il est dans le deuil, à apostropher autour de soi : «O lac, rochers muets, grotte, forêt obscure[9]!» Notre tempérament demeure celui des solides classiques, qui savaient voir les choses telles qu'elles sont. C'est probablement pour cela que notre enthousiasme pour le beau livre d'Hémon n'est point si complet que celui du lecteur français. Consciemment ou inconsciemment, si nous trouvons merveilleuse, admirablement vivante et vraie, la peinture des caractères, nous sentons que celle du pays ne l'est pas autant. Avec Potvin, nous reconnaissons mieux notre contrée. Sans doute, notre art est loin de la perfection. Encore n'en devons-nous point noter que les faiblesses, et reconnaître par où nous sommes supérieurs. Nous le serons toujours en examinant notre pays avec nos propres prunelles plutôt qu'en le regardant à travers des lunettes de fabrication française. Nos romanciers, et nos romancières[(n)], sont souvent trop portés à se ternir les yeux avec ces lunettes-là.

Qu'on ne m'objecte pas qu'à vouloir faire canadien nous ne serons pas assez largement humains. D'abord, rien ne nous empêche de sortir de notre pays; mais, même en y restant, un Canadien, après tout, peut être humain. Et cela, c'est le grand art. Tartuffe était français. Il n'en est

---

[8] S'écrit : *La Rivière-à-mars*. Roman publié, en 1934, de Damase Potvin (1879-1964), journaliste et romancier québécois.

[9] «O lac! rochers muets! grottes! forêt obscure!», Lamartine, «Le Lac», *Méditations poétiques*, v. 49.

pas moins ce type du parfait hypocrite qu'on retrouve partout. Grignon[10] nous a dessiné un avare[(o)] bien canadien. Je ne vois pas qu'il soit plus canadien qu'avare. Et puis, d'après la liste des genres de romans précédemment énumérée, on peut aisément percevoir qu'il y a cent et mille matériaux pour bâtir cette sorte d'ouvrage. Le tout est qu'il soit maçonné avec un ciment, le plus fort possible, de vérité. Il arrive même souvent qu'à défaut du grand art, de teintes éclatantes, de sentiment dramatique, de savante composition, un livre subsiste; simplement parce que l'auteur a su prendre autour de soi, et rendre assez nettement son milieu. *Les Anciens Canadiens*[11] en sont un exemple qui ne fera, comme un vin, que se bonifier avec le temps.

Évidemment, si quelqu'un de nous réussit à tirer de soi une œuvre unique, qui n'en rappelle point trop une autre, aussi distincte, originale, que le furent autrefois *Gargantua*, *Don Quichotte*, *La Princesse de Clèves* ou *Robinson Crusoé*... Ah, je ne lui promets pas un triomphe immédiat, surtout en Canada, nul n'étant prophète en son pays, et les Pradon[12] étant souvent acclamés avant les Racine, mais un succès durable, une survie assurée pendant des siècles. Qui sait? Peut-être, sans nous en douter, parmi nos meilleures, cette œuvre authentiquement canadienne l'avons-nous déjà.

La marque en sera, non point tant la richesse du verbe, – les décadents grecs et romains la possédaient surabondamment sans nous rien laisser qui vaille grand'chose; non point tant l'art de la composition, encore qu'il compte

---

[10] Claude-Henri Grignon (1894-1976). Journaliste et romancier québécois, auteur d'*Un Homme et son péché* (1933) dont le héros, Séraphin Poudrier, est un avare rendu célèbre par l'adaptation télévisée du roman dans les années '50 et '60.

[11] Roman de l'auteur québécois Philippe Aubert de Gaspé (1786-1871), publié en 1863.

[12] Jacques Pradon (1644-1698). Poète dramatique français, auteur d'une *Phèdre* destinée à faire échec à celle de Racine (1677). L'œuvre n'obtint du public qu'un succès éphémère; à aucun moment il ne fut pour le grand poète tragique, le rival redoutable que la légende put imposer quelque temps.

pour beaucoup; non point tant la singularité du sujet, – quoi de plus simple que *Maria Chapdelaine*? Cette marque, elle devra, comme dans toutes les œuvres humaines qui durent, être posée par notre âme. Elle aura la simplicité, si notre âme est humble. Elle sera forte, si notre âme est forte. Elle sera vraie, si notre âme cherche la vérité. Elle sera noble, et grande, et belle, et bonne, dans la mesure où notre âme saura refléter la bonté, la beauté, la grandeur, et la noblesse [(p)].

Annexe

Précisions au sujet de Hemingway

Monsieur le Rédacteur,

«L'Illettré» dans *La Survivance* nous présente chaque semaine d'agréables et fort utiles commentaires au sujet de grandes cultures en diverses nations. Il s'occupe même quelquefois des produits canadiens. Tout dernièrement il nous a donné son opinion sur le nouveau «Prix Nobel» Ernest Hemingway.

Mais il aurait dû plus nettement prévenir le lecteur qu'Hemingway artiste du verbe, aime d'ordinaire, plutôt que d'eau de rose, à se parfumer d'excréments. Il n'est pas le seul.

Comme tant d'autres «réalistes» dans cette littérature Yankie dont astheure le monde est devenu tout empoissé, Hemingway englue son public avec des emplâtres de sensations virulentes et d'épaisses sensualités. Autrement dit: il nous considère comme ce que malheureusement nous sommes trop souvent des bêtes encore fort loin d'être vraiment des hommes.

Ces grandes et nobles fleurs d'humanité qu'aimaient jadis étudier les Homère, les Virgile, les Corneille, les Racine, on les a mises aujourd'hui de côté pour mieux regarder et décrire la foule des humbles herbes vulgaires.

Sous prétexte de démocratie on tient à nous montrer que non seulement le commun du peuple mais les pères scélérats sont, par quelque côté, dignes d'être admirés.

D'où pour nos jeunes criminels, un vigoureux encouragement à toutes les audaces, à tous les excès, puisque «les meilleurs écrivains» choisissent pour modèles, non plus des âmes élevées, mais les moins beaux des spécimens qu'ils peuvent découvrir, ou imaginer, dans les taudis, les bouges, ou dans la lie des égouts.

Naturellement ceux d'entre ces écrivains qui connaissent la religion chrétienne s'empresseront de se disculper en nous disant que Jésus s'occupait davantage des pécheurs.

Fort bien. Mais Lui, le Rédempteur, ne leur donnait pas à entendre que leurs crimes et leurs vices n'étaient après tout que penchants dûs à la nature, regrettables sans doute mais qui ne les empêchaient pas d'être admirables par quelque autre bonne qualité et que, par suite, ils étaient vraiment très bien tels qu'ils étaient.

Plusieurs, apparemment, parmi ces yankis, se croient bien supérieurs à Jésus-Christ parce qu'Il n'avait de compassion que pour le pécheur, non pour le péché. Eux, ils ne se contentent pas d'excuser, de glorifier le pécheur. Ils glorifient aussi le péché. Ils chérissent tout particulièrement la luxure et l'adultère. L'homicide même est acclamé quand, par exemple, il est commis dans une taverne par quelque vaillant «Two guns Dick or Harry» surtout s'il en est à son vingtième cadavre.

On peut ainsi se rendre compte de notre «progrès» intellectuel.

Autrefois les écrivains s'adressaient à leurs lecteurs comme à des hommes, adultes, raisonnables, intelligents. Après le fameux Jean-Jacques Rousseau le sentiment, la sentimentalité, prirent partout le pas sur la raison. Avec ses élèves, de plus en plus nombreux, (c'est de lui qu'est sorti le communisme), ce fut la sensation, le matériel, le charnel, le sensuel qui l'emportera finalement et si bien qu'un auteur aujourd'hui, s'il veut acquérir la popularité, doit s'adresser au public comme s'il parlait à de très jeunes enfants qu'il faut amuser par des couleurs violentes, des sonorités bruyantes, des bonbons aux neuves et fortes saveurs et même du surnaturel puéril ou absurde, enfin des enfants encore trop bébés pour qu'ils puissent absorber rien de sérieux ni de solide.

Et c'est surtout ce que nous sert, avec un talent supérieur Ernest Hemingway, notamment dans son célèbre «For Whom The Bell Tolls».

Bouquineur

La Survivance, mercredi 15 décembre 1954, p.3.

Variantes

[a] Les mots, «Et même», ont été ajoutés au début de la phrase originale.

[b] V.O. : **4930**.

[c] V.O. : où il entre **beaucoup plus** d'imagination...

[d] «apparaître», ajouté à la version originale.

[e] V.O. : Je ne sais **trop** à quel romancier...

[f] V.O. : voici déjà **quatre ans** :

[g] Mot omis de la citation.

[h] Mot omis de la citation.

[i] V.O. incluait ici : La floraison du pois cultivé n'est point aussi éclatante que celle des pois de senteur, mais essayez donc, avec ceux-ci, de faire une bonne soupe aux pois.

[j] «**Et que penser... canadien**» – phrase ajoutée.

[k] V.O. : on nous caresse toujours à **rebrousse poil**...

[l] «**Redite... inutile**» – ligne ajoutée.

[m]. V.O. : si nous savons **être bien de** chez nous...

[n] V.O. : et **surtout** nos romancières...

[o] V.O. : nous a **récemment** dessiné...

[p] V.O. : Cette marque, elle devra, comme dans toutes les œuvres humaines qui durent, être posée par **v**otre âme. Elle aura la simplicité, si **v**otre âme est humble. Elle sera forte, si **v**otre âme est forte. Elle sera vraie, si **v**otre âme cherche la vérité. Elle sera noble, et grande, et belle, et bonne, dans la mesure où **v**otre âme saura refléter la bonté, la beauté, la grandeur, et la noblesse.

12. Science et foi[1]

Le progrès scientifique est-il compatible avec la religion? Les avis sont partagés et le débat est loin d'être clos. La position de Bugnet est claire : science et foi ne s'excluent pas, il faut «avoir le courage de supprimer cette illusion qui nous leurre et de travailler vigoureusement dans le concret». [THÈMES : Religion. Progrès. Science.]

D'autres ont examiné ce problème. Il me hante souvent. Je ne prétends pas le résoudre mais seulement l'exposer d'une mienne façon.

De nos jours tout est «scientifique».

De toutes parts on nous assourdit les oreilles d'agriculture scientifique, d'économie scientifique, d'hygiène et de médecine scientifiques, de nourriture scientifique, de savon scientifique[(a)]... je m'arrête là. – Et, en d'autres quartiers encore, d'éducation scientifique, de pensée scientifique, et même de religion scientifique.

Sur quoi, je me pose quelques questions.

Devenu si savant, notre monde en va-t-il mieux?

En temps de paix, nous aimons-nous mieux les uns les

---

1 *Le Canada Français*, vol. XXV, n° 10, Québec, juin 1938, pp. 1059-1067.

autres? En temps de guerre, nous conduisons-nous mieux que ces paladins*, arabes et chrétiens, qui jadis rivalisaient de générosité?

Au total, il semblerait que l'humanité, durant des siècles et des siècles, persuadée qu'il existait quelque Puissance supérieure, demeura dans l'humilité. Puis, récemment, ont apparu des générations où l'orgueil, telle une semence de folle avoine tombée dans un sol trop engraissé, a proliféré, envahissant toute la terre, expulsant les autres plantes. L'esprit humain, tout fier de ses succès, en a conclu qu'il est la plus forte et même la seule réalité qui vaille. Un Créateur? Nos rapports avec Lui? Religion? Cela n'a rien de scientifique. Puisque nul n'en a pu mathématiquement démontrer la substance, considérons donc ces idées comme figments[2] de l'imagination. Un rêve. Un beau rêve, soit ; mais enfin sans valeur pour une intelligence vraiment scientifique. Ayons donc le courage de supprimer cette illusion qui nous leurre et de travailler vigoureusement dans le concret.

Je le veux bien. Mais où est-il, astheure*, ce concret? Présentement, ce sont surtout de savants «communistes» qui se proclament assurés d'en posséder la recette. Or les meilleures têtes, parmi les communistes, m'apportent une mystique, d'ailleurs peu nouvelle : la croyance à une humanité future à peu près parfaite. – Ceci n'étant point encore mathématiquement démontré, je ne puis l'accepter comme vérité scientifique. Ce n'est pas science, c'est foi.

– Oui, me répondent-ils. Mais nous, du moins, nous basons notre foi sur la science, sur l'intelligence humaine, sur la terre; non dans la superstition d'un au- delà surnaturel et problématique.

---

[2] Bien que le mot «figment» existe en anglais et signifie : invention, il est très peu probable que Bugnet ait commis cet anglicisme. Il aurait plutôt francisé le mot latin *figmentum* souvent utilisé en latin vulgaire dans l'expression «figmentum mentis» – création de l'esprit. Ou encore, étant un admirateur de Pascal, il lui aurait emprunté l'expression «figmentum malum» – vilain fond, mauvais penchant. Voir Pascal, «les Pensées», *Œuvres complètes*, Gallimard, la Pléiade, Pensée, n° 135, p. 1126.

– J'entends... encore qu'à vrai dire je n'y comprenne rien. Je veux des choses, non des mots. Expliquons-nous.

La Science? J'y crois, assurément. Seulement je tiens à déclarer tout de suite qu'elle ne me paraît pas, au fond, différer beaucoup de la foi. Comme la foi, elle contient des affirmations dénuées d'absolue certitude, si bien qu'il ne faudrait pas me pousser beaucoup pour me faire dire que la Science, cette science après tout fort jeunette, n'est pas encore très scientifique, et que nous la tournons souvent en fétiche[(b)]. Oserai-je aller plus loin et serez-vous bien surpris si je pense que, dussé-je vivre cent ans encore, je ne verrai pas la science absolument certaine de ses conclusions? Je lui fais confiance, certes, mais pas au point de la considérer comme infaillible.

Il y a longtemps déjà que Lucrèce écrivait ceci : – *Nam quodcumque suis mutatum finibus exit, continuo hoc mors est illius, quod ante fuit*[3]. De sorte qu'il n'y aurait de vivant, de réel, que l'idée, le dessein, sous la mouvante et mourante matière.

Et voici que les savants les plus éminents en viennent à conclure, comme d'ailleurs le faisait déjà Platon vingt siècles auparavant, que le concret, ce fameux concret, n'est qu'une image, une figure, un portrait, probablement fort ressemblant, mais non pas l'authentique original. L'univers ainsi ne serait point sans analogie avec l'écran du cinéma qui nous fait vivre et nous émeut, non par la réalité même, mais par simple et véridique apparence. Si l'art du cinéma nous permet de voir et d'entendre tel ou telle sympathique acteur ou actrice, il ne nous révèle pas leur intime et véritable personnalité. – L'écran de la nature serait, d'après les savants[(c)], d'une perfection infiniment supérieure.

La science, aujourd'hui, nous affirme que tout ce que l'on croyait être si concret, si matériel, est plutôt un tissu de forces, un immense mouvement, formé d'ondes

---

[3] *Note de Bugnet.* Car dans tout changement c'est aussitôt la mort de ce qui était auparavant.

invisibles, intangibles, de particules d'une inconcevable petitesse, électrons, positrons, protons, deutons, neutrons, alphas, photons[4] (en attendant sans doute qu'on découvre encore plus infiniment petit) et surtout de vide – s'il est vide. Enfin vous et moi serions bâtis sur le modèle des constellations au[(d)] firmament et composés principalement de trous. (Quelqu'un pourra peut-être expliquer par là notre ordinaire appétit pour les mots et les concepts reluisants[(e)], et creux.) Pour le reste, ce que nous appelons matière, ce ne sont que paquets d'énergie, et, suivant les diverses façons où ils se groupent, ils forment différents corps et des apparences variées.

En somme, il semblerait, à mon avis, que chaque chose contient une certaine quantité d'être et, si je puis ainsi m'exprimer, une certaine quantité de néant, du positif et du négatif, ens *et* non ens[5(f)].

Ces nouvelles conceptions scientifiques paraissent incroyables, inimaginables. J'en conviens. Mais qu'y pouvons-nous? Tous les plus grands savants sont d'accord pour nous dire qu'il en est bien ainsi. Seulement nous voilà bien obligés de convenir que la notion du monde, astheure*, ne ressemble plus du tout à celle d'hier.

Lorsque je fis connaissance avec la chimie, et c'était vers la fin du siècle dernier, on nous enseignait, comme un dogme indubitable, que tous les corps étaient composés de matière; que la matière pouvait être divisée, mais que cette divisibilité cessait en présence de particules infiniment petites, insécables, nommées atomes, et on les croyait inchangeables, permanents. Leur action était tenue pour mécanique; elle suivait des lois fixes, déterminées. Tout l'univers ainsi avait pris l'aspect d'une vaste machine déployant son mouvement en un cycle inexorable. C'est

---

4 Ces termes étaient relativement nouveaux à l'époque; *deuton* (ou deutéron) ne figurera dans les dictionnaires qu'à partir de 1949.

5 Littéralement : l'étant et le non étant. Être et non être, au sens concret, mais englobant par extension l'existence aussi bien que l'essence.

avec cette science, considérée en son temps comme certaine, que Karl Marx bâtit sa doctrine matérialiste, d'après «les Lois mêmes de la Nature».

Ainsi donc, lorsqu'on m'assure que l'humaine mystique communiste est fondée sur une base scientifique, je ne le conteste pas. Seulement, cette base scientifique, la science elle-même l'a fait éclater en morceaux le jour où l'on découvrit que l'insécable atome pouvait bel et bien être divisé en particules infiniment plus petites encore et qu'on les reconnut ensuite comme beaucoup plus proches de l'immatériel que du matériel. De plus, autre étonnante histoire, on s'aperçut qu'elles n'étaient point du tout régies par des lois aussi nettement fixes et déterminées qu'on le croyait auparavant. Et on est allé plus loin. Non contents de démantibuler cet atome qui passait pour inchangeable, d'habiles expérimentateurs le transmutent aujourd'hui à volonté. Plus fantastique encore – et le croirez-vous? – on fabrique, en employant le neutron, des éléments nouveaux; on crée des êtres que la nature ne connaissait pas. – Que nous réserve demain?

En attendant, avouez qu'il faut, en notre siècle aussi, même chez les incroyants, une forte dose de foi et grande confiance dans les savants pour accepter comme incontestables leurs découvertes.

J'ai bien peur qu'avec ces découvertes, et presque chaque jour en apporte une nouvelle, nos célèbres «Lois de la Nature», par quoi l'on expliquait hier tout ce que l'on ne comprenait pas très bien, s'en aillent rejoindre au Panthéon les admirables mais désuètes mythologies de l'antiquité. Il ne me surprendrait pas qu'un de ces jours tous les plus grands savants, comme déjà l'ont fait plusieurs d'entre eux, s'entendent pour nous annoncer que le surnaturel est reconnu pour tout à fait plausible, et pour admettre qu'après tout la «foi du charbonnier[6]» n'était point si sotte. Il arrive ainsi parfois qu'un homme intelligent, après

---

[6] Locution désignant la croyance naïve de l'homme simple.

avoir très longtemps réfléchi, s'aperçoit que, s'il n'avait pas réfléchi du tout, il en serait exactement au même point.

Dans mon jeune âge, si l'on m'avait dit qu'un jour, sans raccord de fils téléphoniques, j'entendrais des bruits et des voix à mille lieues de moi, j'aurais déclaré la chose impossible, à moins d'un miracle. Cela m'aurait paru sûrement contraire aux lois de la nature. Ce *surnaturel* est à présent devenu tout *naturel*. J'en suis venu à penser que notre opposition entre ces deux concepts n'est qu'une marque de notre intellectuelle médiocrité. Nous appelons miracle ce qui dépasse les «Lois de la Nature». Et, sans doute, nous ferons toujours des lois de la nature à notre échelle. Si haut pourtant que nous puissions jamais allonger cette échelle, nous ne sommes pas infinis, et le véritable miracle demeurera miraculeux, humainement inexplicable. Mais il ne m'étonnerait pas du tout qu'avec un entendement moins borné, capable de connaître assez bien[(g)] toute la Nature, y compris la Force, la Loi, qui l'anime, on percevrait que le surnaturel deviendrait pour ainsi dire tout naturel, et qu'on ne les pourrait pas plus opposer que vous, cher lecteur, ne pouvez opposer, à moi qui les écris, les signes noirs sur blanc que, sans me voir, vous lisez en ce moment.

Renan[7] m'aurait arrêté dans ce genre de déduction. Il m'aurait dit : En mélangeant le surnaturel avec le naturel vous empiétez sur le domaine de l'inconnaissable.

Hé, parbleu, je le sais bien. Mais cela ne m'empêche pas de conclure que c'est, sauf le respect que je dois au

---

[7] Ernest Renan (1823-1892). Écrivain français qui, devant le progrès scientifique, orienta dans cette direction son étude des problèmes religieux et sociaux. Bugnet fait probablement ici allusion à l'ouvrage de Renan *L'Avenir de la science* (1848; publié en1890) où il déclare que la Science devra prendre la place de la foi religieuse pour expliquer à l'homme son mystère.

lecteur, parce que nous sommes trop bêtes. Et Renan, je crois bien, en aurait parfaitement convenu, quitte à discourir ensuite, avec beaucoup d'esprit et d'onction, sur les certitudes de la Science et de l'Art. Mais je crois aussi que s'il revenait au monde il aurait à modifier considérablement la forme de ses arguments; les vrais savants, aujourd'hui, étant franchement plus humbles qu'ils ne l'étaient de son temps. En pourrait-il revenir au christianisme, au catholicisme? Je crains bien que non.

Car on n'est pas croyant, on ne vit pas en accord avec cette croyance, suivant la perfection ou l'imperfection du savoir. Ce serait trop facile pour les têtes bien équipées, et trop injuste envers les cervelles de moindre calibre. Au reste, en fait, la religion se rencontre aussi bien dans un homme ignorant que chez un Pascal.

L'une des premières questions de mon catéchisme demandait : «Pourquoi êtes-vous chrétien?» Et la réponse était : «Je suis chrétien par la grâce de Dieu.» Il semble bien, en effet, que la foi, la foi réelle, active, demande, en plus de **la raison**, deux choses : une qui est d'ordre humain, **la volonté**; et une autre qui est d'ordre surhumain, **la grâce**[(h)].

Par malheur, dans les ardeurs de la polémique, nous, croyants, oublions fréquemment la troisième quantité. Nous sommes toujours enclins à nous défendre contre l'adversaire en sortant de notre maison pour tenter de démolir la sienne. Et il arrive trop souvent que notre demeure n'est pas mieux ordonnée que celle de l'incroyant. Il arrive qu'elle soit en pire état. Lorsqu'il en est ainsi, que valent pour l'autre nos discours? Assurément nous pouvons lui montrer que nous possédons aussi quelque aptitude dialectique*, mais la seule bonne preuve capable de le persuader, ce n'est pas de mieux parler, c'est de lui faire constater que notre domaine est mieux entretenu que le sien. Rude affaire.

Hors cette preuve, nous aurons beau entasser argument

sur argument, l'incrédulité les démontera d'une chiquenaude.

[i] Renversons un instant les rôles. Me voici dans la peau d'un incrédule. Vous, catholique, m'expliquez pourquoi vous avez raison de croire. Vous m'affirmez, après mainte et mainte démonstration, que le doute est impossible, que vous êtes absolument certain de votre foi. Si forte et si rigoureuse que soit votre logique et alors même que, moins instruit, je serais incapable d'ébranler vos affirmations, je pourrai toujours dire ceci : – C'est fort bien. Mais enfin tout homme peut se tromper. Les plus grands esprits de l'humanité ne sont jamais parvenus à rien prouver sans conteste puisque l'on en dispute aujourd'hui comme il y a deux mille ans. Et, après tout, lorsque vous prétendez être absolument certain de votre croyance, qui vous en assure? Votre propre raison. [j] Pouvez-vous me prouver qu'elle est infaillible? Et alors pourquoi renoncerais-je à la mienne pour accepter la vôtre? La seule bonne réponse, je crois, que vous me pourrez faire vous forcera de sortir du pur problème intellectuel. Il vous faudra passer dans le moral, voire dans le spirituel, et me dire que ce n'est pas avec des concepts[k] scientifiques qu'on a composé une Jeanne d'Arc, un Vincent de Paul, ni un Père Damien*, ni une Thérèse de Lisieux, mais que ce fut la foi qui les rendit si grands.

Ainsi donc, je ne pense pas qu'on puisse transformer personne en bon catholique par la seule vigueur de la logique. Lorsque j'entends un chrétien, aux prises avec un incroyant, s'acharner à le réduire par des raisons purement humaines, encore qu'elles soient fort savantes, et lui affirmer l'absolue certitude de la religion, je suis toujours un peu tenté de me ranger au côté de l'incrédule, si je le sens assez sincère. Il me semble que l'autre cherche plutôt à étaler une sienne supériorité, qu'il oublie cela même qui le fait chrétien : la grâce; et qu'il usurpe la place de Dieu.

Car, si je comprends bien la valeur des mots, il faudrait, pour avoir une évidence et une certitude *absolues*, une intelligence parfaite. Je ne vois guère qu'un Être qui puisse posséder cette intelligence parfaite, mais ce n'est pas l'homme, puisqu'il sent trop bien chaque jour et admet volontiers que sa raison est courte, puisqu'il s'aperçoit fort souvent que ce qu'il prenait de bonne foi pour évident ne l'est ensuite plus du tout. Non que je tienne la raison pour trompeuse. Je crois que le fusil tire juste. Ce sont plutôt les tireurs qui s'en servent mal. Et toute la certitude à quoi puisse atteindre l'homme par ses seules forces ne serait donc jamais qu'une certitude *relative*, qu'on dénomme d'ordinaire : certitude morale. Peut-être entendrons-nous bientôt quelque philosophe nous parler de certitude statistique, suivant un terme en vogue aujourd'hui parmi les savants.

La théologie, qui est une science d'un autre genre, a conclu, si je ne me trompe, qu'il suffit, pour avoir une foi véritable, d'une certitude morale, et non absolue. Et je trouve ceci tout à fait raisonnable. On dit que les plus grands des croyants, qui sont les grands saints, ont éprouvé, sans cependant la[l] perdre, des tentations contre leur foi. Il semble donc que leur certitude n'était point absolue. À plus forte raison chez la commune humanité. Et tout cela me paraît très logique. Ceux qui reprochent à Dieu de se tenir caché, ceux qui voudraient qu'Il se montrât dans une indubitable évidence ne réfléchissent point qu'il Lui faudrait alors anéantir l'homme pour le remplacer par un autre genre de créature. Dieu devenu tout à fait évident, nous n'aurions plus cette liberté qui nous est propre. La foi deviendrait en quelque sorte involontaire, obligatoire. Nous n'y aurions plus même quantité de mérite. Nous y perdrions cette valeur des vertus humaines, filles de notre volonté, qui, résistant librement aux mauvais penchants, choisit de faire le bien encore qu'il ne soit pas, intellectuellement, d'une évidence absolue.

Enfin, nous ne serions plus des hommes, et, si je connais bien mes semblables, je crois que beaucoup d'entre eux[m] le regretteraient.

Mais, si l'homme demeure, quant au surnaturel, libre de croire ou de ne pas croire, et si la foi n'est pas affaire de pure logique, je n'irai pas, pour autant, jusqu'à penser que l'incroyant, même en tant que savant et très savant, ait raison de s'estimer plus raisonnable, ni qu'il puisse, à l'opposé du croyant, se prétendre complètement sûr de son terrain.

L'incrédule n'a pas tort lorsqu'il tient au croyant le discours que j'ai donné. Seulement, l'arme est à deux tranchants, et l'autre aussi peut en profiter. Et ce sont, je l'ai dit, les savants eux-mêmes qui commencent à percevoir que des bases considérées comme inébranlables n'avaient de solide que la confiance sur quoi leurs prédécesseurs les avaient posées. De très grands mathématiciens en sont venus à douter de la certitude objective des mathématiques elles-mêmes. Je me suis toujours demandé comment quelqu'un pourrait prouver que : un et un font deux, dans la réalité des choses, alors qu'à notre connaissance, dans tout l'univers, il n'existe rien qui vraiment soit un[8]. Et lorsque les théologiens me disent qu'en Dieu un égale trois et trois égalent un, il ne me coûte guère plus d'y accorder ma foi que d'accepter l'objectivité de notre humaine mathématique.

Au total, comme il semble bien que toute certitude terrestre ne peut être que relative, morale, et qu'ainsi la science est incapable de certitude complète, il me paraît irrationnel qu'on l'oppose à la foi. Toutes deux, au bout de leur chemin, entrent dans l'indémontrable. Si c'est beaucoup par la foi que je crois en Dieu, c'est aussi beaucoup par la foi que je crois à la Science. Et si quelqu'un me contredit sur ce dernier point, je lui demanderais de m'expliquer d'abord, scientifiquement, l'infaillibilité de son raisonnement. Encore me faudra-t-il me prouver à moi-même que ma propre raison est infaillible. Je doute fort d'y parvenir et préfère avouer, sans la moindre vergogne, que je suis à l'ordinaire plus croyant que raisonnable. Mais

[8] *Note de Bugnet*. Voir mon livre, *Siraf*, pour plus ample exposé.

je ne pense pas être le seul. J'ai même rencontré, fréquemment, des incrédules qui savaient beaucoup mieux que moi courir sur ce terrain-là.

Lorsque l'un d'eux en veut bien convenir et admettre qu'après tout sa foi dans la science n'est pas d'une absolue certitude non plus que ma foi au surnaturel, la plus dure glace de nos antagonismes se fond. Nous devenons tous deux plus humbles, car, le problème intellectuel ayant abouti des deux côtés à l'indémontrable, il faut passer à la question du vouloir et du pouvoir, de la théorie à la pratique[n].

Mais là, si l'un veut prouver qu'il est supérieur à l'autre, ce n'est pas avec des discours qu'il y parviendra jamais.

Variantes

[a] V.O. : de savon scientifique, **de gomme à chiquer scientifique**... Je m'arrête là –...

[b] V.O. : nous la tournons souvent en **totems**.

[c] Les mots «d'après les savants» ont été ajoutés au texte original.

[d] V.O. : bâtis sur le modèle **du** firmament...

[e] V.O. : les concepts **sonores** et creux.

[f] Caractères italiques à la requête de l'auteur. Le texte original s'arrêtait à : «une certaine quantité de néant.»

[g] V.O. : capable de connaître **à fond**...

[h] Caractères gras à la requête de l'auteur.

[i] Paragraphe requis par l'auteur dans le manuscrit.

[j] Le texte original ajoutait ici : **Pouvez-vous me prouver qu'elle est très supérieure à la mienne?**

[k] V.O. : ce n'est pas avec des **éléments** scientifiques...

[l] V.O. : sans **y** perdre...

[m] V.O. : beaucoup d'entre **nous**...

[n] La finale, «de la théorie à la pratique», a été ajoutée au texte original.

13. Des valeurs littéraires[1]

Il arrive que l'apparence soit trompeuse. Dire qu'il n'y a pas beaucoup d'écrits canadiens-français sur la guerre, ou influencés par les événements de l'Europe de 1939-45, n'est pas tout à fait justifié. Dans la production littéraire, l'influence de la guerre peut se manisfester sous des formes différentes suivant les pays et selon la personnalité de l'écrivain. On peut alors y déceler une réflexion sur la souffrance, l'angoisse, la peur, la mort...; une incitation à l'action, à l'engagement politique...; ou encore une exhortation à la paix, la paix de l'esprit à laquelle on n'accède que par la pratique religieuse.

Dans une telle perspective, ce texte, révélant la réaction de Bugnet devant les événements de 1940, constitue un document historique important. [THÈMES : Critique littéraire. Identité canadienne. Religion. Spiritualité.]

Avant de projeter mon sujet sur l'écran il me faut sans doute un prologue auprès de certains lecteurs. J'en entends qui murmurent :

– ... Valeurs littéraires! Mais c'est l'actualité qui nous intéresse! Et quand nous en avons une de premier ordre, la plus grande qui soit pour nous, la guerre, voilà un homme qui nous vient parler de littérature!

– Permettez-moi de vous l'assurer, mon cher lecteur, autant qu'à vous l'actuel me plaît. Probablement parce que tout le monde aujourd'hui nous le corne aux oreilles, vous

---

[1] *Le Canada Français*, vol. XXVIII, n° 4, Québec, décembre 1940, pp. 346-360; composé durant le printemps 1940.

estimez que la guerre doit être le premier de nos soucis. Pourtant nous sommes chrétiens, mais malgré tout très humains, et, en ce moment, en tant que peuple, semblables à celui qui, dans un combat contre un autre homme, s'imagine que toute l'affaire est d'en sortir sauf. – Mais si sa vie ne vaut rien? – Vous apprenez qu'un pauvre diable, dont le seul idéal était d'arrondir son pécule* en vendant de très ordinaires casseroles, vient de mourir en défendant sa boutique contre des malandrins* : tiendrez-vous que c'est très importante nouvelle? Et si, au contraire, on vous annonce qu'un grand savant, un grand penseur, un grand artiste, l'une des gloires de l'humanité, vient d'être assassiné par un fou, votre intérêt ne s'éveillera-t-il pas davantage? Ce n'est donc pas tant l'existence qui importe, mais bien l'usage qu'on en fait. Or, c'est à ce bon emploi que je voudrais aider.

– En nous parlant de valeurs littéraires?

– Mais oui. Ces valeurs-là sont toujours une des principales et incessantes actualités pour toutes les nations – celles du moins qui prennent soin de les acquérir. Grâce à quelques-uns de leurs restes, nous savons qu'il y eut jadis sur la terre des quantités de peuples. Parce qu'ils n'avaient pas su discerner le véritable actuel, le monde s'est fort peu soucié de leur existence ou de leur disparition. Il a dû même, plus d'une fois, trouver que leur effacement était une bénédiction. Aspirons-nous au même sort?

(a) Au point de vue temporel, les valeurs littéraires sont les seules constantes, les seules durables actualités, bien autrement sérieuses qu'une guerre et que cent guerres. Grecs et Troyens, il y a trois mille ans, faisaient ce que nous faisons : ils se battaient. Et qu'en reste-t-il? Rien, qu'un livre[2]. Un livre où l'on apprend encore aujourd'hui les noblesses et les misères de l'humanité. Les guerres

---

[2] Allusion à l'*Iliade* ou à l'*Odyssée*, œuvres du VIII[e] siècle avant J.-C., attribuées à Homère.

passent, les productions de l'esprit demeurent[b]. Mille ans plus tard, alors que le monde ne cessait de trembler sous les coups des épées et des catapultes romaines, un peuple entier, écrasé, cessa d'être un peuple. Et pourtant, de ce peuple asservi, puis dispersé, sortit le Livre[3] dont l'esprit devait transfigurer la face de la terre, ce Livre que le temps n'use pas, qui continue d'être, en Canada notamment, d'une actualité quotidienne, à chaque heure, et d'une portée, pour chacun de nous, bien autrement grave, vaste et riche que la plus terrible guerre. Car enfin, dans la vie d'une nation, qu'importe une guerre de plus ou de moins? Qu'importe même, pour le progrès terrestre, l'existence de cette nation si elle n'a rien de mieux à produire qu'un autre limon d'inutiles cendres? Pour qu'on nous juge dignes de vivre, pour ne point «passer comme un bétail, les yeux fixés à terre», il nous faut une âme, une âme qui sache, au-dessus du matériel, cultiver ce domaine où l'humanité trouve sa force, sa seule pérenne* richesse, et sa seule grandeur : le domaine de la pensée.

L'ayant ainsi déployé sous cet éclairage, ne concéderez-vous point que mon sujet est de toute première actualité?

Et, au risque de paraître, ici et là, très banal, je continuerai d'y apporter toute la clarté possible.

Le verbe s'envole. Les écrits restent[4]; mais, Dieu merci, pas tous.

En ce siècle, nous saccageons des forêts entières pour les aplatir en papier. De ce papier, une fois imprimé, la fourmilière humaine, quotidiennement, fait une inconcevable et, à mon avis, bien folle consommation. Quelques

---

[3] La Bible.

[4] La traduction la plus courante de la locution latine «Verba volant, scripta manent» est : les paroles s'envolent, les écrits restent.

jours après il disparaît et il n'en reste que des cendres. D'où il est fort évident que nous n'attachons point une grande valeur à ce genre d'écrit, encore qu'il soit d'«actualité».

Mais il en est d'une autre sorte que nous sauvegardons dans nos bibliothèques publiques et privées. Ils datent d'hier, de dix ans, de cent ans, de mille ans, de deux mille ans, de trois mille ans, et plus encore. C'est donc que nous les estimons bien différents des premiers. Et puisqu'un bon nombre sont assidûment transmis de génération en génération, siècle après siècle, il faut bien admettre, en dépit d'errements passagers, que l'humanité possède, non point sans doute l'infaillibilité, mais du moins une remarquable fermeté et singulière constance de jugement lorsqu'elle l'applique à ses propres œuvres.

Plusieurs nations, plusieurs langages, ont constitué ce trésor héréditaire, à la fois très antique et très neuf, car aujourd'hui même il continue de s'accroître un peu partout de gemmes plus ou moins précieuses. Mais, d'abord, c'est dans chaque nation que sont triés ces joyaux. Et alors, qui donc y décide si telle gemme vaut d'être gardée, telle autre d'être rejetée? Si celle-ci est excellente, celle-là de médiocre qualité? – La majorité du peuple? – Oui et non. Pour beaucoup d'ouvrages, surtout lorsqu'ils font appel à des sentiments familiers, à des idées simples, habituelles, le peuple les sait en général fort bien apprécier. D'autre part, nombre d'écrits, pour être goûtés, demandent une formation, une culture supérieure à celle que possède la moyenne des lecteurs. Ces œuvres-là ne peuvent être évaluées que par une élite, exercée à découvrir ce que le commun des mortels ne perçoit pas, et apte à expliquer ensuite les beautés et les défauts qu'elle a découverts.

Et c'est ce genre d'expertise qu'on appelle la critique littéraire.

Malheureusement – ou n'est-ce pas plutôt heureux? – la critique littéraire, comme d'ailleurs toute humaine connaissance, n'a jamais pu se coiffer d'absolue certitude.

Il me souvient, ici, d'une certaine grande dame d'autrefois, très intelligente et fort distinguée.

Alors que ses trois filles étaient âgées de douze, quatorze et seize ans, elle ouvrit un salon[5] où, chaque jeudi soir, elle recevait[(c)] ceux qu'elle estimait la fine fleur des beaux esprits de la ville. Elle excellait à mettre en montre, tour à tour, les plus remarquables parmi ses invités. Ce salon fut célèbre. On y passait au crible les personnages politiques et, davantage encore, les ouvrages de l'esprit, surtout les plus récents. On n'y était point trop sévère quant aux idées, ni quant aux mœurs, et, dès qu'un écrivain faisait preuve d'un indiscutable talent, on s'inquiétait peu si son œuvre était utile, vraie, bonne, frivole ou perverse. Pourvu que la conversation fût remplie d'aperçus intéressants, divertissants, brillants, la maîtresse de maison jugeait la soirée tout à fait réussie.

Aucune des filles ne fit grand honneur à la mère.

La critique littéraire, dans la plupart des pays, me paraît fort semblable à cette grande dame. Elle accueille la fleur des livres et, dès que l'un d'eux témoigne d'un art hors du commun, il suffit. Un homme devient grand artiste, donc il peut prendre des libertés. S'il ouvre une école d'immoralité, c'est une immoralité fort artistique. On lui doit donc l'absolution. S'il prêche la révolte, même contre des idées, quelque institution, un gouvernement, tenus pour bons par la presque totalité des citoyens, il le fait avec si belle science et tant d'art qu'il est impossible de le condamner. On lui doit donc l'absolution; sauf en temps

[5] Allusion au Salon de Mme de Rambouillet, au XVIIe siècle, que fréquentaient d'ailleurs Bossuet, Corneille, Mme de La Fayette... pour ne citer que ceux que Bugnet considère comme modèles.

de guerre, paraît-il, où l'on s'aperçoit tout d'un coup, comme quand se disloque la santé, qu'il faut être un peu plus logique, un peu plus sérieux, et maintenir solidement la paix et l'hygiène intérieures, afin d'acquérir plus de vigueur contre l'adversaire. Dans ces moments-là on s'avise que l'art, après tout, n'est pas la seule qualité à considérer chez un écrivain; que cet art même peut être fort dangereux et malfaisant.

En temps de paix on revient à l'indulgence. A-t-on raison?

Le critique littéraire incroyant me dira :

– Tout dépend des idées qu'on a sur le monde. Pourquoi l'homme se refuserait-il à jouir avec mesure de tous les plaisirs qu'offre la vie, s'il ne croit pas à l'immortalité?

À cet incroyant je puis répondre que personne encore n'a prouvé l'univers sans Dieu, l'homme sans âme, ou doué d'une âme mortelle; que, par suite, sa réflexion ne résout rien. Et, poussant au-delà de cet argument, je lui demanderais : ayant constaté l'évidente possibilité d'amélioration intellectuelle et morale dans un individu, pouvez-vous affirmer l'impossibilité du même progrès chez d'autres hommes? Chez dix, vingt, cent autres? Chez mille autres? Et pourquoi pas chez un plus grand nombre encore, et chez tout un peuple? Cela se constate, astheure* même, chez les sauvages. Un athée soviétique ne croit-il pas à la perfection possible de toute l'humanité?

Si mon incroyant déclare que cette créance* n'est pas sienne, il n'y a plus rien à faire avec lui. Mais j'ai mis les choses au pire. Un genre de scepticisme aussi entier, et d'ailleurs peu sage, doit être extrêmement rare. Son influence n'est donc pas grandement redoutable.

D'autres incroyants, moins illogiques, encore qu'ils se récusent* devant «l'inconnaissable», admettent néanmoins un certain «surmatériel», une réalité invisible, intangible, dont ils ne parviennent pas à se donner très probantes explications, dont pourtant ils parlent continuellement, et comme d'un fait indéniable, se servant, pour désigner cette impondérable entité, du même terme que nous y employons : la conscience. Avec cette sorte d'incrédules, dès lors qu'ils tiennent l'homme pour un animal raisonnable, et qui devrait travailler à devenir de moins en moins animal, et de plus en plus raisonnable; dès lors qu'ils consentent à cultiver, comme nous, bien qu'avec d'autres méthodes, le domaine du moral; alors rien ne nous empêche, sur le chapitre des valeurs littéraires, de nous entendre avec eux sur un point fort important, et de convenir que les œuvres capables d'accroître l'intelligence et la bonté humaines devraient être placées avant celles qui divertissent sans autre gain qu'un plaisir stérile, quand il n'est pas avilissant.

Mais l'immense majorité de ceux qui se mêlent de critique littéraire sont des indifférents; et souvent d'ailleurs peu qualifiés pour le rôle qu'ils assument.

En général, c'est au poids plutôt qu'à l'excellence des émotions ressenties qu'ils jugent un livre. Leur critique est plus corporelle que spirituelle, plus animale que raisonnable. S'il arrive qu'un écrivain, au lieu de sensations, leur offre des idées, ils bâillent. Leur compte-rendu ressemble à la composition d'un piètre écolier à qui l'on impose l'analyse d'une pensée de Pascal. Mais qu'un autre leur présente de pures fictions habillées d'une fantasmagorie d'images qui secouent tous les sens, escortées de l'incessant crépitement d'un verbe pyrotechnique* et multicolore, les voilà conquis, émerveillés, comme ces petits enfants qui écoutent, ravis et frémissants, le conte de l'Ogre et du Petit Poucet. Ils vous servent alors une description enthousiaste. L'eau vous en vient à la bouche. Puis quand, soi-même, on mord dans l'ouvrage tant prôné, on s'aperçoit qu'il est, comme le pain si léger qu'on nous vend aujourd'hui, fort appétissant, certes, et savoureux, mais pétri principalement d'ingrédients truqués, d'enflure, et de vide.

Ces gens-là poussent les multitudes non vers le vrai, le bien, ni la beauté pure, mais vers l'agréable. Or l'enrichissement de soi-même, la conquête du bonheur, n'est point, non plus que celle des matérielles richesses, toujours un plaisir.

Et quant aux plus sérieux des problèmes humains, s'ils n'en ont cure, ce n'est point qu'ils n'y croient pas. On les met tout simplement de côté, parce qu'ils brideraient certaines jouissances, peu intellectuelles, qu'on n'ose pas ouvertement avouer mais dont on serait bien fâché d'être privé. Ne pouvant se déclarer publiquement en faveur de l'immoral, on feint d'être amoral; non point assurément à la manière éhontée d'une bête inconsciente, mais d'une amoralité tout innocente; on se prétend dégagé des passions, parfaitement maître de soi, revenu à cette candeur asexuelle des jeunes enfants qui peuvent lire sans le moindre émoi ce qui serait capable de mettre en tumulte la chair et l'esprit d'un adulte. Il en est d'ailleurs qui n'ont à faire aucun effort pour entrer dans cette enfance. Tous, du reste, emprisonnés dans leur attitude puérile, ne demandent qu'à nous la faire partager. Nous devrions avec eux nous revêtir d'hypocrisie, refuser de reconnaître les fleurs vénéneuses; apprendre à leur exemple à patronner, parmi les écrivains, ceux surtout qui offrent de surprenantes[(d)] sensations ou des puérilités; et savoir estimer, du moment qu'elle est bien travaillée, une statue de neige, étincelante mais éphémère, comme si elle était en marbre de Carrare*. Somme toute, il nous faudrait, pour mesurer les valeurs littéraires, n'avoir qu'une règle : «Amusons-nous.»

Évidemment, les «civilisés», s'ils ont le génie des inventions, bien utiles quand il s'agit d'écraser les moins forts, sont d'une lenteur désespérante dans leur marche vers la maturité d'esprit. Voici plus de vingt siècles écoulés depuis qu'un des prêtres de Saïs, dans l'antique Égypte, déclarait au vieil Hérodote* : «Vous serez toujours des enfants.» Et c'est pourquoi je déteste particulièrement cette race-là parmi les critiques littéraires. Ce sont ces gens-là qui forment peut-être le pire des obstacles à notre croissance intellectuelle et morale, parce qu'ils retiennent dans leurs jolis, polis, et frivoles salons ceux-là mêmes parmi nous qui pourraient influencer les foules, ceux-là qui ont du goût pour la lecture, ceux-là précisément qui cherchent dans l'écrit des aliments, des aliments capables de fortifier et d'embellir la structure de leur pensée, de les rendre supérieurs, riches d'une vie plus large et plus haute, enfin d'être des hommes, des hommes vraiment adultes, virils.

Me viendra-t-on dire qu'ainsi j'essaye de jouer un rôle de surhomme et de faire l'ange?

Tout au contraire.

Je ne le sais que trop bien : le corps et ses divers besoins, cette bête enfin qui est en chacun de nous exige toujours sa part, et plus que sa part. Et je demande justement qu'on n'ignore pas notre animalité, qu'on ne cherche pas non plus à la déguiser, mais bien qu'on la tienne exactement pour ce qu'elle est. – «Guenille, si l'on veut, ma guenille m'est chère[6]». Fort bien. Tout de même, parce que les Chrysales pullulent dans les plaines du monde, ces Chrysales, et des deux sexes, dont les occupations, les pensées, les conversations, ne savent que danser en rond autour de guenilles, les leurs et celles des autres – leur habillement, leur logement, leur manger, leur boire, et surtout leur amusement[(e)], – m'irez-vous soutenir que vous et moi sommes forcés de tourner avec eux, sans répit, dans leur sarabande; que nous n'avons pas le droit de nous en évader, d'aller sur un terrain plus haut afin d'y donner un peu, à cette partie de notre être qui est proprement humaine, le temps de vivre?

Car enfin, si je constate, si j'admets qu'en moi aussi la bête s'agrippe et trop souvent s'impose, on peut assez clairement déduire que je ne m'en vante pas. Me sentant donc peu satisfait du rang d'animal, j'ose, imitant ici très

---

[6] Réplique du personnage de Chrysale dans la pièce de Molière, *Les Femmes savantes*, acte II, scène 7, v. 543.

volontiers mes congénères, me décerner un plus haut grade : celui de raisonnable. Tout le monde, n'est-ce pas, le fait en théorie. Peut-on me reprocher que j'y veuille ajouter la pratique? Si l'on consent que nous sommes vraiment doués de ce mouvement supérieur : l'esprit, ne lui devons-nous pas aussi la nourriture, et non si légère et si faible qu'il en demeure chétif, puéril, mais au contraire abondante, solide, pour qu'il croisse et atteigne ample stature et robuste vigueur?

Toujours le même refrain? Plût au Ciel qu'il en remplaçât tant d'autres.

Ayant, suffisamment je pense, aligné mes jalons, j'en viens à un propos où certains pourront découvrir quelque tendance nationaliste, mais qui pourtant me paraît contenir substance largement humaine. Et ma proposition est celle-ci : ne pourrions-nous point instaurer, pour mesurer la valeur des écrits, une norme différente de l'ordinaire, plus spécifiquement nôtre, un classement qu'on reconnaisse pour nettement canadien?

En quoi je ne fais que suivre un chemin déjà déblayé par de courageux et perspicaces prédécesseurs.

La liste de nos critiques littéraires vraiment dignes de ce nom n'est pas fort longue. Elle serait centuplée si l'on y inscrivait tous ceux qui jugent, plus ou moins habilement, des nouveaux livres dans presque chacun de nos journaux. Or, je ne crois pas qu'il s'en trouve un seul, anglais ou français, parmi les plus renommés comme parmi les moins connus, qui se veuille ranger avec ces incroyants de la première catégorie dont j'ai parlé. S'il s'en rencontre qui appartiennent à la seconde, j'ai dit que nous avons, sur un point capital, un commun terrain d'entente. Et quant à tous les autres, même lorsqu'ils jouent l'indifférence, à peu près tous, au fond[f], sont des croyants; ils sont chrétiens. C'est à eux surtout, c'est à ce fonds d'esprit chrétien que je m'adresse; car notre peuple aussi, ce peuple qui les regarde comme ses conseillers intellectuels, est un peuple de croyants, une race de chrétiens.

Ces prémisses posées, je devrais commencer par dire que le premier devoir de tout homme en général et, en particulier, celui des écrivains, et celui de leurs critiques, c'est d'aimer Dieu. Mais je n'ai pas qualité pour monter en chaire. Laïque, et sans autorité comme directeur spirituel, il ne siérait guère de me présenter comme un des généraux de l'armée quand je n'y suis que simple soldat. Et, au vrai, la principale raison pourquoi je ne vais pas me servir d'argument religieux, pourquoi je resterai sur la terre sans y mêler le ciel, c'est que je tiens à être entendu, en Canada et hors du Canada, non seulement par tous les chrétiens, mais encore de ceux-là mêmes qui ne le sont point.

Passons à ma thèse :

Dès lors qu'on admet que l'homme doit, en plus de l'intellectuel, tendre au progrès moral, il me semble qu'il serait logique de toujours suivre, dans l'expertise des écrits, cette règle : *Poser au premier rang l'art qui perfectionne, outre l'intelligence, les mœurs; qui nous apprend non seulement à bien penser, à bien dire, mais à bien faire.* Et ceci paraît, en principe et à première vue, tout naturel.

En réalité, la plupart d'entre nous sommes d'ordinaire fort semblables à ces petits enfants pour qui un joli costume neuf, par cela même qu'il est neuf, est d'une qualité supérieure; ou pareils à ces femmes qui, apercevant un nouveau chapeau, le trouvent immédiatement et indiscutablement préférable à ceux qu'elles ont déjà portés. On compte ainsi, par milliers, au cours des siècles, et surtout de nos jours, les ouvrages hissés par une éphémère faveur, comme un pavillon au sommet d'un mât, puis mis en berne. Et donc, en réalité aussi, on finit tout de même par mettre en pratique la règle précédemment indiquée, mais, faute d'y apporter constante attention, on ne s'y résout qu'à la longue, instruit par la lente leçon du temps. Il est pourtant peu difficile de percevoir que si Platon et Aristote, Pascal et Bossuet, sont placés au tout premier rang des écrivains, ce n'est évidemment pas parce qu'ils nous amusent; ce n'est point du tout parce que leur verbe échauffe[g] notre imagination et nos sens, mais bel et bien parce qu'il touche les plus humaines de nos facultés, les plus nobles aspirations de notre intelligence et de notre cœur.

Nos critiques littéraires, au rebours des critiques d'autres pays, devraient donc s'abstenir de présenter au public comme ouvrages de haut mérite ces écrits où l'on ne trouve qu'une simple distraction; qu'on achève et referme pour se dire peu après : c'était bien intéressant, mais, astheure*, que me vaut cette lecture? Mon esprit voit-il plus juste[h], plus grand, plus loin, plus haut? En quoi ce livre peut-il rendre ma vie, ma conduite, moins plate, moins stérile, plus large, plus sage, plus utile?

Trop souvent nos critiques – j'en excepte les meilleurs – s'en rapportent à des articulets* cuisinés par des éditeurs en mal d'écouler à grand flot tout ce qu'ils ont en magasin, le faux, le médiocre et le mauvais, aussi bien que le bon, le vrai et le beau. Et c'est pourquoi la plupart des liseurs perdent leur temps à des lectures vides, quand elles ne sont pas mauvaises. Comment alors trouver surprenant si notre peuple, si tous les peuples, en demeurent pour le terrestre à la philosophie de Chrysale : un bon petit, ou mieux encore, un bon gros confort; si leur idéal d'un État «civilisé» est à peu près celui-ci : de belles et commodes étables où l'on est bien soigné, avec de riches et larges terrains pour, solidairement, travailler aux productions désirables, puis gambader et s'amuser de toutes façons et autant que possible? – Quant à développer une race de supérieure humanité, moins animale et plus raisonnable, aucun gouvernement n'oserait inscrire ceci dans son programme tant que le peuple ne perçoit point qu'il faudrait chez des gouvernants, outre l'intelligence et l'habileté à comprendre et manier le matériel, cette perfection morale, et proprement humaine, qui seule et sans conteste élève l'homme au-dessus des bêtes.

Certains, ici, pourraient dire que j'exagère l'influence de la lecture. À quoi je répondrais par un exemple très moderne et, à lui seul, pleinement suffisant : voyez ce qu'en un demi-siècle ont produit quelques écrits signés de Karl Marx et Friedrich Engels. Que la raison en soit dans leur appel aux appétits matériels, je ne le nie pas, et d'autant moins que ma thèse s'en renforce. En tous cas, le fait est là. Et donc, si les idées mènent le monde, c'est par l'écrit. Et le succès ou l'insuccès d'un écrit dépend en très grande partie de ceux qui prétendent à renseigner le public sur la qualité des œuvres offertes par les écrivains. [(i)] Si les critiques ne perdaient jamais de vue que les conquêtes morales sont encore plus importantes que l'acquisition du confort matériel, le monde aurait alors quelque chance de voir les hommes devenir des hommes, et qui trouveraient peut-être, pour rapiécer leurs mésententes, d'autres moyens que des guerres.

Ces principes ne pourraient-ils pas être acceptés, puis solidement établis en Canada, ou tout au moins en Canada français[7]?

Car, et j'y reviens, et j'y reviendrai sans cesse, il me semble que nous avons, presque tous, un faible : attacher la valeur à la forme beaucoup plus qu'au fond. Nous n'en sommes qu'à la rhétorique. Mais nous n'en détenons pas le monopole. Dans mon jeune temps la presque totalité

---

[7] Au printemps de l'année 1940, au moment donc où Bugnet rédigeait ce texte, les débats sur la conscription faisaient rage.

Le 18 juin, la capitulation de la France laissait l'Angleterre seule face à l'offensive hitlérienne. Devant cette menace qui pesait sur l'empire britannique, le Canada anglais appuyait fortement la conscription. Bugnet, pour sa part, encourage le Canada français à s'y opposer.

du peuple de France voyait dans Edmond Rostand la grande gloire des lettres françaises. Jusque dans les campagnes les plus reculées on entendait les écoliers citer son *Chanteclerc*. On avait donc réussi à rendre Edmond Rostand plus célèbre que Pascal. Les Canadiens ne purent qu'emboîter le pas. On s'aperçut ensuite que l'évaluation était un peu exagérée.

Nous continuons pourtant la même erreur. Au lieu d'allumer notre lampe, d'étudier sur notre table et dans notre chambre, nous courons après les chandelles des autres.

Quand donc nous déciderons-nous à marcher seuls et sans lisières*? Quand donc aurons-nous un cerveau nôtre? Pour ceux surtout d'entre nous qui sommes chrétiens, n'avons-nous pas quelques maîtresses idées sur le monde, une philosophie de la vie si vigoureuse qu'après vingt siècles elle continue ses conquêtes, et dans les plus hautes intelligences? Et si notre art littéraire ne progresse pas aussi vite, aussi magistralement que nous le désirons, n'est-ce pas précisément faute d'une logique tout aussi humaine que chrétienne, parce que nous mettons la charrue avant les bœufs, parce que nous cherchons à bien dire avant d'apprendre à bien penser? Et la plupart de nos critiques littéraires n'en sont-ils pas très grandement responsables?

Sans doute, en me lisant, plusieurs regimbent. J'y vais, avec moins de talent, à la façon de Montaigne : un parler d'homme à homme. Je ne me présente nullement comme une sorte d'infaillible Boileau et ne prétends qu'à ceci : attirer l'attention sur une actualité de très considérable importance. Que si quelqu'un propose, pour aller plus sûrement au but, meilleure voiture, tant mieux. Ce n'est pas ma méthode qui importe, mais bien d'en avoir une, une bonne[(j)], et de la suivre.

Au reste, et même si l'on accepte la règle indiquée, encore qu'elle semble de premier abord toute naturelle, son maniement, j'en conviens tout le premier, est fort loin d'être toujours facile quand on passe du général au singulier. Bien qu'on donne à un livre le nom de «volume», une œuvre littéraire ressemblerait plutôt à un arbre qu'à une caisse, et son volume exact est extrêmement difficile sinon impossible à mesurer. Mais enfin la règle nous y peut aider dans l'approximatif.

Pour la poésie, valeur très complexe, Albert Pelletier* nous plante une prime flèche indicatrice : «Ce qui ne vaut pas d'être dit en prose ne vaut pas d'être dit en vers.» D'où l'on peut conclure que ce qui vaut d'être dit en prose peut aussi être dit en vers, et Boileau s'en trouve justifié alors que tant d'autres, plus papillonnants que lui, ne nous laissent aux doigts qu'une poussière aussi délicate qu'inutile. Continuant cette route et prenant, comme un chrétien, mais aussi comme un humaniste[k], modèle sur le plus ancien des livres, qui est aussi le plus répandu, la Bible, j'estimerais que la poésie convient le mieux à de fortes idées, à de hauts et nobles sentiments. On la voit employée dès le premier chapitre de la Genèse pour célébrer l'œuvre du sixième jour, la création de l'homme à l'image de Dieu; elle passe avec une immense ampleur dans le livre de Job, toute frémissante de l'infinie grandeur des œuvres divines; elle s'agenouille dans le repentir et l'amour avec les psaumes de David; elle s'achève au Nouveau Testament par le Magnificat et le cantique de Siméon. On ne la trouve nulle part où suffit la prose. Et rien ne vaut ces beaux exemples pour se déprendre des puérilités et du mauvais goût.

Quant à la prose, la Bible nous en offre à peu près tous les modèles, du plus artistique au plus dénué d'ornements, du superbe langage d'Ézéchiel à l'apparente pauvreté littéraire des Évangiles, et toujours avec cette fin : enrichir, outre l'intelligence, toute l'âme. Nous y voyons la preuve que le sage emploi du conte, de la fiction, est fort propre à diriger les mœurs. Et nous y discernons aussi la marque des vrais maîtres : grandeur dans la simplicité. La Passion sans aucun doute, même à ne la considérer que sous le rapport humain, est le plus beau drame du monde. Nul ne peut concevoir plus suprême grandeur. Est-il plus extrême simplicité?

Vraiment, je ne vois pas où trouver, pour mesurer les valeurs littéraires, meilleur guide que la Bible. Et, assurément encore, si l'un de nos poètes apparaissait comme un nouveau David, ou dotait le monde d'un second livre de Job, d'un second Cantique des Cantiques, cette surhumaine façon d'écrire n'amoindrirait point les lettres canadiennes, ni le peuple canadien, aux yeux des autres nations. À cet antique modèle, sans cesse consulté par les maîtres écrivains, nous pouvons ajouter :[1] et les plus hautes œuvres des hommes, et ce livre qui les dépasse toutes, l'œuvre merveilleuse de la Nature, y compris cette infime poussière des animaux raisonnables qu'elle engendre, y compris ce discours qu'eux, et elle, et la Bible nous font entendre, illustrant le grand mystère de la matière et de la vie par une ultime conception, la seule pertinente pour notre univers d'êtres finis : la procréation de toutes choses, jusque dans les actes humains, par l'amour.

Il me semble qu'à méditer ces données notre critique littéraire pourrait, chez un plus grand nombre de ceux qui s'en mêlent, prendre un caractère nettement canadien, et plus réellement humain. Peut-être aussi pourraient-elles inciter nos auteurs à penser largement, profondément, et personnellement. Au lieu de nous servir de lumières empruntées, nous aurions des clartés nôtres, et plus vives. Nous nous laisserions moins souvent piper à des appâts dont le miroitement forme toute la substance, et où le véritable amour, ni de Dieu, ni du prochain, ne brille bien ardemment.

Qu'on aime ou non le fougueux et rugueux style de saint Paul, il s'y connaissait en nature humaine aussi bellement qu'en doctrine chrétienne : «Si linguis hominum loquar, et Angelorum, caritatem autem non habeam, factus sum velut aes sonans, aut cymbalum tinniens.[8]» Qu'on soit un tout simple brave homme, ou critique littéraire, ou écrivain, cette profession de foi nous éclaire à tous notre chemin, comme un grand feu dans la nuit.

Si quelque critique s'avisait de poursuivre sans ménagement les déductions de cette idée, qui pourtant n'a pas l'air bien dangereuse : «plus une œuvre est utile à la perfection de l'humanité, plus elle devrait être haut placée», quelle surprenante révision du classement des écrivains! Ce serait une sorte de révolution.

Il s'ensuivrait des combats, sans emploi de bombes, je l'espère, mais en déluges de papier. Les uns clameraient que tout livre de dévotion chrétienne surpasse Shakespeare. Les autres répondraient qu'un homme n'est pas Dieu; que si les Évangiles peuvent se passer d'humains attraits, un homme, pour se faire écouter de ses semblables, doit montrer quelque supériorité et que, pour un écrit, cette supériorité réside en l'art littéraire, faute de quoi un livre demeure inefficace pour la plupart des lecteurs, donc inférieur, quand il n'est pas endormant.

L'application de la norme indiquée n'irait donc pas sans quelque débat. Quant à moi je n'hésiterais point[(m)] à mettre Pascal, et même Montaigne, au-dessus de Shakespeare. Si je trouve celui-ci admirable, je n'en constate pas moins qu'il m'aide très peu à devenir meilleur. Ceux-là, par contre, m'ont été d'un grand secours pour m'ouvrir, sur l'humanité, sur moi-même, plus juste idée, et moins orgueilleuse. Ils vous poignent rudement et vous secouent, jusqu'au cœur, jusqu'à la conscience, dans cette vanité,

---

[8] «Quand je parlerais les langues des hommes et des anges, si je n'ai pas la charité, je ne suis plus qu'airain qui sonne ou cymbale qui retentit.»
La Bible de Jérusalem, Paris, Les Éditions du Cerf, 1981, 1 Co 13, 1.

dans cette complaisance, constante source de nos calamités, individuelles et sociales.

Jugement contestable?

Sans doute. Mais précisément parce que des appréciations de cette sorte peuvent être discutées, une norme différente des autres, nôtre, ne ferait qu'attiser l'intérêt.

Les grandes pensées viennent du cœur, selon Vauvenargues. Toutefois, si grande[n] et si belle qu'elle soit, une pensée, pour être juste et bonne, doit être raisonnable; et c'est la raison qui a le dernier mot. Le tout est donc de mettre l'accord entre le sentiment et le jugement. Et il faudrait, à qui songerait à entrer dans cette lutte, autant d'esprit que de cœur.

Mais si quelqu'un parvenait à établir, en face de l'ordinaire étalage des critiques, la primauté du bon sur celle de l'agréable, il rendrait grand service, d'abord au Canada, puis, peut-être, à toute l'humanité.

Variantes

[a] Paragraphe requis par l'auteur dans le manuscrit.

[b] «les productions de... demeure**nt**», ajoutés à la version originale.

[c] V.O. : elle **accueillait** ceux qu'elle estimait...

[d] V.O. : qui offrent de **grosses** sensations...

[e] V.O. : leur boire, leur**s** amusement**s**...

[f] V.O. : l'indifférence, tous, du fond,...

[g] V.O. : que leur verbe **chauffe** notre imagination...

[h] «plus juste», ajouté à la version originale.

[i] V.O. : **Et**, si les critiques...

[j] «une bonne», ajouté à la version originale.

[k] «mais aussi», ajouté à la version originale.

[l] Les «deux points (:)» ont été ajoutés.

[m] «point», ajouté à la version originale.

[n] V.O. : Toutefois, si **forte** et si belle…

14. Pour l'esprit canadien[1]

Par une suite de raisonnements tantôt déductifs, tantôt par analogie, Bugnet cherche à persuader son lecteur de la nécessité d'être soi. [THÈMES : Identité canadienne. Langue. Littérature. Spiritualité.]

Fort souvent les découvertes ont été faites par des hommes qui n'étaient point de la partie. Le professeur Ch. Nicolle*, dans son ouvrage[(a)], *Biologie de l'invention*[2], déclare : «C'est un fait certes piquant, mais qui s'explique, qu'à force de vivre en présence d'une difficulté l'homme se trouve de moins en moins apte à la résoudre».

C'est un peu l'histoire, commune en Suisse, du peintre extasié devant les délicates nuances de l'aurore sur les neigeux sommets des Alpes, qui entend son hôtesse, toute affairée au ménage, grommeler : «Sont-ils drôles! Ça n'est pourtant que de la neige et des roches». C'est aussi comme un amateur, sans habileté spéciale, qui tournant autour de la table où sont installés des joueurs de cartes peut mieux qu'eux-mêmes voir ce qu'il faudrait faire, et ce qu'il faudrait ne pas faire.

Ces préliminaires expliqueront, je l'espère, pourquoi j'ose parfois, n'habitant point la province de Québec, y pourtant présenter quelques idées. Si je crois devoir m'en

---

[1] *Les Idées*, vol. VIII, n°s 1 et 2, Montréal, Éditions du Totem, janvier-février 1938, pp. 1-16.

[2] Charles Nicolle, *Biologie de l'invention*, Paris, Librairie Félix Alcan, 1932, 160 pages.

justifier ainsi c'est que, je le crains, je suis le seul, dans l'ouest canadien, qui ait pareille audace.

Grâce au discernement d'un éditeur, M. Albert Pelletier, [b] grâce à son intrépidité – d'autres diraient peut-être sa témérité – j'ai pu faire paraître plusieurs études[c] «made in Alberta» dont l'entrée, sans lui, m'aurait été fort probablement refusée par les sous-officiers de la douane. Ces écrits[d], à en juger par leur vogue, n'étaient pas inutiles. Je n'oublie point non plus d'ailleurs la reconnaissance que je dois à toutes les autorités intellectuelles de la province pour l'estime[e] qu'elles m'ont depuis longtemps témoignée.

Et, en dépit de ces préliminaires, j'avoue très sincèrement qu'en la matière surtout dont je vais traiter je ne me sens pas la moindre disposition à croire ma pensée meilleure que tant d'autres.

C'est une matière extrêmement complexe et difficile à manier : *l'avenir du peuple canadien de race française*, sujet toujours actuel, qui n'a pas cessé et ne cessera point d'intéresser les personnes intelligentes; sujet qui a suscité jadis maintes opinions, maintes polémiques; qui, de nouveau, astheure* plus activement qu'hier, en fait surgir encore comme bruissent aux souffles du printemps les jeunes feuilles d'un grand érable après les longs mois d'une hivernale immobilité.

Ce renouveau, si vigoureux, est marque de santé. – S'attend-on que j'en aille étaler tous les aspects? Je le crois inutile, car il me semble, en dernière analyse, qu'ils sont tous de nature identique, qu'ils ne forment qu'un seul et même corps; un corps où, de la tête aux pieds, encore que les signes en soient variés suivant la diversité des organes, transparaît le même dessein, la même unique aspiration :

celle d'un être qui demande à vivre d'une vie plus forte, plus large, d'une vie plus active, plus libre, enfin d'une vie puissante et sienne.

Si j'étais sculpteur je tenterais volontiers de représenter le peuple canadien de race française sous la forme d'un robuste adolescent, assis, le torse incliné en avant; la tête relevée, les yeux fiévreux fixant au loin une indécise apparition; le bras droit tombant, où le poing serait serré, crispé; le bras gauche à demi plié, les doigts de cette main écartés pour marquer un sentiment d'anxieuse attente[3]. J'y pourrais ajouter d'autres symboles afin d'en parfaire l'identité; ou peut-être me contenterais-je, préférant toujours la simplicité, de graver sur le socle un seul mot : *Canadien* (*fig. 1, page suivante*).

Parmi la foule de ceux que préoccupe l'avenir de leur race, parmi tant d'écrits qui sondent le problème, ceux-ci dans son tissu politique, ceux-là dans l'économique, *tantum ex publicis malis sentimus, quantum ad privatas res pertinet*[4], beaucoup portent davantage leur attention sur la texture spirituelle. Ceux-ci, je crois, travaillent la plus durable étoffe.

Un peuple étant composé d'individus, le tout valant en raison de la qualité des parties, on peut fort bien assimiler un peuple à une personne. Or, ainsi qu'on juge d'une

[3] Au sujet du symbolisme gestuel, Cicéron rapporte ainsi l'interprétation de Zénon: «Montrant sa main ouverte, les doigts étendus, *telle est la représentation*. Puis ayant replié légèrement les doigts, *tel est l'assentiment*. Puis, lorsqu'il avait tout à fait fermé la main et serré le poing, «c'était la compréhension» [...]. Enfin de sa main gauche qu'il approchait il serrait étroitement et fortement son poing droit, *telle était la science* que personne ne possède, sauf le sage.» Cité dans André-Jean Voelke, *L'idée de volonté dans le stoïcisme*, Paris, P.U.F., 1973, p.46.

[4] Traduction : nous comprenons les maux publics en autant qu'ils concernent nos affaires personnelles.

Figure 1

Canadien. Peinture originale (1990), illustrant la description qu'en fait Bugnet dans son texte «Pour l'esprit canadien». Artiste peintre : Douglas D. Barry, Sherwood Park, Alberta, Canada.

épée par sa lame et non par le fourreau, c'est par l'âme qu'un peuple, comme une personne, doit être estimé; c'est par l'âme que l'être humain fait de sa vie un fleuve puissant, limpide, superbe, ou un ruisseau médiocre, ou un bourbier.

C'est pourquoi bon nombre des plus clairvoyants esprits insistent sur une formation plus intense de l'intelligence qui est, dans le spirituel, comme la base et la charpente, mais non point tout l'édifice. Car si l'intelligence a pour domaine la construction du vrai, il y a aussi le bon et le beau dont l'architecture se compose plutôt par le cœur, par toute l'âme. Ce serait, à mon humble avis, une méprise si l'on croyait qu'un peuple ne peut grandir qu'en accroissant son corps et ses connaissances. Un individu peut être de belle taille, savant, perspicace, sans être bon. Un autre, maladif, sans beaucoup de lettres, pourra, mieux que le premier, être utile à ses semblables et leur servir de modèle. Nous sommes très souvent tentés aujourd'hui d'oublier ce que pourtant savaient déjà les anciens païens, au témoignage de Sénèque : *Paucis opus est litteris ad mentem bonam*[5]. Mais, évidemment, si un peuple sait développer à la fois, dans un juste équilibre, son corps, son entendement, son cœur, sa conscience, sa volonté, que lui pourrait-on souhaiter de plus?

J'ai tenu à présenter ces larges données du problème afin qu'on ne se méprenne point ensuite sur mes intentions; et, quant à cette substance du spirituel qui touche au surnaturel, n'y ayant pas d'assez compétentes lumières, j'en laisse le traitement aux pasteurs du troupeau où je suis brebis. Ma quête est dans les pâturages terrestres vers nourriture que je crois succulente.

[5] Traduction : un bon esprit a besoin de peu d'apprentissage.

Pourquoi, dans sa transition de l'adolescence à la maturité, notre race suivrait-elle une phase inédite?

Nous sommes un essaim venu d'un autre pays. Est-ce donc si rare aventure? Considérons l'une, qui davantage nous concerne. Rome autrefois essaima, d'abord non loin d'elle, de côté et d'autre en Italie. Ses essaims peuplèrent ensuite les Gaules* et l'Espagne. Ces trois contrées pourtant en vinrent à parler trois langues différentes.

Or, j'entends dire que nous devons, pour la réforme de notre enseignement, nous acharner à poser comme modèles, au fur et à mesure de leurs manifestations : la pensée de France, la langue de France, les écrivains dernier-cri qui tiennent le haut du vent dans la faveur parisienne.

Je suis persuadé qu'en prenant ceci à la lettre nous ferions fausse route. Trop de ces modèles sont de mauvais goût, et creux, sonores et vides. Et d'ailleurs cette entreprise, à en juger par l'exemple des trois nations que je viens de nommer, me paraît tout aussi difficile que d'arrêter le cours du Saint-Laurent.

Il suffit de regarder, dans la France elle-même, dont l'exemple est en tout semblable à celui des deux autres peuples voisins[f], comment elle parvint à devenir soi.

Au début, les essaims de Rome lui imposèrent – surtout pour ce précieux enseignement supérieur qui astheure* nous tracasse tant la cervelle – la langue latine, l'esprit latin, les écrivains latins. Cela dura plusieurs siècles. En dépit de tous les efforts, de toute l'habileté de bons ouvriers, cette farine ne donna point la sorte de pain qu'on avait espérée. La saveur n'en fut point appréciée. Il moisit sur la table. Plusieurs des meilleures têtes du pays, s'attachant à l'étude du langage et des auteurs en vogue à Rome, publièrent des œuvres, notables certes, mais non pas de première qualité et qui enfin, et surtout, n'étaient point françaises.

Or, pendant qu'une élite se poussait ainsi dans les pas de Rome, la foule paisiblement forgeait son âme en martelant une langue sienne, en se créant un esprit sien. Et, lorsqu'on sait combien l'esprit français est différent de l'esprit latin, il est assez naturel de se demander comment il s'en écarta.

La réponse nous en est donnée par ceux qui, les premiers, osèrent écrire, beaucoup mieux sans doute, mais de même façon que pensait et parlait la plus grande partie de la famille française; osèrent exprimer des idées et des sentiments issus de leur propre milieu, encore qu'ils n'en eussent point reçu le modèle dans les cours qu'on professait alors aux écoles. Et, si l'enseignement du latin retarda probablement l'efflorescence indigène, loin de l'étouffer, elle la fit plus belle. On ne peut guère douter que sans la vieille sève latine, longtemps injectée, la langue de France eût été moins parfaite. Il reste que cette antique sève fut débordée par une autre plus jeune, plus fraîche, plus vive. Dès que celle-ci fit croître et fleurir son premier beau rameau[g], la *Chanson de Roland*, elle éveilla, durant deux siècles, quantités d'autres pousses. La chanson de geste donna naissance aux romans. Puis on vit apparaître les chants des troubadours, les fabliaux satiriques, le théâtre et ses mystères*. La prose prit racine avec les premiers historiens. On vit ensuite l'amusante exubérance des élégants amateurs de versification difficile avec leurs rondeaux, ballades et chants royaux. Et c'est ainsi que nous avons ces témoignages écrits qui nous permettent de comprendre comment, jusqu'à l'heure de la Renaissance, jusqu'à la venue des grands écrivains classiques, un nouvel esprit se dégagea de l'écorce latine, comment fut suscitée la pleine et robuste vie d'un corps adolescent qui, voulant avoir une âme sienne, y réussit, se créant cette essence neuve et personnelle qu'on appelle : l'âme française.

Cette essence est celle même d'où sortirent les précurseurs qui, à leur tour, essaimant* au delà des mers, vinrent poser les fondements du Canada. La langue originale que l'on retrouve sur tous les points de la province de Québec, celle qui n'a pas été mêlée d'apports ultérieurs, hétérogènes, non indigènes, montre assez que ces fondateurs, et leur lignée, ne tenaient guère de la partie la plus avancée de la nation-mère, partie réinfusée de sève latine, et dont l'avènement transforma[(h)] l'esprit de la France. Ils ressemblèrent moins encore ensuite aux Français des siècles suivants.

Inévitablement se propose la comparaison entre ces fondateurs du Canada et les essaims latins qui ne parvinrent pas à conserver dans les Gaules* la langue et les idées de Rome, non plus qu'en Italie même, non plus qu'en Espagne.

Considérant la leçon du passé j'ai peu d'espoir que succède en Canada ce qui n'a jamais, autant que je sache, réussi nulle part ailleurs. Une flottille, conduite par une élite, pourra louvoyer[(i)] dans le miroitant sillage de la grande et célèbre effigie, symbole de la ville de Paris *(fig. 2)*, dont le pavillon porte fièrement, à bon droit, la fameuse devise : *fluctuat, nec mergitur*[6]. Elle la pourra suivre vers de nouvelles conquêtes. Mais je crains qu'en cette aventure notre élite, comme celle des premiers temps de la France, ne retire de cette croisière qu'un butin peu opulent et dont nos descendants diront un jour : «Ce sont là dépouilles étrangères. Elles ne peuvent entrer dans le patrimoine authentiquement canadien».

N'est-ce pas, au fond, mésestime de nos propres forces, ignorance de nous-mêmes, avec, sur l'âme, un feu d'impatience pour des œuvres de maturité alors que nous n'en sommes qu'à l'adolescence? Ne sommes-nous pas, comme l'adolescent, avides de tout sentir, de tout

[6] Traduction : il est battu par les flots, mais ne sombre pas. Devise de la ville de Paris, qui a pour emblème un vaisseau.

PARIS

Figure 2
Les armoiries de la ville de Paris. Composition héraldique originale de l'artiste Robert Louis.

comprendre, de tout lire, de tout dire, de vouloir être d'emblée rangés parmi les maîtres dans le domaine intellectuel? Ne serait-ce pas en nous aussi que nous devrions reconnaître : *ut omnium rerum, sic litterarum quoque intemperantia laboramus*[7]?

Non que cet appétit, cette avidité, soient à déplorer. Il suffira d'y mettre l'ordre. Il suffirait d'attacher moins d'importance aux nouveautés pour insister davantage, et d'abord, sur la perfection du jugement, sur la nette connaissance des valeurs vraiment humaines, afin d'apprendre à ne les pas confondre avec des modes superficielles, passagères, surtout lorsqu'elles ne sont pas nôtres. Et, dès que le jugement commence à prendre force, sa première activité devrait être tournée moins au dehors qu'au dedans. À trop étudier les autres, on oublie de s'étudier soi-même. C'est là danger plus grand pour un peuple que pour un individu. Plus encore que l'individu, il court le risque de ne jamais concevoir ce qu'il est, ce qu'il doit être, et, partant, de ne jamais être soi. Cette sorte de peuple est la naturelle proie des autres. Nous le voyons assez clairement de nos jours.

Au reste, à vouloir courir en France pour y chercher les maîtres de l'heure, qu'y ferons-nous? Les gloires d'aujourd'hui sont fragiles et plusieurs demain ne seront que cendres. Quant aux maîtres d'hier, où les chercherons-nous lorsque des Français ne parviennent point à les trouver? J'entendais récemment un jeune, qui est déjà quelqu'un, Daniel-Rops*, faire le procès de ces maîtres. Bonne pour lui, son argumentation me parut avoir pour nous plus de force encore.

Certes, héritiers de l'âme latine, héritiers, non des tendances qui prévalent en France à présent, mais de cette âme française plus haute, plus purement spirituelle qui sut, il y a trois cents ans, donner sa plus parfaite

[7] Traduction : nous nous préoccupons de l'extravagance de toutes choses ainsi que de la connaissance.

expression, nous le sommes. Et nous devons assidûment garder cet héritage.

[j] Mais ce n'est plus là-bas que nous vivons, c'est ici. Nous avons quitté les champs et la maison de nos pères pour venir sous d'autres cieux, dans un monde neuf, établir une demeure et des cultures nôtres. Ce n'est plus là-bas, c'est en nous et autour de nous qu'il faut regarder. Habitants du Canada, il a des voix siennes, nôtres aussi. Plus que celles d'outre-mer, ce sont les voix proprement canadiennes qui nous parlent, qu'il nous faut savoir entendre et méditer.

Pour la première fois, je crois, – et si du moins j'en juge d'après une analyse donnée[k] par Pierre Mackay Dansereau dans *Les Idées* – un écrivain français, André Siegfried[l], a su percevoir et assez nettement indiquer en quoi notre culture intellectuelle doit se différencier des européennes. Je n'aurai pas l'arrogance de croire qu'il n'a fait cette découverte qu'après avoir lu quelqu'un des essais où, depuis plus de quinze ans, tantôt en anglais, tantôt en français, je me suis efforcé de définir les marques distinctives, non seulement de la pensée américaine, mais de l'esprit proprement canadien. J'estime au contraire tout naturel qu'un homme sagace, et André Siegfried est assurément de ceux-là, pour peu qu'il concentrât son attention, ne pouvait point ne pas apercevoir une chose qui devenait de plus en plus évidente. Et ce m'est grand plaisir de constater, dans un sujet si important, cette coexistence et convergence d'idées entre un écrivain qui habite la France et un autre qui habite le Canada.

Or, voici deux forts raccourcis de sa vision : «L'Amérique a le contour d'une épaule solide, d'une commode massive et sans fioritures; *la nature y surplombe l'homme, qui n'est pas à l'échelle et se flatte peut-être trop tôt d'avoir vaincu les éléments*[8]». Ces derniers mots s'appliquent plutôt

---

[8] André Siegfried, *Le Canada, puissance internationale*, Paris, Armand Colin, 1937, p. 7. Cité par Pierre Mackay Dansereau, *Les Idées*, vol. V, n° 4, avril 1937, p. 254. [C'est Bugnet qui souligne.]

à nos voisins du sud, car une âme vraiment canadienne sent trop bien qu'en une vaste partie de son terrestre domaine la nature demeure invincible, repoussant impitoyablement tout homme à moins qu'il ne soit viril, simple de cœur, capable de renoncer, pour elle, aux vulgaires appétits de la commune humanité, serve des villes.

La vision devient plus claire encore lorsque M. Siegfried prévoit : «une culture canadienne qui serait anglo-française par ses origines et ses institutions, mais américaine aussi par son atmosphère géographique, *avec la nuance poétique et prestigieuse du Grand Nord*[9]». Et c'est en effet bien cela. C'est cette atmosphère de notre pays, géographiquement américaine, mais, plus précisément encore, canadienne; c'est cette ambiance, unique au monde, et que nous dissolvons[(m)] en allant ailleurs chercher nos inspirations; c'est, engendré par notre pays, ce sentiment – tout opposé à celui qui transparaît toujours dans les littératures modernes de l'Europe, comme d'ordinaire aussi dans celle des États-Unis, la nature n'y étant pour l'homme qu'une esclave dont il use et dont il abuse – ce sentiment que nous ne sommes pas en ce monde les seuls maîtres et qu'il est d'autres Puissances que la nôtre.

C'est par ce sentiment[(n)], mûri, transformé, spiritualisé au-dedans de nous, que nous pourrons apporter et laisser à l'humanité chose nôtre et qui vaille, lui rendre cette note, cette attitude antique, si longtemps perdue, plus véritablement humaine, moins vaniteuse, moins insolente, cet art si large et si profond des anciens Grecs qui savaient, eux aussi, très nettement comprendre que dominaient sur le monde d'autres influences que celle même des plus forts, des plus habiles, et des plus nobles d'entre eux.

Personnellement, dès que ma réflexion s'attache à cet admirable pays du Canada[(o)], je la sens devenir plus vaste, plus élevée, et j'éprouve une pénétrante émotion, presque

---

[9] André Siegfried, op.cit. p. 208. Cité par P.M. Dansereau, op. cit. pp. 254-55. [C'est Bugnet qui souligne.]

charnelle, comme celle d'un amant, qui me secoue tout le cœur. Ce sentiment, j'ai tâché par mes écrits d'en dessiner, à défaut d'un modèle achevé où mon talent ne saurait atteindre, du moins quelques ébauches. Mais, bien que tant de nos[p] meilleurs critiques littéraires, anglais et français (et je suis particulièrement sensible à l'opinion de juges difficiles, encore qu'indulgents, tels que Sir Andrew Macphail* et Mgr Camille Roy) aient accordé à ces[q] écrits une estime dont je fus surpris et demeure très touché; et s'ils y ont trouvé, ainsi que le résumait la concision de M. Maurice Hébert : «le frémissement de notre âme, avec une note si profondément humaine, et la forte expression de notre nature canadienne[10]»; ce n'est pas, je le sais, à moi qu'en est dû le mérite; mais à toi, Canada, terre plus forte que l'homme, à toi qui, plus encore que la France, m'as dicté ce que j'écrivis[r].

D'autres viendront qui retoucheront nos premiers essais, transformeront nos ébauches, en feront des tableaux parfaits. Et, par notre peuple devenu soi, devant notre pensée plus haute et plus ferme, devant notre art grandi par cet idéal qui ne se borne pas à l'infime petitesse d'un grain de cendre perdu dans l'univers, l'humanité de l'avenir sentira son esprit s'élever, son cœur battre de cette suave émotion des joies spirituelles où l'homme, se servant de la matière, apprend à s'en affranchir, à se hausser vers des effulgences* surhumaines, et à pénétrer dans les immensités du divin[s].

---

[10] Nous reproduisons le texte intégral de Maurice Hébert en soulignant les passages utilisés par Bugnet dans sa citation:

«Et nos meilleurs romans rendront *le frémissement de notre âme* et de notre histoire, avec la «Maria Chapedelaine», de Louis Hémon, où passe le souffle désormais consacré du pays de Québec; et le récit d'Alain Grandbois, intitulé «Né à Québec», où nous suivons la grande ombre de Louis Jolliet dans ses randonnées à travers le continent; et les ouvrages de Marie Lefranc et de Georges Bugnet, d'*une note si profondément humaine, et* où *notre nature* nordique s'exprime avec force.» *Les Lettres au Canada français*, 1re série, Montréal, Éditions Albert Lévesque, 1936, p. 33.

On me dira que nous ne pourrons jamais atteindre ces sommets avant de posséder une langue nôtre, d'en avoir une entière maîtrise.

Je ne crois pas que ce soit à la facture qu'il faille attacher prime importance[(t)]. Homère n'écrivit point à la façon de Platon. Lucrèce ne put se servir du style de Virgile. Montaigne s'est exprimé tout autrement que Bossuet. Tous ont cependant fait œuvre que l'élite des hommes ne se lasse jamais de lire et de relire. Et d'autres, qui ont composé des ouvrages en un grec, un latin, un français tout aussi pur que celui des maître, n'ont point survécu. La valeur est dans l'esprit plus que dans la forme[(u)]. Le grand écrivain apparaît dès qu'il se dégage assez du commun pour être soi, penser d'une manière sienne et savoir écrire en calquant les mots, non sur le discours d'autrui, mais sur son idée propre.

Et si l'on m'objecte encore qu'il y faut du moins, et d'abord, l'autonomie politique et économique, je pourrais citer nombre d'exemples contraires. Un seul, analogue à celui de Socrate, y peut suffire. André Chénier[11] créa la plus noble et la plus belle de ses œuvres, maître de soi, autonome, dans la prison dont la porte s'ouvrait sur l'échafaud. Et, même quand[(v)] il s'est agi de tout un peuple, on en vit qui jamais ne furent tant eux-mêmes que lorsqu'ils se trouvèrent dans l'extrême oppression.

Encore une fois[12] : ce n'est pas ailleurs qu'il nous faut chercher notre âme. Elle est en nous.

Et elle est ici. Avec nous-mêmes, ce que nous devons étudier c'est cette terre qui est nôtre. Ses influences sont et seront toujours pour nous, comme le sont pour un

[11] André Chénier, poète français (1762-1794). D'abord poète de la Révolution libérale, il s'indigne contre les excès de la Terreur et collabore à la défense de Louis XVI. Arrêté en mars 1794, il est incarcéré dans la prison de Saint-Lazare où il écrit ses plus beaux poèmes. Il est guillotiné le 25 juillet de la même année.

[12] Conclusion à comparer avec celle de «la Forêt», texte n° 16.

arbre le sol et le climat qu'il habite, plus fortes que toutes les autres. Si nous avons apporté de France[w] des semences, et il n'en est guère de meilleures, c'est à nous de les cultiver suivant des méthodes nouvelles. Nous ne récolterons pleinement qu'en faisant de notre domaine et de notre esprit une entité complète, comme le sont le corps et l'âme.

Alors – et j'y insiste, et le répète, creusant encore une fois le sillon – alors, au lieu d'imiter l'Européen dans son perpétuel souci d'examen des luttes, des maladies de la société, des tares, des vices[x] les plus sordides de l'humain microbe qui, sous prétexte de civilisation, dévaste la Terre et soi-même, alors, peut-être, donnerons-nous à nos semblables l'exemple d'une humanité qui sache respecter les richesses et la beauté de sa demeure, qui sache révérer les subtiles puissances de la nature, qui se sente, non point l'impitoyable dominatrice du monde, mais la régente soucieuse, responsable, d'un État, précieuse parcelle de l'univers, disposé pour elle dès la pointe des temps par un amant mystérieux, presque timide, et qui, ne voulant pas s'imposer de force, ne se révèle que par ses dons.

Ainsi, peut-être, pourrons-nous atteindre à un esprit proprement canadien. Nourri des invisibles affinités entre le sol et les âmes, cet esprit devrait savoir édifier et léguer aux siècles futurs, et pour soi et pour les autres peuples, des arts noblement virils où, comme chez les anciens Grecs, le spirituel fasse reluire sur toutes choses matérielles, ainsi que le scintillement des étoiles sur les moires d'un fleuve ou d'une mer, les reflets de ces clartés qui ne sont point l'œuvre des hommes.

Variantes

[a] V.O. : dans son **récent** ouvrage ...

[b] V.O. : Grâce au discernement de M. Albert Pelletier, directeur de cette revue, grâce à son intrépidité ...

[c] V.O. : j'ai pu faire paraître **ici** plusieurs **articles** ...

[d] V.O. : ces **articles**...

[e] V.O. : pour **la très grande** estime ...

[f] Le mot «voisins», ajouté à la version originale.

[g] Le qualificatif «beau», ajouté à la version originale.

[h] V.O. : dont l'avènement **vers la fin du XVIIe siècle** transforma...

[i] V.O. : pourra **tanguer**...

[j] Paragraphe requis par l'auteur dans le manuscrit.

[k] V.O. : une analyse donnée **en avril dernier**, par...

[l] V.O. : André Siegfried, **dans un livre récent**,...

[m] V.O. : que nous **étouffons**...

[n] V.O. : C'est par ce sentiment-**là**...

[o] V.O. : **cette** admirable **terre** du Canada...

[p] V.O. : tant de **mes** meilleurs critiques...

[q] V.O. : à **mes** écrits...

[r] V.O. : m'as **fait don de ce que je suis**.

[s] V.O. : effulgences surhumaines, **pour communier au divin**.

[t] V.O. : qu'il faille attacher **la** prime importance.

[u] V.O. : La valeur est dans l'esprit, **non** dans la forme.

[v] V.O. : Et, même il s'est agi...

[w] V.O. : Si nous avons apporté **d'Europe**...

[x] V.O. : des tares, des **vies** les plus sordides...

15. Une grande âme[1]

Daigne la Vénérable Madeleine de Saint-Joseph hausser mon esprit et diriger ma parole!

Il suffit de parcourir quelques-uns des articles parus dans le *Canada Français* des années 30 pour s'apercevoir de la vogue de l'hagiographie et des rapports de livres sur les religieux.

Bugnet, dans ce texte, fait lui aussi un compte rendu d'un ouvrage, sans nom d'auteur, intitulé *La Vénérable Madeleine de Saint-Joseph*. Compte rendu auquel il ajoute ses commentaires personnels sur la grandeur, l'importance et la permanence des œuvres accomplies par les religieux et religieuses. [THÈMES : Spiritualité. Religion.]

Il n'est point très difficile à un païen, encore moins à nous, chrétiens, d'imaginer que la vie du monde ne se réduit pas à notre infime Terre, ni à l'agitation d'une éphémère poussière humaine qui n'est, en regard du temps et de l'espace, qu'une impondérable quantité.

L'historien qui, de haut, mesurerait l'humanité pour ce qu'elle vaut dans l'univers matériel devrait, afin d'y verser quelque ampleur, ajouter aux quantités la qualité, infuser dans le périssable, comme l'âme informe le corps, une substance constante, impérissable, celle du spirituel.

Nos historiens nous ont assez bien buriné les faits et gestes de ces ancêtres français qui ont importé en Canada

[1] *Le Canada Français*, vol. XXIV, n° 8, Québec, avril 1937, pp. 778-783.

les notions d'une plus pleine façon de vivre inconnue avant eux dans cette partie du Nouveau Monde[(a)]. Mais il reste encore, je crois, à méditer et composer la maîtresse œuvre où surtout brilleraient les origines spirituelles de notre pays. Peut-être même devrais-je dire : les origines surnaturelles.

Il est un livre[2(b)] où l'intelligence de ces origines, non politiques, non matérielles, frappe l'esprit de nouvelles et plus vives clartés.

Si d'autres ouvrages nous ont appris ce que nous devons à des cœurs d'élite qui ont apporté, de l'ancien monde au nouveau, des richesses naturelles et surnaturelles, celui-ci les complète en nous révélant une âme, une très grande âme, moins connue, inconnue peut-être, de la plupart d'entre nous.

Et pourtant c'est elle, Madeleine de Saint-Joseph, active et forte génitrice, qui, correspondant directement avec les premiers missionnaires venus en Canada, se chargeait chaque année, avant le départ de la flotte, de quêter «tout l'argent qu'elle pouvait» et de recueillir «de toutes parts des petits meubles». Si son zèle lui valait des refus et «quasi des affronts», elle disait : «Ne faut-il pas souffrir quelque chose pour gagner un pays à Jésus-Christ?»

Dans les *Relations** de 1636, le Père Paul Le Jeune donne cette partie d'une lettre de la Vénérable :

---

[2] *Note de Bugnet. La Vénérable Madeleine de Saint-Joseph.* On peut se procurer ce volume en s'adressant à la Révérende Mère Prieure du Carmel, 3, rue de l'Est, Clamart (Seine), France.

Bugnet n'ajoute pas la date. Probablement imprimé à compte d'auteur, cet ouvrage doit dater d'avant la fin de l'année 1935 puisque ce texte de Bugnet avait déjà paru dans *la Survivance*, le 11 décembre 1935.

Nous accompagnons vos travaux de nos petites prières, particulièrement vers la Sainte-Vierge à qui nous sommes dédiées, vers notre Père Saint-Joseph, notre Mère Sainte-Thérèse, les Anges du pays où vous êtes, afin que leur force et leur puissance soient avec vous.

Un an plus tard, il écrit que «tout ce saint Ordre prend les armes pour nous avec une telle ardeur[c] que j'en suis tout confus».

Et ce même Père Le Jeune déclarait en 1648 : «Madame la duchesse d'Aiguillon est reconnue pour fondatrice d'un si grand ouvrage (l'Hôtel-Dieu, à Québec) mais la Mère Madeleine de Saint-Joseph est tenue, après Dieu, pour la première motrice et la vraie mère de cette œuvre». Assurément celui-là, qui n'ignorait pas que la duchesse d'Aiguillon était nièce du grand Richelieu, savait mettre le temporel à son rang.

Madeleine du Bois (1578-1637), fille d'Antoine du Bois et de Marie Prudhomme, après une jeunesse sage, sérieuse, se sentit appelée au premier établissement que fondaient en France, dans Paris, des Carmélites venues d'Espagne : le Carmel de l'Incarnation. Entrée en 1604, elle y fut novice un an, maîtresse des novices de 1605 à 1608, puis élue prieure, devenant ainsi la première prieure française du premier monastère, en France, des Carmélites Déchaussées[3]. Elle est réélue en 1611, quittant sa charge en 1615. Peu après un autre monastère étant installé à Paris,

[3] L'ordre des Carmes reçut une règle de saint Albert en 1205, une règle modifiée d'Innocent IV en 1247 et une règle mitigée d'Eugène IV en 1431 qui dura jusqu'à la règle réformée de sainte Thérèse d'Avila en 1580. Les carmes et carmélites, selon qu'ils suivent la règle primitive, mitigée ou réformée, sont désignés respectivement par le qualificatif «observantins», «chaussés» et «déchaux, ou déchaussés».

on lui en remet la direction. Elle est rappelée au «grand couvent» en 1624 et ce nouveau priorat dure jusqu'en 1635. Deux années encore d'une vie intense et calme, dans la prière, les travaux et les souffrances, puis la mort l'emporte, le 30 avril 1637.

Tous les Carmels de France fêteront ce tricentenaire.

Du sec résumé que je viens de présenter nul ne pourrait déduire la richesse du livre, non plus que la vue d'un squelette ne permet d'imaginer le complet dessin du corps. Mais je puis assurer que, de ces données, l'auteur a façonné une œuvre vraiment grande et belle, vivante. Si j'ajoute que le cardinal Verdier, archevêque de Paris, en écrivit la préface, ce devrait être, je pense, suffisante garantie. Voudrait-on quelque chose encore?... Couronné par l'Académie française?... Eh bien, c'est déjà fait.

Mais l'auteur? Qui est-ce?

L'auteur n'a point voulu signer. Je respecterai donc cette humilité et tairai le nom. Toutefois je prends liberté de déclarer que l'ouvrage est dû à une Carmélite, fille spirituelle, en ce même Carmel de l'Incarnation, de celle dont, après un long labeur, elle nous présente un nouveau portrait, achevé.

Car, déjà, il en existait deux. Une première biographie «par un prêtre de l'Oratoire» était publiée dès 1645. En réalité deux auteurs y avaient pris part : le Père Gibieuf, mieux renseigné, et le Père Senault, meilleur styliste. Un peu plus tard, un autre oratorien, le Père Jacques Talon, aidé de nombreux témoignages, écrivit une *Vie* plus complète. Elle parut en 1670.

Composés, comme l'on composait en ces temps-là, en s'adressant surtout à la raison chez des âmes plus simples et plus fortes que les nôtres, ces livres ne s'attachent qu'à l'essentiel, à l'intime, à l'interne, sans grand souci de l'externe. Ceci ne les empêchait point, en ce sérieux dix-septième siècle, d'obtenir large succès. D'ailleurs, vivant à la même époque, le lecteur pouvait aisément reconstruire un décor qui, astheure*, nous est à peu près invisible.

Élargissant les travaux de ces premiers écrivains, y ajoutant une foule de manuscrits authentiques, recréant le décor perdu avec toute l'exactitude où puisse atteindre la plus scrupuleuse histoire, l'auteur du présent ouvrage parvient, sans exagérer le culte du physique, du sensoriel, où se complaît de nos jours la décadence littéraire, à intéresser si vivement qu'on se laisse bientôt emporter dans un monde merveilleux.

Le romantisme (et il est loin d'être mort) avec sa débauche d'imagination a complètement déformé aux yeux du public l'aspect des siècles précédents et, notamment, du dix-septième siècle. La plupart des historiens eux-mêmes, n'ayant pas la taille des hommes qu'ils étudiaient, n'en ont su voir que les gestes, les figures, l'externe. Les portraits des plus illustres, ils les ont réduits à leurs subjectives conceptions. Ils ont laissé de côté ce qu'ils ne comprenaient point : les plus intimes puissances, les âmes. Vouloir peindre le grand siècle en teintes purement politiques, terrestres, c'est à peu près comme si l'on tentait d'expliquer l'épique aventure de l'Islam sans y percevoir le ferment spirituel.

On a comme l'impression d'un crépuscule qui se changerait en lever de soleil lorsque, dans le livre dont je parle, on rencontre autour de Madeleine de Saint-Joseph, lui demandant conseils et prières, lui prêtant leur influence, de célèbres personnages qui, auparavant, n'étaient que silhouettes et qui, soudain, s'illuminent d'une lumière où ils apparaissent vrais, doués de vie.

Voici, tout ardent de projets, un jeune aumônier de vingt-huit ans, qui deviendra cardinal de Bérulle*. Voici la noble femme qu'on appelait alors madame Acarie*. Voici, auprès de son frère le Commandeur, le marquis de Sillery, chancelier de France; et cet autre fameux chancelier, Michel de Marillac. Voici des reines, et fort dissemblables : Marie de Médicis; Henriette de France, qui marche vers ce trône d'Angleterre d'où roulera la tête de son mari; et Anne d'Autriche. Ces deux dernières surtout étaient fort liées par l'âme avec la prieure du Carmel[d]. Et voici encore le puissant Richelieu, qui, acceptant le rôle de protecteur des carmélites en France, consent, lui que l'on estime si autoritaire, à n'être que leur dévoué serviteur.

Mais, évidemment, entre toutes ces âmes, celle que l'auteur nous recrée avec le plus de plénitude et d'intensité, c'est l'âme de Madeleine de Saint-Joseph. Peut-être pourrait-on reprocher parfois à la plénitude de nuire à l'intensité. Peut-être y a-t-il aussi quelque propension, comme chez presque tous les hagiographes*, à trop désincarner, à déshumaniser le sujet étudié; et l'on se sent dans un domaine moins inaccessible lorsqu'on surprend les novices carmélites, et Madeleine avec elles sans doute, coupables, comme des personnes ordinaires, d'un innocent accès de fou rire, encore que la cause n'en soit point expliquée. Ainsi, n'imaginez donc pas que cette *Vie* soit d'une gravité rebutante. Loin de là. Tout esprit quelque peu sérieux la lira, pressé de poursuivre, sans la moindre fatigue. L'intérêt y est soutenu, fort et varié, jusqu'aux dernières pages. Il s'y rencontre une foule de passages où la pensée plane dans un monde autrement vaste, autrement admirable, autrement constant que celui qui compose, sur la croûte terrestre, l'ordinaire existence de nos instables fourmilières. Souvent, et tout naturellement, l'élévation des idées entraîne un misérable cœur à prier, afin d'obtenir un peu de ce que la grande âme de Madeleine savait si largement acquérir à force de patient courage.

Il m'est impossible, en si brève étude, de pénétrer au détail d'une œuvre si haute, si dense et si complexe. Mais, entre tant de paroles qui m'ont le plus porté à réfléchir, – peut-être parce qu'elles mettent en clarté une perfection difficile : la simplicité, dont, je crois, nous nous éloignons chaque jour davantage – j'en glanerai quelques-unes et les offrirai comme ultime gerbe.

Voici (page 131) unie à l'incommensurable grandeur l'extrême simplicité :

Il s'agit d'une novice carmélite, Catherine de Jésus. Lorsque la Mère prieure l'allait voir dans sa cellule et lui demandait : «Que faites-vous?» elle répondait d'ordinaire : «Je regarde Dieu qui remplit ceci.» Et puis elle se taisait... Qu'est-ce que toute notre humaine sagesse, toutes nos terrestres agitations, en face de cet amour qui, si naturellement et si paisiblement, incorpore sa petitesse dans l'éternelle Immensité?

Voici encore (pages 371-373) d'autres traits : il y avait dans un monastère deux jeunes religieuses dont l'une avait plusieurs visions de Notre-Seigneur, de la Vierge, et autres effets[(e)] extraordinaires; et l'autre n'avait rien de tout cela. Pourtant c'était celle-ci que préférait la Vénérable prieure, et la suite lui donna raison. Elle écrivait aussi à une autre prieure :

> *Vous savez ce qui est dit de notre Mère sainte Thérèse : qu'elle n'avait pas été récompensée au ciel pour ses ravissements, mais bien pour ses travaux. Enfin, ma Mère, nous ne voyons point que le Fils de Dieu ait promis de donner le ciel à ceux qui ont des pensées sublimes, des lumières extraordinaires, des visions ou des extases; mais nous voyons qu'il l'a promis aux pauvres d'esprit, aux miséricordieux, aux débonnaires, et à ceux qui souffrent persécution pour son amour...*

Elle-même travaillait sans cesse à rabaisser son esprit au dénuement le plus complet, se regardant comme «la boue des rues ou chose très immonde, sur laquelle repose une très grande pureté».

Et voici enfin, pour ceux qui estiment comme une richesse l'éminence des dons et des grâces, une parole vraiment terrible :

Madeleine disait que «ces paroles de Notre-Seigneur qu'il est plus facile qu'un chameau passe par le pertuis d'une aiguille qu'un riche entre au royaume de Dieu[4], s'entendaient aussi bien des richesses spirituelles que des temporelles».

Lorsque après lecture d'une œuvre si haute il faut lourdement reprendre pied au milieu de nos incessantes luttes entre humains microbes[(f)], rentrer dans la mêlée et tâcher de n'y point[(g)] demeurer inutile, deux conclusions au moins me semblent, pour notre gouverne terrestre, assez évidentes.

D'abord, que si la France, au temps où elle engendra le Canada, était nation si robuste, si virile, c'est qu'elle s'alimentait abondamment de spirituelles nourritures.

Secondement, que nous pousser, comme on le fait tant à présent, vers l'admiration des esprits dits positifs, pratiques, et au dédain des mystiques[(h)], c'est faire preuve de jugement court et de savoir rabougri.

S'il m'était donné de vivre aussi longuement que Mathusalem (ceci est supposition, non souhait), je ne serais pas surpris, vers l'an deux mille huit cent, de trouver encore florissants les Ordres franciscain, jésuite, carmélite, alors que l'empire britannique et les républiques des soviets n'existeraient plus qu'à l'état de gros volumes, à l'usage des savants[(i)], sur les rayons des bibliothèques, et de petits manuels à l'usage des écoliers, qui bâilleront sur

[4] Dans l'Évangile selon Matthieu, 19.24.

tout ce qui nous semble, astheure, de la plus extrême importance.

Car enfin, à moins d'être aveuglé par le parti-pris, tout homme qui sait l'histoire des sept ou huit derniers siècles peut faire cette constatation : alors que tant d'esprits[(j)] loués pour leur sens pratique n'ont guère installé que de l'instable, ces mystiques : François d'Assise, Ignace de Loyola, Thérèse d'Avila, Madeleine de Saint-Joseph, ont bâti des œuvres qui non seulement demeurent, mais vivent, mais s'accroissent, en dépit de toutes les tempêtes.

Variantes

a Cette fin de phrase : «inconnu avant... Nouveau Monde», a été ajoutée à la version originale.

b La note de Bugnet, dans l'édition originale, donnait : *La Vénérable Madeleine de Saint-Joseph.* On peut se procurer ce **beau** volume **de 600 pages (prix, 30 francs)** en s'adressant à la Révérende Mère Prieure du Carmel, 3, rue de l'Est, **Cité Boigues**, Clamart (Seine), France.

c V.O. : avec une telle ard**ent**...

d Anne d'Autriche **: c**es deux dernières surtout...

e V.O. : et autres **choses** extraordinaires...

f V.O. : **au milieu des tumultes de la fourmilière humaine**...

g V.O. : tâcher de **ne point y** demeurer inutile...

h V.O. : au dédain **du «mystique»**,...

i V.O. : n'existe**ront** plus qu'à l'état de gros volumes... Les mots «à l'usage des savants» ont été ajoutés.

j. V.O. : alors que **les** esprits...

16. «La Forêt»[1]

En 1935 paraît le roman *La Forêt*. Certains critiques ont comparé de nouveau Georges Bugnet à Louis Hémon, ce qui ne semble pas avoir plu à notre auteur. Il revient donc sur ces critiques en 1940 et nous donne, dans ce texte, ses propres commentaires sur son œuvre (voir aussi le texte n° 6, *Canadiana*). [THÈMES : Classicisme. Identité canadienne. Nature. Roman. Spiritualité.]

Lorsque parut *Nipsya*[2] en français, puis en anglais, les critiques, sauf, je crois, le très judicieux Mgr Camille Roy, l'ont comparé à *Maria Chapdelaine*.

L'auteur en fut d'abord aussi surpris que flatté. Il avait composé et presque achevé d'écrire cet ouvrage lorsque le chef-d'œuvre de Louis Hémon lui parvint[3]. Il n'en pouvait donc avoir subi l'influence. Il trouva pourtant non dénuée de justesse l'opinion de Sir Andrew Macphail, qui connaissait bien le Canada tout entier : «Le seul souci de Louis Hémon est de révéler le cœur de Maria Chapdelaine. Si Georges Bugnet nous découvre avec un égal succès le cœur de Nipsya, il le fait moins adroitement. Hémon ne voit les choses qu'à travers les yeux de Maria, et celles seulement qui sont en contact immédiat avec la tragédie dans cette âme. Bugnet, lui, voit trop. Les deux œuvres marchent

---

[1] *Le Canada Français*, vol. XXVII, n° 5, Québec, janvier 1940, pp. 389-401.

[2] La version originale parut à Montréal en 1924, sous le pseudonyme d'Henri Doutremont.

[3] *Maria Chapdelaine* parut dans «le Temps» (Paris), 27 janvier-19 février 1914, puis en éditions posthumes en 1916 (Canada) et en 1921 (France).

avec les mois et les saisons de l'année. Les glaces s'en vont, le printemps vient, les fleurs apparaissent, les champs sont semés, la récolte amassée, puis revient l'hiver. Toutes ces choses extérieures Bugnet les peint mieux encore qu'Hémon. Il nous révèle un monde plus neuf avec une plus forte intensité[4].» – L'auteur dut convenir qu'à le prendre ainsi on pouvait lui trouver quelque ressemblance avec Louis Hémon; mais il reste que cette ressemblance est plutôt superficielle, que Maria et Nipsya ne sont pas même sœurs, et qu'au point de vue artistique la figure de Maria Chapdelaine est bien autrement parfaite, bien autrement émouvante que celle de Nipsya.

En outre, avant de connaître Hémon, l'auteur avait écrit *Le Pin du Maskeg*[5] qu'il considère encore comme son œuvre la plus caractéristique, la plus distinctement canadienne.

Depuis ce temps-là il eut tout loisir d'examiner en quoi il ressemblait à Louis Hémon et en quoi il ne lui ressemblait pas. Et il acquit la conviction que, comme romancier, il est bien inférieur à Hémon; qu'il n'avait rien à gagner en cherchant à se rapprocher de cet écrasant

---

[4] Cette citation a été traduite par Bugnet. Ci-dessous le texte original de Macphail:

«Louis Hémon does none of these things: his concern alone is to unlock the heart of Maria Chapdelaine. Georges Bugnet has with equal success unlocked the heart of Nipsya, the Cree maiden; but he has done it less deftly, more clumsily.

His observation of external nature is more penetrating than Hémon's, more detailed, and is described with equal beauty; but Hémon sees all things through the eyes of Maria, and only such things as have an immediate bearing upon the tragedy of her heart. Bugnet knows too much. In «Yoking the Oxen,» one becomes more interested in the oxen than in Nipsya who is standing by. Both books move with the months and the seasons of the year. The climate is the same; the ice goes; the spring comes; the flowers appear; fields are sown and the harvest reaped; food is gathered, and winter comes again. All these external things Bugnet does even better than Hémon. He reveals a newer world with a greater intensity.»

Sir Andrew Macphail, «Child of Celt and Indian», *Saturday Night*, Christmas Literary Supplement, Toronto, November 30, 1929, p. 1.

[5] Paru pour la première fois dans *Le Canada Français*, octobre-novembre 1924, sous le pseudonyme d'Henri Doutremont.

modèle; qu'il aurait tout bénéfice à suivre ses propres aptitudes.

Or, longtemps après, lorsque parut *La Forêt*, beaucoup de critiques mirent cet ouvrage aussi en comparaison avec *Maria Chapdelaine*.

L'écrivain en fut encore plus surpris que la première fois. Il lui fallut derechef analyser et méditer, pour en arriver d'ailleurs à la même conclusion. Seulement, dans l'intervalle, l'Ouest s'était éveillé et plusieurs voix avaient parlé; voix moins retentissantes, moins écoutées que celles de Québec et d'Ontario, mais non sans autorité. Elles confirmèrent sa personnelle conviction.

Les critiques littéraires de langue française étant fort rares dans l'Ouest, je n'en puis citer qu'un, mieux connu comme probe historien, Donatien Frémont*, et, sur *La Forêt*, voici son jugement : «C'est bien un roman mais peut-être pas au sens où l'entend le commun des lecteurs. L'œuvre s'impose... Elle plaira surtout aux lecteurs familiers avec la vie de l'Ouest qui y trouveront maintes scènes vécues et des personnages typiques...». Il ne fait aucune mention de Louis Hémon. – Parmi les Canadiens de langue anglaise, le président de l'Université d'Alberta, M. W. Kerr[6], écrivit ceci : «Pour ceux qui connaissent le Canada de l'Ouest le poignant récit de Bugnet donne la note vraie. On ne pourrait guère imaginer rien de plus opposé aux emphases et aux fantaisies de certaine littérature précédente[7].» Un autre, M. A.B. Watt[8], rédacteur d'un des plus

---

[6] William Alexander Robb Kerr a été président de l'Université de l'Alberta du 1er juillet 1936 au 30 juin 1941. Lorsqu'il a écrit ce compte rendu, il était encore Doyen de la Faculté des Arts et des Sciences, à la même Université.

[7] Cette citation est également une traduction de Bugnet. Voici le paragraphe original de Kerr :

«It is certainly a relief to turn to an author who has some respect for his reader's time. The poignant story of *La Forêt* is told in less than 250 pregnant

importants journaux de l'Ouest, résumait ainsi son opinion : «Aucun n'a su peindre dans l'Ouest la vie de notre pays avec des tonalités plus vives et, ce qui est tout aussi important, plus exactement vraies.» Et ni l'un ni l'autre ne parla de Louis Hémon.

Il arrive ainsi fréquemment que sur le même objet, suivant l'éloignement ou la proximité, les jugements sont plus ou moins diversement motivés. Combien, par exemple, en Europe, s'ils écoutent le célèbre «Indian Love Song*» peuvent déceler[(a)] qu'on y entend les plaintives modulations du loup des prairies[(b)]?

Pour Hémon, tout le monde en France accorde à *Maria Chapdelaine* une perfection à peu près sans défaut. Dans Québec, le lecteur, en général, malgré toutes les objurgations*, et tout en admirant l'extraordinaire beauté de cet ouvrage, ne parvient point au même total assentiment. Il me semble en avoir perçu depuis longtemps l'explication : si superbe que soit le tableau, le Canadien y sent une teinte qui le heurte. Mais quelle teinte? On en a cité plusieurs, souvent bien à tort. Peu, je crois, ont discerné celle qui, en[9] Canada, et en Canada seulement, semble nettement contraire à la réalité.

---

pages. To those who know the Canadian West, M. Bugnet's tale has the ring of reality. He reflects humanely but unflinchingly the hard actuality of the conditions that face the new settler. Anything more different from the fantastic puffery of pre-war immigration literature could hardly be imagined.»

Dean W.A.R. Kerr, University of Alberta, «Georges Bugnet's 'La Forêt'», *The Edmonton Journal*, Wednesday February 12, 1936, p. 4.

8 Après avoir été reporter pour plusieurs journaux de l'Ontario, A.B. Watt s'installa en Alberta en 1905 où il créa et publia divers journaux locaux dont le *Edmonton Saturday News*. En 1912, il devint le rédacteur associé de l'*Edmonton Journal*; puis son rédacteur en chef de 1921 à 1945.

9 *Note de Bugnet*. J'y insiste et persiste [formule rajoutée au manuscrit]. Sur des lèvres canadiennes, **en** Canada paraît plus conforme au génie français que : **au** Canada. La langue française n'emploie **au** devant un nom de pays masculin et commençant par une consonne que lorsqu'il s'agit de contrées étrangères. Quand il parle d'un pays qui est sien, un Français dit : en Roussillon, en Berry, en Dauphiné, en Languedoc, etc.

À ce propos, voir texte n° 9, note 4.

Entre les Français de France et les Français du Canada, au point de vue littéraire, il y a, surtout, cette dissemblance : alors que ceux-là ont été atteints du romantisme, dont ils reviennent du mieux qu'ils peuvent, ceux-ci, dans l'ensemble, en sont restés, en littérature comme en l'ordinaire de leur vie, au classique. Par là s'expliquent plusieurs mésententes et, notamment, celle dont il s'agit ici.

Alors que les classiques accordaient la primauté à la raison, les romantiques firent davantage appel au sentiment, à la sentimentalité, ou, plus exactement encore, aux sensations. Quand les partisans du romantisme nous viennent dire que c'est lui qui a redécouvert le sentiment de la nature, ce me semble un quiproquo. Le sentiment de la nature, plein, élevé, profond, on le trouve dans Pascal contemplant les deux infinis. On le trouve encore dans Chateaubriand, mais commençant déjà à rechercher son aliment moins par l'intelligence que par les sens. Peu à peu, dans ce recours au sensuel ou sensoriel, on en vint jusqu'à dédaigner le réel pour lui préférer le «poétique». Car, en dernière analyse, pour le «poétique», il importe peu qu'il soit raisonnable, qu'il provienne du vrai ou du faux; l'essentiel est qu'il suscite un sentiment, une rêverie, ou simplement une sensation, et il serait peut-être plus juste de dire : «l'émotif», prose émotive, plutôt que prose poétique[c]. Or les classiques, ne sachant point aussi bien que les romantiques apprécier ce qui s'écarte du raisonnable, aimant mieux voir les choses telles qu'elles sont, préfèrent habiter la réalité.

En lisant Hémon, comme en lisant Loti, un Canadien éprouve, sans bien savoir le comment ni le pourquoi, qu'on le caresse parfois à rebrousse-poil. C'est qu'il lui manque ce «sentiment de la nature» tel que l'ont développé les romantiques. Américain, viril, peu enclin aux sombres voluptés d'un cœur mélancolique, il ne perçoit pas du tout que ce soient les choses qui se doivent mettre à l'unisson de ses pensées, ni, même s'il est triste, que toute la contrée s'en doive aussitôt recouvrir d'un voile austère ou funèbre. En somme, la différence entre le Canadien et le Français est assez semblable à celle qu'on pourrait établir entre Daniel de Foë (sic) et Louis Hémon si celui-ci s'était avisé d'écrire un Robinson Crusoé. Il eût certes fait plus émouvant. Aurait-il fait plus raisonnable et plus vrai? La réponse demeure douteuse.

Mais enfin, il n'est pas douteux que dans le monde entier, et même en Canada, *Maria Chapdelaine* demeure l'un des plus beaux chefs-d'œuvre de toutes les littératures.

C'est en bonne partie de ces pensées qu'est sortie *La Forêt*.

Après *Le Pin du Maskeg*, après *Nipsya*, l'étude de Louis Hémon indiquait nettement la voie. Jusqu'en France, ceux qui connaissent bien le Canada peuvent aisément comprendre, comme l'a fait M. André Siegfried, qu'en Amérique «la nature surplombe l'homme, qui n'est pas à l'échelle et se flatte peut-être trop tôt d'avoir vaincu les éléments[10]».

Cela date de loin. Bien avant Hémon, nombre d'écrivains plus ou moins bons l'avaient senti. Chez les «États-Uniens», à n'en citer qu'un, Jack London* avait déjà montré quel dur adversaire est la nature dans les régions du nord. En Canada, dans tant de nouvelles où le héros, membre de la fameuse «Police montée*» du Nord-Ouest, pourchasse un bandit, ce n'est pas le criminel qui met son courage à la plus rude épreuve, mais bien toutes les embûches que lui tend le pays, surtout en hiver. Et, dans tant de romans sur les défricheurs de l'Ouest, c'était encore et

---

[10] André Siegfried, *Le Canada, puissance internationale*, Paris, Armand Colin, 1937, p. 7. Cité par Pierre Mackay Dansereau, *Les Idées*, vol. V, n° 4, avril 1937, p. 254.

presque toujours la nature qui leur était pire ennemie. Seulement, à peu près tous ces écrivains provenant de la république voisine ou d'Angleterre, après la lutte grandiose survenait la grandiose victoire. Avec Louis Hémon, dont le génie perçut plus clairement la réalité, si c'est encore la victoire, elle n'est plus guère que spirituelle, et beaucoup moins orgueilleuse.

Mais, à regarder les faits, dans le passé comme astheure*, ce combat de l'homme contre la nature canadienne – et il demeurera longtemps encore actualité – où trouve-t-on qu'il ait été bien victorieux? Sans entrer dans un trop large débat sur les faillites[(d)] de notre civilisation présente et pour nous en tenir au sujet même de *La Forêt*, combien y a-t-il de pionniers dont les succès ont compensé les peines[(e)]? Le pire est que, durant des années et des années, dans une ruée de frénésie, on a tiré d'Europe, par centaines de mille, et lancé dans le Nord-Ouest sur des terres lointaines et inhospitalières, des hommes, des femmes et des enfants, incapables de supporter des labeurs et un climat où seuls les plus robustes ne reculent pas. La statistique, paraît-il, affirme, et l'expérience de tant d'années le confirme, que sur vingt hommes quatre seulement ont pu se maintenir au terrain qu'ils avaient choisi. Et combien de drames avant et après l'abandon! Heureusement, et c'est une assez singulière coïncidence, depuis la publication de *La Forêt*, il semble qu'on apporte beaucoup plus de souci dans le choix et le placement des colons. Si cet ouvrage en est une des raisons, il n'aura pas été écrit en vain.

L'un de ceux qui ont pu se maintenir et témoin immédiat de tant de désastres, l'auteur, y voulut attirer les regards. En même temps, il a cru que la postérité pourrait trouver utile enseignement dans un tableau à la fois assez particulier pour capter l'attention et assez général pour qu'on se puisse faire une exacte idée du pays et des difficultés qu'avaient à surmonter la plupart des défricheurs. Le but était de laisser, non point précisément un roman, mais un document, et de telle nature que plus tard, beaucoup plus tard, le lecteur des ouvrages écrits de nos jours se demandant lesquels étaient les plus véridiques, et confrontant les diverses images afin d'y découvrir la réponse, en trouvât entre autres un où l'authentique réalité parût n'avoir subi à peu près aucune de ces transformations ou déformations dues à des procédés littéraires ou à de personnelles impulsions.

Il y fallait donc éviter l'autobiographie. Il y fallait aussi éviter des portraits trop dominants. Le lecteur en aurait conclu que, même vrai, un tel cas était individuel, exceptionnel, ou idéalisé. Il n'y pouvait entrer que des personnages ordinaires ou du moins peu remarquables afin qu'on puisse aisément deviner que leur aventure devait être chose commune. Pourtant, il ne les fallait point non plus incolores. Un livre trop fade aurait été jeté dans l'oubli.

Il y avait par ailleurs la ressource, même avec des personnages sans relief, de leur en prêter au moyen d'une série d'événements pathétiques. Et certes il eût été facile, sans manquer à la vérité, de rehausser le récit par cette sorte d'incidents; tels, par exemple, ces terribles feux de forêts qui presque chaque année font d'affreux[f] holocaustes, telles ces mortelles tempêtes de vent et de neige, ces débâcles des glaces sur nos grands fleuves, ces descentes de rapides, dont quantité de bons artistes ont déjà su tirer parti. Mais alors c'était glisser vers le romanesque et, par là, devenir moins probant. Le but étant de tracer une image assez complète, claire, véritable, plus véritable même que l'histoire qui, trop concise, engendre souvent des figures vagues ou fausses, l'écrivain devait savoir maîtriser sa propre effervescence créatrice, éliminer tout ce qu'on pourrait estimer romanesque, s'en tenir à la plus ordinaire réalité, à une vérité qui ne suscitât aucun doute.

En cela, le but, apparemment, est atteint puisque personne n'a mis en question cette véracité et que les critiques les mieux placés pour en juger s'accordent à dire que ce livre donne la note vraie.

Mais dans toute œuvre littéraire il ne suffit pas de mettre au monde une intellectuelle créature ni de savoir par quels moyens la faire se mouvoir et parler. Pour qu'elle atteigne un rang hors du commun, il lui faut une mise de haut goût, voire une parure distincte. Or, en Canada surtout, cet art du vêtement littéraire est fort contesté. Les uns, s'ils sont de race française, sont portés à imiter les modes de Paris. Les autres, de race anglaise, opinent pour les façons de Londres ou... de New-York. Quelques-uns estiment que notre littérature, au lieu de s'habiller à la française ou à l'anglaise le devrait faire à la canadienne. L'auteur de *La Forêt* a pensé qu'en effet cette dernière manière conviendrait mieux à une œuvre qu'il s'efforçait de rendre précisément canadienne.

Seulement, cette manière, qu'est-elle? La notion d'un art littéraire proprement nôtre n'apporte que des idées fort vagues. Aucune plume autorisée n'en a encore donné définition bien nette. Comment alors la concevoir? Et d'abord, peut-elle même exister?

À première vue, on serait tenté de croire qu'un peuple, avant de créer une littérature sienne, doit avoir un langage sien. C'est en effet le cours ordinaire des choses. Pourtant la formation d'une langue nouvelle n'est-elle pas au fond due à l'antécédente émergence d'un esprit nouveau? En France, *la Chanson de Roland* est-elle considérée comme une œuvre vraiment nationale simplement parce que les vocables se sont éloignés du latin? N'est-ce pas aussi parce qu'on y découvre une façon de concevoir la vie que n'avaient présentée ni Rome, ni la Grèce, et qu'elle est une des premières manifestations de l'âme française? Si les Anglais reconnaissent dans Chaucer* l'un des premiers écrivains bien à eux, le doit-il seulement à sa langue et à son style? Ne le doit-il pas d'abord à de certaines manières de voir, de penser, de sentir, propres à lui et en même temps à tous ses compatriotes?

Il y a plus concluant encore, et les preuves s'en rencontrent aussi bien chez les anciens que chez les modernes. La langue grecque produisit l'école d'Alexandrie : employant mêmes vocables et même syntaxe, les Alexandrins nous ont légué des ouvrages d'une saveur leur. De nos jours, aux États-Unis, un Mark Twain, un Walt Whitman, ont su s'exprimer en anglais d'une façon telle que nul critique ne peut les ranger parmi les écrivains d'Angleterre. Au reste, et dans un même peuple, n'est-il pas évident que si Corneille n'est pas Racine la différence provient bien moins de leur langue que de leur esprit?

Donc, et nous servant d'abord d'un procédé éliminatoire et tout négatif, une œuvre peut être dite proprement canadienne dès que les idées et les sentiments qui l'animent ne peuvent être attribués à nul autre qu'à un esprit canadien. Et, ainsi, nous avons parfaitement raison de croire que nous possédons, et depuis longtemps, une littérature nôtre.

Toutefois cela n'implique assurément pas qu'elle soit parvenue à être tellement différente, si spécifiquement et si remarquablement nôtre qu'elle en devrait mériter l'attention de tous les autres peuples. La distinction par des attributs négatifs ne suffit pas à rendre un homme digne de large renommée. Il y faut quelque positive qualité. Et il en va de même d'une nation. Celles-là surtout attirent l'estime qui, plaçant le spirituel au-dessus du matériel, ont porté leur effort à la culture des arts et, singulièrement, de l'art littéraire où, entre tous, resplendissent les Grecs. Il faut que cette culture en arrive à produire un ou plusieurs écrivains dont les œuvres offrent non seulement un goût assez distinct mais – qu'elle soit pénétrante ou qu'elle soit subtile et délicate – une saveur positive, succulente, à la fois rare, unique, et pourtant capable d'être universellement appréciée parce qu'il s'y mêle aussi cet universel arôme du beau, du bon, du vrai, que tout homme aime à respirer.

Or, entre les senteurs rares, je crois que la nation

canadienne en possède une. Jusqu'à présent plutôt subtile, peut-être un habile artiste la pourrait-il rendre intense s'il parvenait à faire pleinement s'épanouir le calice d'une fleur plus spécialement nôtre. Cette fleur naît, ici comme ailleurs, de cet inépuisable terrain qui sont les relations entre l'homme et l'univers, mais, croissant ici, elle atteint une taille plus haute, elle prend une apparence et un parfum singuliers.

De nos jours, dans les littératures européennes, c'est toujours l'éternelle lutte de l'homme contre l'homme, ou, ce qui ne change pas la donnée, contre la femme. La Nature? Ont-ils pour elle quelque respect? S'ils s'occupent d'elle, n'est-ce pas simplement pour rehausser le décor, mettre mieux en valeur leurs propres faits et gestes, embellir leurs propos, enfler leurs sentiments, se donner l'illusoire satisfaction de s'estimer les rois du monde? Jadis, il y avait les dieux et l'homme. Aujourd'hui l'homme seul importe. Où d'ailleurs, pourrait-il à présent rencontrer les puissances de la Nature? Non seulement asservie, mais enchaînée, ravagée, dévastée, elle ne semble plus qu'un pitoyable jouet. Là-bas, s'ils veulent mettre un homme aux prises avec la nature, ils n'ont d'autre ressource, tel Daniel de Foë (sic), que de le placer hors d'Europe. Et même alors cet homme est le maître. Il devient immense, et son ombre couvre tout le reste. Pauvre Nature! Quelle déchéance depuis les Grecs qui la vénéraient si profondément que chacune de ses forces leur paraissait divine.

En Amérique, chez les écrivains des États-Unis, la Nature prend des proportions plus nobles. Pourtant, là encore, l'homme ne se mesure guère avec elle que pour accroître son propre prestige. S'il ne va pas jusqu'à lui demander : «de nos soupirs, rochers, qu'avez-vous fait?» – s'il ne se sert pas des lacs, des forêts, du crépuscule ou de la lune pour nous y étaler la dolente sentimentalité de son cœur; s'il tient la contrée qu'il habite pour une associée sérieuse; s'il l'admire comme une belle personne, robuste, très souvent dure à persuader et parfois rebelle, – il ne va pas, non plus que l'Européen, jusqu'à la révérer, jusqu'à l'aimer pour elle-même, indépendamment des avantages qu'elle lui procure. Il entend, comme un dompteur, qu'elle se plie à ses volontés, de gré ou de force.

En Canada et, autant que je sache, en Canada seulement, on perçoit une autre note.

Dès qu'il sort de ses tâches quotidiennes et de la préoccupation de son ordinaire ménage, le Canadien, plus ou moins consciemment, sent que les rapports entre le pays et lui ne sont pas les mêmes que dans les autres contrées. Un seul coup d'œil sur la carte du Canada lui montre qu'en dépit de tout son effort, de toute sa ténacité, il n'a, durant le même temps que ses voisins, conquis encore qu'une mince partie du sud dans son domaine. Il sait qu'en de vastes régions il ne parviendra à s'établir, s'il y parvient, qu'au prix de durs et persistants sacrifices. Malgré tous les chants de victoire qu'il entonne pour se donner courage et se persuader, comme le font d'autres Américains et comme on le fait en Europe, qu'il est le souverain à qui tout doit humblement obéir, il éprouve confusément la sensation que ces hymnes de triomphe paraissent avoir quelques sonorités discordantes. Et, tandis qu'ailleurs l'homme ne voit guère que sa grandeur, en Canada il discerne aussi sa petitesse. Auprès de sa puissance, il en voit qui l'égalent, il en voit qui la surpassent.

Le seul pays, je pense, capable de concevoir un art littéraire à peu près semblable serait la Sibérie. Mais, tant que les artistes soviétiques, écartant le spirituel, ne proposeront à l'humanité que son propre accroissement temporel, l'adoration de soi-même, la comparaison des œuvres sibériennes et canadiennes présentera de très évidentes différences. En Canada, tant qu'y règnera la liberté spirituelle, si une pensée peut s'en tenir encore à quelque genre d'agnosticisme, il est à peu près impossible d'être athée. Oui, ailleurs, l'homme en arrive à ne guère s'occuper que de ses exploits. Il s'y absorbe. Il les trouve tellement admirables qu'il en vient à les croire sans pareils. S'il apprécie le monde, c'est comme un écrin qui sert à mettre mieux en valeur les joyaux qu'il a ciselés. En Canada, il perçoit fort clairement, pour merveilleuses que soient ses inventions, qu'elles ne tiennent dans l'espace et dans le temps qu'une place infime. À côté de ses œuvres il en voit d'autres, plus vastes, plus puissantes[g], douées d'une vie qu'il ne sait pas créer, poursuivant inlassablement leur cours magnifique alors que les humaines créations s'effritent et tombent en ruines. De toutes parts il se sent entouré de formes à la fois tangibles et intangibles, antiques, venues de si loin qu'il n'en peut expliquer l'origine, et pourtant jeunes, souverainement belles, d'une beauté qui lui semble tantôt sévère, dure, hautaine, tantôt souriante et tendre, mais silencieuse, fermée, pleine de mystères. Lorsqu'il contemple ces présences énigmatiques, cette activité si ample, si forte, et pourtant d'une extrême et minutieuse délicatesse, cette activité qui n'est pas sienne, qui n'est pas humaine, l'esprit canadien, loin de trouver dans les rapports de l'homme avec le monde sujet d'accroissement personnel et d'altière satisfaction, mesure au contraire[h] sa petitesse et sa pauvreté. S'il ne va pas, comme les anciens Grecs et comme les Indiens, jusqu'à imaginer des êtres féeriques pour expliquer toutes ces forces, il sent du moins qu'elles révèlent une intelligence incomparable. De cette humilité devant la Nature naît, pour elle, un respect, une admiration, une vénération, qui vont quelquefois jusqu'à l'amour, à cet amour non égoïste mais totalement désintéressé qui ne demande rien pour l'homme, qui peut même prendre parti pour la Nature contre l'homme, contre ces débiles ou ces présomptueux qui la viennent insolemment défier, et jusqu'à un tel excès d'amour que, pour mieux communier avec son idole, l'amant tâche, autant que possible, d'ignorer soi-même et toute l'humanité.

Cette singulière conception des rapports de l'homme avec le monde, il me semble qu'elle n'existe guère, littérairement, que dans le Canada. Et, lorsque plus tard les critiques la voudront analyser, ils la découvriront, je crois, déjà fort nette chez un de nos écrivains de la période précédente [(i)] : Sir Charles G.D. Roberts*. Dans ses admirables ouvrages où nos forêts, et leur vie furtive ou violente, sont peintes avec un art sans égal, très souvent l'homme est invisible et comme inexistant. L'artiste ne voit que la Nature, et n'a que faire des œuvres humaines. Certes, il y a d'autres «livres de nature», mais dans aucun, que je sache, comme dans les siens, on ne trouve la même ferveur, la même sorte de ravissement, si intense qu'il n'est pas loin d'être une pure adoration.

Je conviens, n'ayant nulle prétention à l'infaillibilité, que je puisse errer en ces matières; bien des voix n'arrivant pas aux confins où j'habite. Mais, ayant depuis plus de quinze ans publié ces idées, en anglais et en français, dans de grands centres où des esprits éclairés les ont entendues, et ne les ont point éconduites, elles doivent posséder quelque validité. Au reste, et encore qu'il soit moins précis, nous avons rencontré, il n'y pas si longtemps, un jugement analogue énoncé par le même observateur dont j'ai déjà parlé. M. André Siegfried, lorsqu'il prévoit : «une culture canadienne qui serait anglo-française par ses origines et ses institutions, mais américaine aussi par son atmosphère géographique, *avec la nuance poétique et prestigieuse du grand Nord*[11]».

C'est cette nuance, indiquée par M. Siegfried avec une nécessaire concision, et dont je viens de noter, moins brièvement mais non totalement, les détails qui me semblent exacts; c'est, si l'on veut, cette modulation discrète et pourtant distincte qu'il m'a paru convenable d'introduire dans *La Forêt*.

Elle n'y pouvait être aussi prononcée que dans les livres[(j)] de Roberts*, ni que dans *Le Pin du Maskeg*, car l'ouvrage eût alors pris une apparence trop arrangée, trop artistique, plus lyrique et moins véridique, suscitée plutôt

---

[11] André Siegfried, op.cit. p. 208. Cité par P.M. Dansereau, op. cit. pp. 254-55. [C'est Bugnet qui souligne.]

par des émotions personnelles, forgée d'imaginations, idéalisée, et l'œuvre[(k)] n'aurait plus donné l'impression d'une image naturelle, sans artifices ni retouches.

Si, quant à la véracité, l'écrivain semble avoir pleinement réussi, il fut apparemment moins heureux dans sa tentative d'un vêtement canadien. Encore qu'un bon critique, anglais et habitant l'Ouest, ait qualifié ce livre : *a genuine product of the soil* (un authentique produit du sol) sans davantage s'en expliquer, aucun autre n'a paru bien nettement voir en quoi et comment il est proprement canadien. Il faut donc admettre que la nuance employée n'est guère perceptible. Est-elle trop discrète? Je n'en suis pas sûr[12]. Ne serait-ce point simplement que cette nuance étant jusqu'ici peu connue, les yeux, faute d'exercice, n'y sont point encore accoutumés? Car, autant que je sache, on ne semble pas la bien discerner même chez Roberts*. Quoi qu'il en soit, c'est, plutôt que nous, l'avenir qui saura mieux en décider.

Quant au style, cherchant moins à gagner une faveur immédiate qu'à servir la postérité et obtenir ses suffrages, l'écrivain a tâché, non d'imiter les modes du jour, mais de se rapprocher autant que possible, selon ses moyens, du français classique, plus permanent. Homme s'adressant à des hommes, il n'a pas cru devoir sans cesse, pour les maintenir attentifs, chatouiller leurs sensations, inventer des curiosités de verbe ou d'images, «*se recommander par des saults périlleux, et aultres mouvements estranges et batteleresques*».

---

[12] *Note de Bugnet, rajoutée dans le manuscrit.* Depuis que ceci fut écrit, j'ai trouvé, dans une conférence donnée par Mme Jean Coté, ce passage : «Les livres de Bugnet me rappellent toujours les peintures des artistes canadiens du «Group of Seven» [...] où la nature, les arbres, les ciels, les rochers sont le TOUT, et où l'homme n'est, par comparaison, presque rien».

Conférence de Madame Jean Côté, donnée à la réunion de France-Canada, *La Survivance*, 20 décembre 1939, p. 2.

Et d'ailleurs, si, en France, on persiste à considérer comme plus grands les maîtres du dix-septième siècle, à plus forte raison les doit-on tenir pour tels en Canada, puisque c'est à eux, bien plus qu'au français actuel, que se rattachent le langage et l'esprit canadiens.

Pour conclure je ne puis que répéter comme un *Credo,* comme une prière, ce que j'ai déjà dit, ici, et ailleurs[13(l)].

Non plus que celui d'un homme, l'art d'une nation n'atteint subitement l'apogée. Avant de pouvoir conquérir une attention générale, un esprit, tout en restant soi, doit apprendre à regarder, au-delà des murs de sa maison, au-delà des frontières du terrain familial, tous les gestes humains, et le monde entier.

Il faut être soi. [(m)] Ce n'est pas ailleurs qu'il faut chercher notre âme. Elle est en nous. Et, pour le Canadien, elle est ici. Avec nous-mêmes, ce que nous devons étudier, c'est cette terre vaste et neuve qui est nôtre, *a mari usque ad mare*[14], et des Grands Lacs jusqu'au Pôle[(n)].

Mais il ne suffit pas d'être précisément et largement canadien. Il faut aussi présenter à tous les hommes chose qui leur importe. Nous croyons n'avoir jusqu'ici tracé que des ébauches. C'est beaucoup. D'autres nous succèdent qui les transformeront en tableaux parfaits. Et peut-être, alors, au lieu d'une civilisation qui dévaste la Terre, pourrons-nous offrir à nos semblables l'exemple d'une humanité [(o)] qui se sente, non point l'impitoyable dominatrice du monde, mais la régente responsable et soucieuse d'un État, précieuse part de l'Univers, disposé pour elle dès la pointe des temps par un mystérieux amant.

[13] En effet, cette conclusion est, à quelques mots près, identique à celle du texte n° 14, «Pour l'esprit canadien» (quatre derniers paragraphes).

[14] «D'un océan à l'autre». Devise du Canada.

Enrichi[p] de telles pensées, peut-être l'esprit canadien pourra-t-il édifier [q] des arts noblement virils où, comme chez les anciens Grecs, le spirituel fasse reluire sur toutes choses matérielles le reflet de ces autres activités, vivantes, éternelles, plus admirables que toutes celles des hommes.

Variantes

a V.O. : peuvent **décider**...

b V.O. : qu'on y entend**e le hululement** du loup des prairies?

c V.O. : qu'il suscite un sentiment ou simplement une sensation. Or les classiques...

d V.O. : sur les **conflits**...

e V.O. : dont les succès ont **couronné les efforts**...

f V.O. : chaque année **se font des holocaustes**,...

g V.O. : plus vastes, puissantes...

h V.O. : mesure **du** contraire...

i V.O. : période précédente**, bien qu'il vive encore** : Sir Charles-G.-D. Roberts.

j V.O. : dans les **œuvres**...

k V.O. : et **elle** n'aurait...

l Dans le texte original ce paragraphe se lisait ainsi : Pour conclure je ne puis que répéter ce que j'ai déjà dit, en termes divers, dans cette même revue, et ailleurs.

m Ici s'inscrivait dans le manuscrit le texte suivant :

Le grand écrivain apparaît dès qu'il se dégage assez du commun pour penser d'une manière sienne et savoir écrire en calquant les mots, non sur les discours d'autrui, mais sur son idée propre.

n Ici s'inscrivait dans le manuscrit, le texte suivant :

Ses influences sont et seront toujours pour nous, comme le sont pour un arbre le sol et le climat où il croît, plus fortes que toutes les autres. Nous ne récolterons pleinement que par un plein ajustement de notre esprit à notre contrée, telle l'union du corps avec l'âme.

[o] Le texte original ajoutait ici : qui sache respecter la richesse et la beauté de sa demeure; qui sache révérer la présence de la Nature; qui se sente…

[p] V.O. : **Nourri** de telles pensées…

[q] Le texte original ajoutait ici : et léguer aux siècles futurs, et pour soi, et pour les autres peuples, [des arts noblement virils…].

17. Ce pauvre Boileau[1]

Nous avons déjà évoqué la formation «classique» que reçut Bugnet, ainsi que l'influence qu'elle exerça sur son style et sur sa pensée. Or, Boileau est le représentant par excellence de cet esprit classique dont les caractéristiques sont la prédominance de la raison, l'importance d'un style soigné et clair et le respect de la religion. Il n'est donc pas surprenant que Bugnet veuille réhabiliter «ce pauvre Boileau» qui lui a servi de modèle pendant si longtemps.

Lorsque Bugnet écrit cet essai en 1945 (ou plutôt en 1935 puisqu'il reprend dans ce texte les idées qu'il exprimait dans le *Dialogue des morts*), personne ne se doutait encore que l'idéologie technocratique, dont parlait Mac Luhan dans les années 60, détrônerait si vite la «Galaxie Gutenberg», ni que la France penserait à simplifier la langue française. [THÈMES : Classicisme. Langue.Religion.]

Ce pauvre Boileau, incontestablement, a beaucoup perdu de son prestige. Un peu partout, on le pourchasse, on le houspille, on le déplume. Il avait réussi, de son vivant, à se jucher tout au sommet du Parnasse. Longtemps après sa mort il en demeura l'oracle.

Avec l'avènement des romantiques sa domination sur les poètes commença de chanceler. Il eut des ennemis. On l'attaqua.

On avait, surtout depuis Chateaubriand, cru nettement percevoir qu'un poète n'avait nullement besoin d'écrire en

---

[1] *Le Canada Français*, vol. XXXII, n° 9, Québec, mai 1945, pp. 655-668.

vers, et qu'il existait bel et bien une «prose poétique». Les versificateurs eux-mêmes modifièrent leur technique. On se moqua de l'ancienne. Elle manquait, quant à la forme, de souplesse. Elle manquait de relief. Elle ne surprenait point assez l'œil ni l'oreille. Elle était trop monotone. Quant au fond, si les poètes classiques, au XVIIe et XVIIIe siècles, donnaient toute attention à l'homme, ils avaient complètement ignoré la Nature. Le fameux arrêt de Boileau :

Enfin Malherbe* vint, et, le premier en France...[2]
parut si faux qu'on lui ripostait : «Enfin Malherbe vint, et la poésie s'en alla».

Célibataire, Nicolas Boileau Despréaux ne se sentit jamais féru que d'une seule maîtresse : la langue française. Il la voulait revêtue d'atours simples, aisés, mais de bon ton, voire de grand ton, qui lui donnaient noble allure. Il ne tolérait ni le négligé, ni le recherché.

Critique sévère, étroit, toutes les parures, avant Malherbe, lui paraissaient ou trop libres, ou trop affectées. Dans son *Art Poétique,* condamnant à fond la manière de Ronsard, il ne reconnaît guère de mérites qu'à François Villon, Clément Marot, Philippe Desportes et Jean Bertaut. Un point, c'est tout. Depuis Malherbe, naturellement, il estimait que les lettres s'étaient bien améliorées, et il admit que plusieurs de ses contemporains faisaient fort bonne figure auprès des maîtres de l'antiquité; ce qui n'était pas peu dire, car il tenait les Anciens[3] pour modèles à peu près parfaits. Il avait, grâce à son fidèle admirateur Brossette*,

---

[2] «Enfin Malherbe vint, et, le premier en France,
Fit sentir dans les vers une juste cadence;
D'un mot mis en sa place enseigna le pouvoir;
Et réduisit la Muse aux règles du devoir.»
Boileau, *L'Art poétique*, Chant premier, v: 131-134.

Signalons qu'en vantant les mérites de Malherbe, Boileau n'insiste que sur les qualités du versificateur et du grammairien.

[3] La querelle des Anciens et des Modernes fut une polémique littéraire qui opposa, à la fin du XVIIe siècle et au début du XVIIIe, les tenants de la supériorité des auteurs modernes aux partisans des auteurs de l'Antiquité.

laissé derrière soi l'impression que la splendide littérature du grand siècle, c'était à lui, Nicolas, qu'elle devait sa noblesse et sa beauté. Ce finaud de Sainte-Beuve s'y laissa prendre lui-même, et il nous affirme que sans Boileau les grands aigles du XVIIe siècle n'auraient point su planer si haut.

Quelqu'un pourtant s'avisa que déjà bon nombre d'écrivains avaient enfanté des chefs-d'œuvre avant même que Boileau eût voix au chapitre. L'année (1636) où Nicolas, quinzième enfant, commença de vagir dans ses langes, Corneille donnait *Le Cid*, promptement escorté d'*Horace* (1640), de *Cinna* (1640), et de *Polyeucte* (1643). Descartes avait, en 1637, publié son célèbre *Discours de la méthode*. Boileau avait à peine vingt ans lorsque Pascal fit paraître ses fameuses *Provinciales*. Il n'en avait que trois de plus quand Molière, son aîné d'une quinzaine d'années, joua *Les Précieuses ridicules*. Elles durent beaucoup aider le jeune Nicolas à découvrir son propre talent, car elles lui présentaient un admirable exemple de cette verve satirique, jointe à une vigoureuse défense de la bonne langue française, qui devaient être, tout au cours de sa longue vie, le particulier objet de son effort.

Et c'est encore à ce pauvre Boileau qu'on attribue l'étranglement de la poésie religieuse. Il avait déclaré :

De la foi d'un chrétien les mystères terribles
D'ornements égayés ne sont point susceptibles[4].

On le représente comme un austère janséniste, chagrin, grave et grondeur, pétri de superbe, dominateur. Chrétien, s'il daignait accepter Dieu pour maître, sa rigide piété n'accordait pas un regard à la Vierge Marie. On ajoute qu'il détestait les Jésuites parce que leur dévotion n'était point assez rigoureuse.

Enfin, ce pauvre Boileau, pour les lettres françaises, peu s'en faut qu'on ne le conspue*, ainsi que l'infortuné

[4] Boileau, op. cit., Chant III, v. 199-200.

baudet de La Fontaine, comme ce pelé, ce galeux dont nous vient tout le mal[5].

Fort bien. Mais... est-ce vrai?

Il y a plusieurs manières de lire Boileau. Il y a, entre autres, la manière ennuyeuse, celle en effet qui manque de souplesse et de relief, la manière monotone. Parce qu'il a donné au poète, comme règle générale :«Que toujours dans vos vers le sens coupant les mots[,] suspende l'hémistiche, en marque le repos[6]», le lecteur se croit obligé de scander sans relâche, *ne varietur*[7], impitoyablement, chaque vers avec cette sorte de mesure :

Un, deux, trois, quat', cinq, six./ Un, deux, trois, quat', cinq, six.

Or, ce «Que toujours dans vos vers...», c'est simple constatation de la texture naturelle, et très ancienne, du vers français de douze syllabes. Elle existait avant comme après Malherbe*. Le grand Corneille lui était demeuré fort soumis. Contemporains de Boileau, ni Molière, ni Racine, ne l'avaient bien souvent décousue. Mais il est probable qu'en ce temps-là on savait parler français, et qu'en dépit de l'hémistiche la diction, par une habile et délicate mise en valeur de l'idée ou du mot, apportait l'harmonie et la variété. Au reste, le critique n'a pas prescrit : «que toujours dans chaque vers»; et ce «toujours» souffre évidemment des exceptions.

On pense communément que c'est à Victor Hugo surtout que sont dûs les nouveaux rythmes du vers français. Il s'en est fait gloire. Je le veux bien. Il y a droit.

---

5 «Ce pelé, ce galeux, d'où venait tout leur mal.» La Fontaine, *Les Animaux malades de la peste*, livre VII, fable 1, v. 58.

6 *L'Art poétique*, Chant I, v. 105-106.

7 Traduction : de sorte qu'il ne soit changé.

Mais le tout premier à rompre cette règle qu'on s'imagine intangible, ce fut Boileau. Et je ne suis pas sûr qu'aucun poète, avant les romantiques, l'ait fait aussi souvent que lui. Je me bornerai à quelques exemples :

Hélas! Qu'est devenu ce temps, cet heureux temps...[8]

C'est bien dit. Va, tu sais tout ce qu'il faut savoir...
N'écris plus, guéris-toi d'une vaine furie...
Un âne, le jouet de tous les animaux...[9]

L'argent, en honnête homme érige un scélérat.
L'argent seul, au palais peut faire un magistrat...
Dans mon coffre, tout plein de rares qualités...[10]

La Discorde, à l'aspect d'un calme qui l'offense...
Quoi, dit-elle, d'un ton qui fit trembler les vitres...[11]
En vain, deux fois, la paix a voulu l'endormir...[12]
Mais le barbier, qui tient les moments précieux...[13]
Comme un hibou, souvent il se dérobe au jour...[14]

On croit aussi que les poètes durent attendre jusqu'au XIXe siècle avant de s'éprendre des rimes rares et riches. Longtemps avant eux, notre Nicolas sut en ourler, mais sans abus, la traîne de ses vers. En voici quelques-unes :

Il (l'homme) tourne au moindre vent, il tombe au moindre choc
Aujourd'hui dans un casque et demain dans un froc[15].

Chercher jusqu'au Japon la porcelaine et l'ambre,
Rapporter de Goa le poivre et le gingembre[16].

---

[8] *Le Lutrin*, Chant II, v. 103.

[9] *Satires*, VIII, v. 171, 226 et 263.

[10] *Épîtres*, V, v. 87, 88 et 91.

[11] *Le Lutrin*, Chant I, v. 41-45.

[12] Idem., Chant II, v. 120.

[13] Idem., Chant III, v. 63.

[14] Idem., Chant V, v. 52.

[15] *Satires*, VIII, v. 43-44.

[16] Idem., v. 65-66.

Que dit-il quand il voit, avec la mort en trousse,
Courir chez un malade un assassin en housse[17]*?*

Que, l'astrolabe en main, un autre aille chercher
Si le soleil est fixe ou tourne sur son axe;
Si Saturne à nos yeux peut faire un parallaxe[18]*;*

Est ici, comme aux lieux où mûrit le coco,
Et se trouve à Paris de même qu'à Cusco[19]*.*

C'est aux romantiques aussi qu'on attribue la découverte de la plastique verbale, cet art de faire percevoir par l'œil et par l'oreille autant que par l'esprit, grâce au choix des mots, à la coupe des phrases, à des harmonies subtiles et variées. Et, là encore, Boileau pourrait se vanter d'avoir, quand il le voulait, ciselé des joyaux dans ce genre d'écrire. Témoin son fameux :

Soupire, étend les bras, ferme l'œil, et s'endort[20]*.*

Ce n'est là qu'un modèle entre cent autres, et l'on n'a qu'à relire ses œuvres pour y découvrir, comme, à ma grande surprise, il m'est arrivé, une science du verbe et de ses rythmes qui vraiment, à défaut de hautes idées, car il n'est point du tout un penseur, vaut, pour le style, d'être soigneusement étudiée. Aucun, j'entends parmi les personnes intelligentes, ne s'y ennuiera. Il y a foison d'ouvrages où l'on peut apprendre à bien s'exprimer. Je n'en sais point qui vaille l'*Art poétique*. Loin de n'être utile qu'aux

---

[17] Idem., v. 277-278.

[18] *Épîtres*, V, v. 28 à 30. Nous avons ajouté le vers 28 pour la compréhension du texte.

«Ces trois vers, qui ne font pas honneur à la science de Boileau, servirent de matière à plus d'une plaisanterie contre lui. L'*astrolabe* n'est en effet d'aucune utilité pour savoir si un astre est fixe ou errant; la fixité d'un astre ne l'empêche pas de tourner sur lui-même; et la *parallaxe* – car ce mot est du féminin – étant la différence du *lieu véritable* d'un astre à son *lieu apparent*, il n'y a pas à s'en soucier quand la distance d'un astre à la Terre est aussi grande que celle de Saturne. C'est du moins ce qu'on dit.»

Commentaires de F. Brunetière, in Boileau, *Œuvres poétiques*, Paris, Hachette, 1911, p. 146, notes 1-2.

[19] Idem., v. 54-55.

[20] *Le Lutrin*, Chant II, v. 142.

poètes, il excelle à vivifier l'esprit de tout honnête homme. Quand il dit : «Le vers se sent toujours des bassesses du cœur[21]», remplaçons le mot «vers» par «langage», la pensée devient universelle, applicable à chacun de nous. Et ce n'est certes pas lui qu'on peut classer parmi ceux qui écrivent «pour vendre au poids de l'or une once de fumée[22]».

Jusqu'ici nous n'avons examiné que la forme, l'habit, l'écorce. Il faut pénétrer au-delà, et nous pouvons tout d'abord étudier cette matière qui se trouve à la fois dans l'écorce et dans le bois ou, si l'on préfère, dans le style et dans l'esprit de cet auteur à qui l'on dénie le titre de poète.

Depuis quelque trois mille ans, en Grèce, à Rome, en France, il était entendu que, d'un côté, il y avait la poésie – haute, médiocre, ou plate – et de l'autre, la prose. On appelait poètes ceux qui écrivaient en vers, et prosateurs ceux qui employaient la prose. C'était ainsi fort clair, aisément compris par tout le monde.

De nos jours, on a bousculé ces bonnes vieilles idées et l'on s'exténue la cervelle pour tâcher de découvrir en quoi peut bien nicher cette volatile essence (où serait-ce quintessence?) dont est parfumé ce qu'on dénomme «le poétique». L'accord, sur ce sujet, ne semble pas parfait. On assure que la poésie consiste à nous donner, et peu importe que ce soit en vers ou en prose, une impression de l'ineffable, ou même de l'inconcevable. Rien n'empêche ainsi de ranger parmi les plus beaux recueils de poésie la *Somme* de Saint-Thomas d'Aquin. J'y consens. Mais on assure aussi qu'il n'est plus besoin d'être intelligible. Comme disait Pascal, le cœur a ses raisons que la raison

---

[21] *L'Art poétique*, Chant IV, v. 110.

[22] *Satires*, IX, v. 35-36. Voici les vers exacts:
«Et, par l'espoir du gain votre Muse animée
Vendrait au poids de l'or une once de fumée».

ne comprend pas[23], et nous pouvons en effet éprouver des sentiments, des sensations, qui n'ont rien à voir avec la logique. De sorte qu'aujourd'hui le poète ne s'adresse pas toujours à notre entendement. Mais il faut qu'il ait le talent d'arranger les mots, les phrases, les images; le don de nous toucher, de nous émouvoir.

Seulement je ne suis pas du tout certain que cet emploi du mot «poésie» convienne bien à la chose, surtout quand cette chose, fort imprécise et multiforme, nous est offerte en prose. Je me demande si le terme «prose émotive»[(a)] ne vaudrait pas mieux que celui de prose poétique.

À moins que, pour plus de lumière et pour éviter les méprises, on en vienne à déclarer «ouvrages en prose» ceux de Boileau, comme aussi, je suppose, *Les Femmes Savantes* et le *Misanthrope* de Molière, et tant d'autres œuvres en vers.

Assurément, si l'on veut réserver le titre de poésie à ce qui fait, plus qu'à la raison, appel à nos sentiments ou à nos sensations, ce pauvre Nicolas devrait être traité de simple versificateur. Mais... n'y aurait-il pas aussi une poésie de la raison? – Un vers, tout en ne parlant qu'à notre intelligence, peut, s'il est bien tourné, l'étreindre[(b)] et l'émouvoir mieux que ne ferait la prose. L'homme, au temps de Boileau, se définissait : un animal raisonnable. On estimait alors que la raison devait avoir préséance sur le sentiment et, plus encore, sur de pures sensations. Et, certes, toucher la raison est un art plus difficile et moins répandu. Un romancier de quatrième ordre peut aisément provoquer nos sensations et remuer nos sentiments. Boileau n'a guère ce talent. Mais, à sa façon, c'est un passionné, cérébral si l'on veut, et ce qu'il aime, d'amour constant et presque forcené, et pour quoi[(c)] il est sans cesse

[23] «Le cœur a ses raisons, que la raison ne connaît point»

Pascal, *Œuvres complètes*, «Pensées», texte établi et annoté par Jacques Chevalier, Seconde partie, Section II, n° 6, Paris, Gallimard, Bibliothèque de la Pléiade, 1954, p. 1221.

échauffé et toujours en bataille, c'est le vrai. Sa Vénus, à lui, sa beauté, c'est la Vérité. «Rien n'est beau que le vrai[24]».

Vous êtes-vous aussi aperçu qu'il n'avait pas attendu les romantiques, ni Verlaine, pour écrire à leur manière? – Il nous dit, étudiant le Parisien, qu'il peut dans son jardin

Recéler le printemps au milieu des hivers;
Et, foulant le parfum de ses plantes fleuries,
Aller entretenir ses douces rêveries[25].
Il n'irait point troubler la paix de ces fauvettes...
Il me faut du repos, des prés et des forêts[26].

Et enfin ce très beau :

J'ai besoin du silence et de l'ombre des bois[27].

Ainsi, tout comme Jean-Jacques, et longtemps avant lui, Boileau savait éprouver – je ne dirai pas le sentiment – mais la sensation de la Nature. S'il pouvait revenir aujourd'hui parmi nous, voici à peu près, j'imagine, ce qu'il pourrait nous déclarer :

– Ceux que vous appelez classiques, la plupart d'entre vous ne les connaissez qu'à travers des opinions toutes faites. Tel ou tel critique, pour rehausser sa propre époque, ayant affirmé que nous n'entendions rien à ceci ou à cela, on le répète sur tous les tons. – Pas le sentiment de la Nature?... Mais qui donc, parmi vous, a jamais écrit phrase plus pleine de sentiment et de pensée que celle-ci : «Le silence éternel de ces espaces infinis m'effraye...[28]»? Qui donc a su trouver plus de noblesse et de simplicité

---

[24] «Rien n'est beau que le vrai: le vrai seul est aimable», *Épîtres*, IX, v. 43.

[25] *Satires*, VI, v. 121-123.

[26] *Épîtres*, VI, v. 139

[27] Idem., v. 120.

[28] Pascal, op. cit., Première partie, Chapitre I, n° 91, p. 1113.

- Dans l'édition de la Pléiade, le dernier mot de la citation est écrit : «m'effraie».
- Notons que cette même citation est répétée par Bugnet dans les textes n°s 7 et 10.

que notre Pascal pour sentir et faire sentir la véritable réalité du monde, sa majesté et son mystère ? Lorsqu'il passe de l'infiniment grand à l'infiniment petit, détruisant d'avance, d'un rayon de son génie, cet atome sur quoi votre science crut pouvoir poser une base définitive, qui peut le lire sans éprouver les émotions et les pensées les plus naturellement humaines?

Et si quelqu'un lui objectait : «Ce n'est pas précisément cela que nous entendons par sentiment de la Nature». Il répondrait :

-- Je le sais parbleu bien. Mais à qui la faute si nous ne nous comprenons plus en parlant français? Depuis votre Jean-Jacques Rousseau, vous avez tellement déformé la langue que, maintenant, ce sont les mots qui vous tiennent lieu de choses. Depuis Rousseau, ce que vous avez cultivé, ce n'est pas le sentiment, c'est la sensation, la sensation physique, de la nature; et souvent pas même cela, mais tout au plus des manières, des poses convenues, des attitudes que vous jugiez élégantes. (d) Un paysage devint triste, parce que vous étiez tristes; ou simplement parce qu'il vous convenait de prendre une attitude de romantique tristesse. Si vous étiez joyeux, la terre entière, et les étoiles mêmes, en rayonnaient, en tressaillaient d'allégresse. Voyons, voyons, messieurs, croyez-vous sincèrement qu'une forêt puisse éprouver de la mélancolie parce qu'elle se trouve là quand ça vous prend? Et croyez-vous vrai que, comme un homme, la nature souffre et pleure; qu'une sombre montagne se mette à frissonner d'émoi religieux parce qu'au-dessus d'elle se lèvent les étoiles?

Et sans doute, ici, beaucoup de nos auteurs contemporains lui pourraient expliquer : «Mais c'est un sentiment poétique!» – À quoi, je pense, il riposterait :

– Ah, voilà! Pourvu qu'il soit poétique, et, dans votre jargon nouveau, cela signifie tout simplement, au fond, pourvu qu'il vous surprenne et vous émeuve, peu vous importe qu'un sentiment soit vrai, ou qu'il soit un mensonge. Eh bien, nous, classiques, préférerons toujours, même lorsqu'elle est moins séduisante, l'émotion qui sort de la vérité à celle qui provient du mensonge.

Et voilà.

On détestait, au temps des solides classiques, «de faire quereller les sens et la raison». Nous avons changé tout cela. Y avons-nous gagné? – À voir l'état présent de ce bas-monde, il est permis d'en douter.

Nombreux, et surtout parmi les catholiques, sont ceux qui reprochent aussi à notre pauvre Nicolas d'avoir étouffé la poésie religieuse.

Je ne pense pas que l'accusation soit bien valide.

Tout d'abord, lorsqu'il nous déclare : «De la foi d'un chrétien les mystères terribles d'ornements égayés ne sont point susceptibles[29]», veuillez remarquer qu'il n'est ici question que de l'épopée, et telle qu'elle était cultivée par plusieurs des écrivains de son siècle, à commencer, je suppose, par ce bon Chapelain avec sa *Pucelle d'Orléans*[30]. En dépit de l'autorité de ce grand-maître des lettres, Boileau osa trouver malséant de

Vouloir faire agir Dieu, ses saints, et ses prophètes,
Comme des dieux éclos du cerveau des poètes.

Un peu plus loin, et toujours à propos de l'épopée, il conseillait encore :

Et, fabuleux chrétiens, n'allons point dans nos songes

---

[29] Voir note n° 4.

[30] Jean Chapelain (1595-1674), critique et poète français. Il écrit en 1656 un poème épique de vingt-quatre chants, *La Pucelle ou la France délivrée*, qui fut raillé par Boileau. Il prôna la création de l'Académie française et contribua à fixer les principes de la doctrine classique.

Du Dieu de vérité faire un dieu de mensonges[31].

Ce qui le choquait dans une épopée composée par un chrétien, et pour des chrétiens, c'était de rencontrer les antiques divinités païennes, Pluton, Alecton (sic), Bacchus et Vénus, à côté de Jésus-Christ et de la Vierge Marie. C'était aussi cette façon de conduire le Maître du monde au gré de leur fantaisie.

Avait-il si tort? – À défaut d'épopées nous avons aujourd'hui des romans où, sous prétexte de nous prouver que «le crime ne paye pas», l'auteur, évidemment tout sucré de bonnes intentions, nous invente un pauvre diable, l'oblige à se vautrer dans les vices, le condamne à commettre toute sorte de crimes, l'accule à quelque triste fin, puis vient gravement nous déclarer que c'est à Dieu qu'est dû ce châtiment. J'avoue que, comme Boileau, je ne prise point très haut ces auteurs qui nous tirent Dieu de leur encrier, le prennent à leur service, le poussent à leur guise et lui dictent ses gestes, comme à leur laquais.

Quant au théâtre, il n'a jamais parlé d'en proscrire le merveilleux chrétien, s'il est vraiment chrétien.

Il a commis l'énorme erreur d'écrire :

Chez nos dévots aïeux, le théâtre abhorré...[32]

et nous savons aujourd'hui qu'il aurait dû plutôt dire : adoré. Trop occupé à lire, pour le plaisir de les taquiner ou de les ridiculiser, les ouvrages de ses contemporains, il est fort probable qu'il apporta peu d'attention à la

[31] *L'Art poétique*, Chant III, v. 235-236.

[32] Nous citons ici les quelques vers de Boileau auxquels Bugnet fait référence :

«Chez nos dévots aïeux le théâtre abhorré
Fut longtemps dans la France un plaisir ignoré.
De pèlerins, dit-on, une troupe grossière
En public à Paris y monta la première;
Et, sottement zélée en sa simplicité,
Joua les saints, la Vierge et Dieu par piété.
Le savoir, à la fin dissipant l'ignorance,
Fit voir de ce projet la dévote imprudence.»
L'Art poétique, Chant III, v. 81-88.

littérature dramatique du Moyen Âge. Lorsqu'il parle de ces pèlerins grossiers qui, à Paris, avaient «joué les saints, la Vierge, et Dieu par piété» avec une «dévote imprudence», il semble bien ne connaître que la décadence et les licencieux abus de ce théâtre dont si fortement, si abondamment, et si longtemps, s'était nourrie la piété du peuple de France.

Son péché me paraît plutôt dû à l'ignorance car, encore une fois, il n'a point blâmé le théâtre chrétien. – Il ne l'a pas prôné, dira-t-on. – Non, et c'est de sa part fort naturel. D'abord, il composait son *Art poétique* avec les yeux sur celui de ce vieux païen d'Horace. Ensuite, il passe en revue le théâtre depuis ses origines grecques jusqu'aux plus récentes comédies et tragédies; c'est-à-dire qu'il veut, en quelque cent cinquante vers, nous expliquer l'essentiel d'un art qui vit depuis deux mille ans. Avouons que Boileau, dans une aussi vaste fresque, même s'il avait connu les Mystères* du Moyen Âge, ne pouvait guère, au milieu des grands chefs-d'œuvre profanes, mettre en évidence le merveilleux chrétien. Car, en somme, il ne trouvait alors devant soi que l'unique *Polyeucte*, magnifique exception, mais exception. Il demeura donc en suspens. Il ne conseilla pas. Il ne condamna point.

Mais la meilleure preuve que ces vers dont on lui fait crime n'ont aucunement tué le théâtre religieux c'est que quinze ans après leur publication (1674), Racine, son grand ami Racine, écrivait *Esther* (1689), puis, deux ans plus tard encore, *Athalie* (1691). Et personne après cela ne pouvait se refuser à suivre la même voie puisque Boileau – oui, Boileau – fut des premiers à proclamer *Athalie* le chef-d'œuvre des chefs-d'œuvre de Racine. – Seulement... il n'y avait plus de Racine. Constatons pourtant que son fils, Louis Racine, n'hésita pas à entrer lui aussi dans la poésie chrétienne. Ce qu'il en offrit n'est pas trop mal, mais enfin ce n'est plus du génie.

En réalité, Boileau tenait à la culture de la poésie

sacrée. Son épître *Sur l'amour de Dieu*[33] en témoigne très évidemment. Par malheur, notre brave Nicolas, comme tant d'autres chrétiens, tout en ayant la foi, une foi très solide, ne semble pas avoir eu dans le cœur cette ardente vertu de charité qui fait les saints; et son épître, au lieu de nous embraser, nous laisse, sinon froids, du moins guère plus que tièdes. Pour réussir en poésie chrétienne comme l'avaient fait ses amis, Corneille et Racine, il lui manquait leur grande âme impressionnable. Et encore, peut-être en jugeons-nous ainsi parce que notre piété n'est plus de même sorte qu'elle était alors.

Il écrivait à Racine – qui pouvait aisément vérifier ses assertions et dut penser que son ami exagérait un tant soit peu – : «J'avais eu l'honneur de réciter mon ouvrage (cet *Amour de Dieu*) à monseigneur l'archevêque de Paris, et à monseigneur l'évêque de Meaux[34], qui en avaient paru, pour ainsi dire, transportés[35]»... C'est possible, mais, tout de même, que le grand Bossuet en ait été «transporté»?... Et cependant il faut croire qu'avec cette poésie il eut aussi beau succès auprès du Père de Lachaise (sic), confesseur de Louis XIV, et du Père Gaillard, recteur des Jésuites de Paris. Peut-être l'explication de cette faveur tient-elle dans ce que le dogme, à cette époque, était de prime importance. Mais il fallait aussi que la théologie de Boileau fût clairement orthodoxe.

On voudrait nous peindre ce clair et joyeux Nicolas comme un sévère et sombre janséniste. J'ai peine à me l'imaginer sous ce jour-là. Ne l'a-t-on pas fait plus noir qu'il ne l'était?

Nous venons de le trouver en compagnie de deux

---

[33] *Épitre XII* (1695-1698), où Boileau développe les idées de la Xe *Provinciale* de Pascal. Accusé d'avoir attaqué les Jésuites, il décide de s'adresser à eux, et par l'intermédiaire de Racine, obtient une audience du Père de La Chaise.

[34] Bossuet, surnommé l'Aigle de Meaux, fut titulaire de l'évêché de 1681 à 1704.

[35] Lettre de Boileau à Racine, Auteuil, mercredi (milieu d'octobre) 1697. Dans cette lettre, Boileau rend compte à Racine de sa rencontre avec le Père de La Chaise.

éminents jésuites. Pour l'autre camp, je connais une lettre où il écrit franchement à l'un des grands chefs du jansénisme, Arnauld : «Il y a des Jésuites qui me font l'honneur de m'estimer, et que j'estime et honore aussi beaucoup. Ils me viennent voir dans ma solitude d'Auteuil, et ils y séjournent même quelquefois[36]». Et, plus loin, il lui dit encore : «...je me jette sur les louanges du R. P. de Lachaise (sic), que je révère de bonne foi, et à qui j'ai en effet tout récemment une très grande obligation, puisque c'est en partie à ses bons offices que je dois la chanoinie de la Sainte-Chapelle de Paris, que j'ai obtenue de Sa Majesté [Louis XIV[(e)]] pour mon frère le doyen de Sens[37]». Et, au ton de la lettre, on le sent bien moins à l'aise avec Arnauld qu'avec le P. de Lachaise (sic) qui l'invitait à le venir voir, hors Paris, à la maison de campagne des Jésuites, pour y causer «longuement»; ou qu'avec le P. Bourdaloue, qu'on sait qu'il aimait fort à taquiner. Si l'on se rappelle de quels yeux se regardaient alors Jésuites et jansénistes, il semble bien que le jansénisme de Boileau ne devait pas être fort évident.

On a vu sa vénération, non seulement pour Dieu, mais aussi pour la Sainte Vierge, et pour les saints. Il n'aime pas qu'on les monte en scène sans le respect qui convient. Mais, à Jacques de Losme de Montchesnay (sic) qui condamnait en bloc tragédie et comédie, tout en lui concédant le droit d'attaquer celles qui sont pernicieuses, il soutenait qu'elles peuvent aussi servir à instruire et rectifier les hommes. Il refusait d'admettre «qu'une chose qui peut produire quelquefois de mauvais effets, quoique non vicieuse d'elle-même, doit être absolument défendue[38]». Il ajoutait : «Si cela est, il ne sera plus permis de peindre dans les églises des Vierges Maries, ni des Suzannes*, ni

---

[36] Lettre de Boileau à Arnauld, juin 1694, dans laquelle il le remercie d'avoir défendu sa Xe *Satire*.

[37] Idem.

[38] Lettre de Boileau à M. de Losme de Monchesnai, sur la comédie, septembre 1707.

des Madeleines agréables de visage[39]». Ce Montchesnay (sic) sans doute eût exigé de Dieu qu'Il ne créât que des laiderons. Toujours est-il que Boileau écrivait cela([f]) peu de temps avant sa mort. J'avoue ne guère voir comment, sur un terrain janséniste, auraient pu fleurir ces idées.

Assurément, il avait des égards et de l'amitié pour certains jansénistes. Mais, de ce que l'un d'entre nous a des amis parmi les Anglais et les Protestants, en doit-on conclure qu'il est anglais et protestant? Et ne pourrait-on pas aussi bien traiter Boileau de jésuite parce qu'il les fréquentait sans déplaisir?

Reconnaissons toutefois qu'il n'était point un saint. Il éprouvait bien trop de jouissance à décocher des flèches, droit et roide, en la peau de ses victimes. Encore qu'il ne tirait pas le sang et n'écorchait que la vanité, les blessures étaient cuisantes. Il le savait. Il continuait quand même.

Pour autant, ses contemporains, qui le devaient connaître mieux que nous, le tenaient en haute estime. On sait de lui des traits de générosité qui marquent les grands cœurs.

Et, vraiment, lorsqu'un Molière, un Racine, un Bossuet, un Bourdaloue, consentaient à l'entendre, nous siérait-il bien de le honnir

De juger cet auteur en maîtres du Parnasse[40],

et d'aller, d'un œil méprisant, lui fermer au nez notre porte?

---

[39] Idem.

[40] La citation exacte est :

«Là, tous mes sots, enflés d'une nouvelle audace,
Ont jugé des auteurs en maîtres du Parnasse».
Satires, III, v. 169-170.

Variantes

[a] V.O. : si le terme **de** «prose émotive»...

[b] V.O. : s'il est bien tourné, l'**éteindre**...

[c] V.O. : **pourquoi**... (en un seul mot)

[d] Ici, s'inscrivait dans le manuscrit, le texte suivant :

Inférieurs aux classiques païens de la Grèce et de Rome qui, sous les merveilles du monde, percevaient quelque chose de surhumain, des forces divines, vous avez, à la place des dieux, posé chacun votre petit moi, le gonflant comme une baudruche. D'où naquirent : la nature à la Rousseau, la nature à la Chateaubriand (et celle-ci ne manque pas trop de vérité), la nature à la Byron, la nature à la Hugo, la nature à la Vigny, la nature à la Zola, enfin la nature à toutes les sauces, mais à peu près toujours la nature simple ornement d'un moi énorme. De sorte qu'à présent, au lieu de considérer l'homme dans la nature, vous regardez la nature dans un homme. Chacun se croit tenu d'avoir sa petite nature à soi, bien vide d'idées fortes et de sentiments vrais, mais bien pleine de sensations, aussi physiques qu'il est possible, et de mots à tintamarre qui n'atteignent point la pensée, mais qui frappe fort l'œil, et l'oreille, et tous les nerfs. De notre temps, nous tenions que l'intelligence humaine est bornée. Après nous, on se voulut persuader qu'elle deviendrait sans bornes. On se mit sérieusement à l'assaut de l'infini. Vous étiez pourtant avertis, et depuis longtemps, de l'inévitable résultat. Pascal, entre autres, après avoir contemplé l'infiniment grand et l'infiniment petit, vous disait : «Manque d'avoir contemplé ces deux infinis, les hommes se sont portés témérairement à la recherche de la nature, comme s'ils avaient quelque proportion avec elle. C'est une chose étrange qu'ils ont voulu connaître les principes des choses, et de là arriver jusqu'à connaître tout, par une présomption aussi infinie que leur objet... Nous brûlons du désir de trouver une assiette ferme et une dernière base constante, pour y édifier une tour qui s'élève à l'infini ; mais tout notre fondement craque et la terre s'ouvre jusqu'aux abîmes».

Et quand vous attribuez à Jean-Jacques Rousseau la gloire

d'avoir ouvert les portes afin de regarder la nature, c'est, selon moi, une erreur. Celui qui a ouvert les portes, avant lui, au grand large sur le monde extérieur, qui est allé s'y promener en s'occupant de l'homme intérieur beaucoup moins que Rousseau, celui qui révéla à votre Jean-Jacques tout le parti qu'on pouvait tirer des beautés de la nature, celui à qui réellement vous devez vos nouvelles routes, c'est quelqu'un que vous estimez, et à juste titre, un classique : le classique Georges-Louis Leclerc, devenu comte de Buffon. S'il en est un qui, le premier des modernes, sut examiner et sentir la nature, toute la nature ; s'il en est un qui fut poète, et très grand poète, en prose, au sens où vous l'entendez aujourd'hui, c'est lui. Auprès du magnifique Buffon, Rousseau n'est qu'un pauvre cœur malade. Loin de voir le monde comme le font les classiques, c'est-à-dire tel qu'il est, il tenta de le transformer suivant sa personnelle conception, le couvrit de son propre moi, prenant ses émotions et ses rêves pour d'extérieures réalités. Et, à sa suite, vous avez imité ou dépassé ses plus invraisemblables faussetés. Voir «Dialogue des Morts», texte n° 7.

[e] V.O. : Sa Majesté (**le roi**)...

[f] V.O. : écriv**it ceci**...

18. Propagande soviétique

Bugnet, pendant la Deuxième Guerre mondiale, partage les préoccupations du clergé face à la propagation du communisme au Canada (voir annexe, texte n° 5). Dans la *Propagande soviétique*, il dénonce l'industrialisation, l'intempérance, le cinéma..., et milite en faveur du respect de l'environnement et de l'attachement à la foi catholique. Ce texte en deux parties révèle, à travers le «pas viril, assuré, d'un écrivain qui marche droit et ferme», un aspect de l'écriture de Bugnet où la cocasserie renforce la satire. [THÈMES : Christianisme. Communisme. Progrès.]

Première partie[1]

Dans l'étude qui suit, le lecteur s'étonnera peut-être de ne pas voir la présente guerre former une partie du tableau.

Elle n'y serait, en effet, qu'un hors-d'œuvre. Les Soviets eux-mêmes n'en tirent point argument en faveur de leur système, parce qu'on ne peut encore en déduire aucun.

Ce serait comme si, par exemple, les révolutionnaires français, en 1794[2], avaient prétendu que, déchirés de féroces et sanglantes luttes intestines, toute l'Europe liguée contre eux, mais leurs armées se montrant invincibles et

---

[1] *Le Canada Français*, vol. XXIX, n° 9, Québec, mai 1942, pp. 701-712.

[2] Cinq ans après la révolution de 1789, et deux ans après la Terreur, l'année 1794 marque la période de la Grande Terreur dont les excès contribuèrent à la chute de Robespierre et à la fin du gouvernement révolutionnaire de la Convention montagnarde.

remportant partout la victoire, on en devait donc conclure qu'un gouvernement révolutionnaire, terroriste, était le meilleur au monde.

En réalité, ce qui fit alors l'étonnante vigueur des Français ce fut d'abord leur colère furieuse en voyant des étrangers envahir leur patrie. Il s'y ajoutait la crainte de retomber sous les dures tyrannies du régime précédent; et ils préféraient, pour le moment, leurs nouveaux seigneurs républicains, même antireligieux.

Les Russes ne font, un siècle et demi plus tard, que passer par le même chemin.

Tout en souhaitant pour eux, et pour nous, la victoire, nous devons laisser de côté succès et revers pour étudier sous les gestes éphémères la réelle actualité, la permanente substance : leurs idées.

Plusieurs de mes amis m'ont fait tenir, assez fréquemment, des livres, des revues, et des journaux soviétiques.

Et, tout de suite, je vais expliquer pourquoi, malgré mon effort à les étudier sans parti pris, ils éveillaient en moi la méfiance.

Tous ces écrits, à peu près sans exception, ont même goût. Ils rappellent trop la senteur de cet ancien genre de brochures dont le gouvernement du Canada, au début de ce siècle, inondait le monde. D'après ces plaquettes, profusément illustrées, publiées en toutes langues, le vingtième siècle devait être pour le Canada, et notamment pour l'Ouest canadien, ce que le dix-neuvième avait été pour les États-Unis : un progrès sans pareil, une marche triomphale vers de nouvelles et merveilleuses richesses. On y voyait de surprenantes géorgiques : des processions, sur un seul champ, de huit à dix semoirs mécaniques, dernier cri, ensemençant une immense étendue de blé;

puis des escadres de lieuses engerbant les superbes récoltes; enfin «les élévateurs alignés à toutes les gares témoignant des grandes richesses du Canada central». On y montrait telle et telle ferme modèle surgie du sol vierge et, en quelques années, rapportant des milliers et des milliers de dollars. On y lisait les prophéties de hauts personnages : «Il y a assez de terre au Canada, si elle est parfaitement mise en culture, pour nourrir toute la population de l'Europe». Et cela, si tristement ironique aujourd'hui, est signé de James-J. Hill, le grand magnat, en ces années-là, des chemins de fer du nord des États-Unis. Enfin, à en croire ces brochures, l'heure allait bientôt sonner où le Canada serait, entre toutes les nations, le seul et véritable pays de Cocagne.

On se gardait bien de montrer l'envers de la médaille et l'on aurait alors estimé insigne maladresse de présenter comme je l'ai fait dans *La Forêt* un tableau de colonisation sans inventions romanesques, n'y laissant d'autre ornement que la simplicité du réel, et sa vérité. Il faut admettre cependant qu'au prix de quantités d'infortunes individuelles le Canada, durant une trentaine d'années, particulièrement sur ses terres vierges, réussit une bonne part de son programme.

Mais, au total, et l'on s'en aperçoit de plus en plus depuis dix ans, pour n'avoir considéré la réalité que dans ses plus brillants reflets, on n'avait suscité qu'un mirage.

Or, jusqu'à présent, à peu près tous les livres, revues, ou journaux «communistes» que l'on m'a fait tenir sont conçus dans ce même esprit : ne présenter de la réalité que les beaux reflets. La méthode, en général, est excellente pour exciter l'enthousiasme. À mon avis pourtant, les communistes, s'ils veulent nous convertir à leurs idées, font ici fausse route.

Évidemment, qu'il s'agisse de nouvelles mines d'or, de médicaments nouveaux, d'une expérience politique inédite, le bon peuple étant toujours et partout sujet à des espoirs et à des crédulités sans bornes, les habiles, par de beaux discours gonflés d'opulentes promesses, pourront sans cesse leurrer des foules, conduire à leur gré les troupeaux bêlants, et les tondre. Mais chez nous, Canadiens, à qui l'on a déjà servi un fameux poisson d'avril qui nous reste encore sur l'estomac, lorsqu'on nous vient de nouveau présenter, entouré de la même garniture et apparemment dans le même plat, un autre poisson qui ressemble si fort au premier... non, vraiment, avant d'y planter la fourchette, qu'on nous permette une certaine hésitation; qu'on nous pardonne un minutieux examen.

Pour certains, tout communiste ne peut être qu'un fou ou un fourbe.

Ce n'est pas mon opinion. Plusieurs de mes amis se disent communistes, et il y a parmi eux de fort braves gens. Et il se trouve aussi que, humainement, nombre d'autres ne les valent pas qui se disent chrétiens. À choisir entre un mauvais chrétien et un brave homme qui de bonne foi se croit communiste, j'estime le premier bien plus coupable que le second. Il serait bon, avant de mépriser les autres, d'élever notre conduite au moins au niveau de la leur.

Cela devait être dit afin qu'il soit bien entendu que mon argumentation vise moins ceux qui nous proposent une nourriture nouvelle que cette nourriture elle-même, et la manière dont elle nous est présentée. D'abord, pour éviter cette riposte : des communistes ne sont pas le communisme.

Car c'est précisément là que commence ma querelle.

Quel est aujourd'hui le véritable porte-parole du communisme?

À peu près tous les écrits que j'ai lus se targuent des

résultats obtenus en Russie. C'est un constant panégyrique des Soviets. Or, en tout cela je ne vois guère qu'une expérience sociale semblable à celles où se poussent presque tous les pays du monde, plus étendue, plus complète que nulle part ailleurs, mais enfin ce n'est pas du tout un système communiste. U.R.S.S. signifie, nous dit-on, union des républiques soviétiques *socialistes*.

À quoi certains répondent : le présent état des choses n'est que la traversée, le vaisseau qui conduit vers les terres nouvelles. – Soit, mais alors, c'est se proclamer américain avant d'avoir découvert l'Amérique.

On me dit : nous sommes communistes de cœur, sinon de fait. – Très bien, et je vous réponds : si je me prétends chrétien de cœur, et si vous me voyez agir sans observer ma religion, et si je m'en excuse en assurant que je le ferai plus tard, n'aurez-vous pas raison de conclure que je ne suis pas vraiment chrétien?

Tout en l'employant, par manière d'accord avec ceux qui s'en parent, sachons donc que le mot «communisme» ne représente qu'une théorie, une doctrine qu'on voudrait pratiquer, qu'on a même au temps de Lénine essayé de réaliser, mais qui, de nos jours, me paraît offrir beaucoup trop d'analogie avec la fameuse et permanente enseigne : «Ici, on dînera gratis, demain.»

Dans cet incessant panégyrique des Soviets, que nous sert-on d'alléchant?

Principalement des usines, des machines, et encore des usines et des machines. Ce doit être sans doute merveilleux pour les pauvres Russes qui n'en avaient jamais tant vu, mais il n'y a plus guère aujourd'hui que la Russie pour songer à émerveiller le monde avec des machines. Les États-uniens ont eu cette tournure d'esprit il y a quelque cinquante ans. Ils ont, depuis, su comprendre que ce n'est pas avec cela qu'une nation parvient à se placer à bien haut rang dans l'estime des autres, et pas même dans celle des petits Japonais.

D'ailleurs on commence à percevoir, et là surtout où elle a été plus poussée, que cette industrialisation à outrance n'est point une pure bénédiction. Elle dévore avec une effrayante rapidité les richesses naturelles de la Terre, massacre chaque jour des milliers d'hommes, et il ne m'étonnerait pas le moins du monde qu'un jour nos descendants en viennent à nous considérer comme la génération la plus stupidement, la plus brutalement et sauvagement avide de plaisirs que la terre ait jamais portée.

À quoi le fervent communiste me répondra :

«Non. Vous ne comprenez pas. Les Soviets sauront modérer à temps le rythme stakanoviste* (sic) et devenir prudemment économes de leurs naturelles richesses. Mais, d'abord, il fallait bien prouver leur efficacité en améliorant le sort des masses. Là, nous l'emportons sur toutes les autres contrées. Alors que, dans votre pays, ce sont les capitalistes qui sont les maîtres, en Russie ce sont les travailleurs, les prolétaires eux-mêmes. Les usines soviétiques ne fonctionnent pas pour le bénéfice des riches, mais pour celui de tout le monde.»

Sur ce dernier point, la rapacité de certains capitalistes ne m'inspirant aucune tendresse, je donnerais, en un sens, raison au «communiste».

Qu'un homme pourvu d'argent construise une fabrique, achète des matières premières, emploie des ouvriers, vende des marchandises, et en retire un profit équitable; ce genre de capitaliste peut être abhorré des communistes. Pour moi, il me fait l'effet d'un homme ordinaire. Mais si, pour un injuste profit, il abuse du labeur des autres, il me paraît alors ne valoir guère mieux qu'une talle de chiendent au milieu de mon jardin.

Et cependant, il faut bien admettre que l'usine capitaliste marche aussi pour le bénéfice de tout le monde. Car, au fond, d'où sortent les capitalistes? N'est-ce pas, en général, de la faveur des masses? Wrigley serait-il jamais devenu archimillionnaire si la foule n'avait pas cru devoir se donner l'air distingué de bovins qui ruminent, et avait refusé sa gomme à chiquer? Et si les fumeurs s'étaient, comme leurs pères, contentés d'honnête tabac naturel... Ainsi de suite.

– Mais lorsqu'un fervent communiste m'assure qu'au pays des Soviets c'est le peuple qui est le maître?

– Nanti d'un cheval doué d'assez nombreux défauts, on m'en propose un autre dont on me vante les hautes qualités. Qu'on m'excuse de ne le point accepter sur parole, surtout si l'éloge me paraît outrepasser la limite du vraisemblable. Quand par «peuple» on entend, comme on nous le dit, les masses, les prolétaires; quand on essaye de me faire croire qu'il est un pays où les hommes hors du commun sont aux ordres des moins instruits et des moins intelligents, ceci me semble aussi parfaitement impossible qu'il serait parfaitement absurde.

À lire les publications officielles imprimées à Moscou il est très facile de voir que ce sont les élus des Soviets qui dirigent les idées et les actions des masses. Le peuple russe a, comme tant d'autres, des parlements. La conclusion est facile à tirer. Dans tout parlement ce n'est pas le meilleur, le plus vertueux, c'est le plus habile qui l'emporte. En dépit de tous ces mots nouveaux mis à la mode, en dépit de toutes les belles phrases dont on maquille les réalités, le fond, là-bas comme ailleurs, demeure le même : une féodalité, des seigneurs suivis de leurs vassaux.

– Oui, concédera peut-être alors le communiste. Mais ces seigneurs ne s'enrichissent pas comme vos avides capitalistes.

À mon tour, je n'hésite pas à concéder que le système russe peut avoir des avantages. Mais c'est précisément parce qu'il n'est pas communiste. L'expérience l'a forcé de reconstituer une aristocratie, de reconnaître que les hommes n'ont pas des valeurs égales, qu'il y a des inférieurs et des supérieurs; que la masse ne peut pas jouir des mêmes bénéfices que les élites; qu'un stakanoviste* (sic), qui abat l'ouvrage deux fois plus vite et mieux qu'un travailleur ordinaire, mérite un salaire plus élevé; que l'existence de ceux qui ont soin du bétail dans un sovkose* (sic) ne peut avoir les agréments goûtés par ceux qu'on place dans les ambassades, surtout à New-York, Londres ou Paris[a]; que ces braves ouvriers photographiés dans l'usine de Magnitogorsk* ne sauraient jouir autant qu'un maréchal des armées du plaisir de voyager à travers d'immenses territoires en chemin de fer, en automobile ou en aéroplane, etc.

Toutefois, il faut bien convenir qu'on ne tolère point là-bas les gros accapareurs.

À imiter, sous ce rapport – sauf dans ses inhumaines tueries – le système de Russie, nous n'aurions probablement pas grand'chose à perdre et peut-être beaucoup à gagner, si l'on doit estimer beaucoup un gain qui, divisé entre tous, ne consisterait pour chacun qu'à dépenser quelques piastres de plus. Encore suis-je loin d'en être certain. Jusqu'ici, d'après ces publications communistes, il ne paraît pas que les travailleurs des républiques soviétiques soient plus à l'aise que le travailleur américain, et nombre d'ouvriers américains, anglais, français, après visites en Russie, nous ont dit leurs désillusions. Et il nous faut bien étudier le pour et le contre.

Dans ces écrits aussi on déclare que les méthodes socialistes soviétiques rendent les hommes plus heureux.

Pour certains côtés je serais tenté de l'admettre. Le tout dépend de quel fil on tisse le bonheur.

Tel individu trouve que le meilleur moment de sa journée arrive quand il met la main sur sa bouteille de whisky et quand il commence à se sentir la cervelle échauffée par les sarabandes de l'ivresse. Il serait moins heureux en Russie. On s'y efforce de supprimer totalement ce genre de félicité. En quoi je ne puis que louer la sévère discipline des Soviets.

D'autres, et fort nombreux de nos jours, diront que leur quotidienne joie est dans les palpitantes émotions jaillies de belles pièces déroulées sur l'écran. On fait ainsi beaucoup d'heureux, du moins dans les grandes villes, comme chez nous d'ailleurs, en présentant des films, souvent beaux, où se déploient toutes les excellences soviétiques, réelles ou imaginaires.

C'est ainsi que l'image, l'imagination, le rêve, jouent un rôle éminent dans le bonheur humain. Ils voilent d'un agréable rideau l'authentique actualité, d'ordinaire bien moins agréable.

J'ai pu lire un ouvrage écrit par un observateur qui, durant plus d'un an visita diverses parties de la Russie et séjourna huit mois en Sibérie. Il était enthousiasmé des progrès obtenus, surtout dans ce dernier pays. D'après lui, tout le monde, même dans les bagnes, est à peu près satisfait. Ce serait à croire que ceux qu'on fusillait l'étaient aussi, mais il n'en parle pas. Les gens, dans ce livre, apparaissent pleins de gaieté, d'ardeur au travail, de confiance en l'avenir.

C'est parfait. Je veux dire : c'est parfait pour eux. Ils ont le rêve. Ils ont la foi. Ils ont la croyance que leur dur labeur sera bientôt récompensé par la floraison d'une ère de richesse et de bien-être. Ils passent[b] par l'exubérante période où naguère passèrent les États-Unis et, plus récemment, l'Ouest canadien.

Il est fort évident que l'auteur du livre ne s'en doute pas. Toutes ces merveilles accomplies en Sibérie semblent bien pauvres après de ce qui s'était fait durant un même laps de temps sur les terres vierges de l'Amérique. Mais nous, moins facilement satisfaits, nous demeurons déçus. Notons cependant que malgré nos désillusions peu de nos gens vendent leurs biens pour s'en aller en Sibérie. Les Soviets ont sur nous cet avantage : qu'on peut encore exalter leur foi. La mesure de leur bonheur est à la mesure de leurs espoirs.

– Les vôtres aussi auraient duré, me répond le communiste, si les capitalistes ne les avaient pas tués.

– Peut-être, en effet, ne nous serions-nous pas embourbés si vite. Il n'est guère douteux que nous devons en bonne partie à la cupidité capitaliste, et la surproduction des denrées, et l'engorgement des marchés. Il a fallu la guerre, temporaire accident, pour y apporter un palliatif. Le mal, sitôt la paix revenue, repartira de plus belle; du moins, je le crains.

Je confesserai toutefois que la condamnation d'un bouc émissaire, le rejet de la faute sur certains lorsqu'elle vient de tous, me semble geste un peu trop désinvolte. Car c'est bel et bien sur notre personnelle et grasse avidité que germent et croissent les capitalistes.

En outre, à ne prendre que des produits alimentaires, est-ce la faute des Rothschild ou des Morgan si tous les cultivateurs d'Europe et d'Amérique se sont mis à semer tellement de blé que les gouvernements ne savaient plus que faire pour arrêter ce fléau? Eh oui, je les entends encore ces admonestations clamées aux quatre coins du globe : «Augmentez donc votre consommation de pain! Mangez donc davantage de viande! Achetez donc davantage de poisson! On ne consomme pas assez d'oranges! Buvez donc davantage de lait!... Et, venant de France : Buvez davantage de nos vins!... Et, du Brésil : Buvez donc davantage de café!... Et, de Chine : Mangez donc davantage de riz! Buvez donc davantage de thé! – Mais, que diantre, je n'ai qu'un seul estomac! – Certes, il y a dans les grandes villes des pauvres qui souffrent de la faim et c'est un triste et dur problème à résoudre. Et pourtant, même si l'on parvient à les rassasier tous, ce ne sera jamais qu'un mince ruisseau détourné d'un immense fleuve qui déborde.

Voilà certainement par quoi triomphent les Soviets.

Alors que les nations plus avancées étaient emplies déjà d'innombrables denrées; alors qu'un producteur, pour conquérir un marché, devait en expulser les concurrents, la Russie, avec une énorme population, se trouvait, et se trouve encore, en grande partie, dénuée de ces biens dont nous ne savions plus que faire. Et c'est, joint à des habitudes de renoncement passif, ce dénuement qui a permis d'enrégimenter les masses, de soulever leurs espoirs et leur enthousiasme, de leur faire accepter, comme chez les fascistes, une rude discipline et de les lancer pour de longues années à la conquête de cette abondance, commune ailleurs, et qu'ils ne possèdent point. Il suffit, pour l'ascendance de ces doctrines chez un peuple, que préside chez lui l'indigence.

Mais cette servitude volontaire, pour des satisfactions matérielles, il n'était guère possible de l'obtenir que là, ou peut-être dans une autre contrée : la Chine.

En Chine aussi vivent d'innombrables multitudes déshéritées, ignorantes des inventions modernes. Les Soviets comptaient bien y étendre leur champ d'expériences. Mais, là, comme en Espagne où la tentative communiste a dû reculer, en Chine les Japonais ont pris le pas sur leurs adversaires soviétiques. Riche, lui aussi, d'une foule d'industries neuves contre quoi sont obligées de se protéger l'Europe et l'Amérique, le Japon apporte à ces multitudes déshéritées des plaisirs inconnus, et à meilleur marché, tout en se posant comme un puissant «libérateur». L'avenir sans doute pourra brouiller les cartes, mais astheure* la partie semble bien ajournée pour la Russie[c]. Elle devra donc ne s'appliquer qu'au bonheur des siens propres. Et ceci nous ramène au pré que nous étions en train de faucher.

Entre autres sortes de bonheur il y a celui d'être mieux vêtu. Il est goûté surtout des femmes. Apparemment, d'après les photographies venues de Moscou, l'art du vêtement ne paraît pas pouvoir rivaliser avec celui que l'on cultive à Paris, Londres ou New-York. Est-ce dédain du raffinement des sociétés bourgeoises? Est-ce inaptitude? Est-ce manque des matières premières? On ne le dit pas, du moins dans ce que j'ai pu lire. Toujours est-il que ce très humain, très féminin plaisir, paraît être beaucoup plus rare là-bas qu'ici. Staline lui-même, probablement afin de mieux représenter l'idéal du travailleur soviétique, semble toujours habillé du même costume. J'en loue la sobriété. J'en déplore l'inélégance.

Quant à la joie d'être mieux logé, on fait là-bas d'énergiques efforts pour doter les masses d'un bien-être qu'elles ne connaissaient pas. On construit des édifices modernes à l'usage du prolétariat et il en est de vraiment magnifiques, assez semblables aux vastes hôtels des grandes villes d'Europe ou d'Amérique. Il y a là, pour la Russie, un très grand progrès. Un ouvrier de race française ou anglo-saxonne me dira peut-être qu'il préfère un logis indépendant plutôt qu'une chambre d'hôtel; et, surtout s'il s'agit d'agriculteurs, je crains qu'il soit difficile de leur faire accepter ce genre d'existence tassée à la manière d'une ruche d'abeilles. Il a pourtant ses avantages. Un combinat*, un sovkose* (sic), devraient, en théorie du moins, être plus économiques et par suite plus profitables. Mais il faut évidemment y abdiquer une partie de sa liberté pour se soumettre à la discipline commune. De sorte que des hommes épris de personnelle indépendance, ou tout au moins de la croyance qu'elle est chose désirable, ces hommes demeureront hostiles au véritable esprit communiste. Et il semble bien[d] que même en Russie l'esprit collectiviste n'est encore qu'à l'état d'embryon puisqu'on y admet la pleine possession de la propriété privée, et notamment celle du salaire. Si bien qu'au total, et tout comme partout ailleurs, on est plus ou moins confortablement logé selon qu'on gagne plus, ou moins.

Et, enfin, il en va de même pour le plaisir de la nourriture. Il n'est pas besoin d'une réflexion très profonde pour déduire qu'un stakanoviste* (sic) qui touche deux ou trois fois plus d'argent qu'un simple ouvrier peut s'offrir de meilleurs repas. J'ai lu que certains stakanovistes (sic) gagnent jusqu'à dix fois plus que d'autres travailleurs. Malgré cela, il me semble raisonnable de penser que l'avantage, pour la variété des aliments, reste aux nations qui ont le plus large commerce extérieur.

Avec tout ce qui précède nous n'avons examiné que l'écaille du poisson, ou, si l'on préfère plus commune métaphore, la peau du fruit, que nous propose la propagande communiste.

Dans un autre article nous tâcherons d'en goûter la chair.

Parenthèse.

Plusieurs sans doute estimeront, quant à la forme de cette étude, qu'elle est trop cousue de pronoms relatifs ou conjonctifs. Mais tous ceux qui, au lieu de faire des phrases, manient des idées, savent très bien qu'on ne peut éviter, pour un clair et solide raisonnement, l'usage des *qui* et *que*. Les disciples de Voltaire, dont le but n'est pas de pousser notre âme aux pensers graves, mais bien de la distraire en d'agréables plaisirs, en sensorielles frivolités, préfèrent, au pas viril, assuré, d'un écrivain qui marche droit et ferme, la danse, les sautillements ou soubresauts d'un style moins sérieux, peu sévère, d'une plus attrayante légèreté – puérils amusements.

Et, d'ordinaire, si l'on me dit que l'emploi de relatifs alourdit la phrase, je me contente de répondre par ces magnifiques vers d'un homme qui s'y connaissait en plastique littéraire, Victor Hugo :

Je viens à vous, Seigneur! confessant que vous êtes
Bon, clément, indulgent et doux, ô Dieu vivant!
Je conviens que vous seul savez ce que vous faites,
Et que l'homme n'est rien qu'un jonc qui tremble au vent[3].

Deuxième partie[4]

Étudiant, dans un précédent article, les publications communistes, nous avons examiné divers appâts plus ordinairement offerts aux lecteurs en tant qu'ils font partie de l'ordre des mammifères : attraits de la nourriture, du vêtement, du logement, et des amusements[(e)]. Nous avons indiqué ce qui nous semblait vérité, ce qui paraissait erreur.

Mais, si l'homme s'est classifié parmi les mammifères, il a cru bon de se hisser au-dessus du commun des animaux en s'adjugeant un privilège spécifique. Et il s'est décerné, outre son brevet de bête, le diplôme de «raisonnable».

Or je dois, et j'en suis bien fâché, constater, d'après tant d'écrits qu'on m'a fait tenir, que les Soviets russes, présentés comme des modèles, s'adressent, pour améliorer la vie des hommes, beaucoup plus à leur qualité d'animal qu'à leur dignité de raisonnable.

Je ne sais s'il leur en faut faire si grand reproche. À part quelques rares époques où les valeurs spirituelles étaient considérées comme plus vigoureuses vitamines, à peu près tous les gouvernements ont conçu et continuent

---

[3] *Les Contemplations*, Livre IV, «Pauca Meæ», XV, 'À Villequier'.

[4] *Le Canada Français*, vol. XXIX, n° 10, Québec, juin 1942, pp. 865-877.

de concevoir la cuisine politique tout ainsi qu'on le fait en Russie. Il est, paraît-il, de grandes nations dites chrétiennes. On serait d'ordinaire bien en peine de découvrir en quoi les plats servis par leurs dirigeants exhalent une saveur très distinctement chrétienne[f]; je veux dire ce parfum qui rappelle à la bête raisonnable qu'elle n'est pas qu'une bête, qu'elle est douée de raison; que la raison, si elle doit s'occuper du corps, doit aussi s'occuper, sous peine de s'affaiblir, de sa propre nourriture, de cette nourriture essentiellement humaine par quoi l'esprit, dépassant l'animalité, surmontant le sensoriel, dominant le périssable, aspire des forces que ne donne pas la chair, que ne donne pas la terre, et s'imprègne de puissances immatérielles qui le soulèvent jusqu'à ces hautes pensées où il découvre que s'il est quelque part un domaine digne de lui, un domaine vraiment sien, une demeure qu'il doive atteindre, c'est la demeure de l'impérissable.

– «Bravo! Bravo! me crie le fervent communiste. Vous voilà donc avec nous contre les gouvernements bourgeois. Vous n'attachez pas votre cœur à l'argent, vous êtes idéaliste, et vous avez parfaitement raison. Car s'il est vrai qu'en général nous donnons plutôt, comme les bourgeois, dans les plaisirs sensuels (il y a tant de citoyens qui ne comprennent que ceux-là) d'un autre côté nous faisons mieux. Les plus intelligents d'entre nous se sont parfaitement rendu compte des valeurs idéales. Ils nous ont élaboré une mystique à l'usage de ceux qui savent se servir de leur raison. Seulement, au lieu d'une religion surnaturelle, ils proposent un autre Credo, tout à fait naturel : la foi dans l'avenir de l'humanité, dans son progrès constant, de siècle en siècle, jusqu'à l'ultime perfection. Nous préférons placer ainsi le ciel sur la terre. C'est beaucoup plus sûr.»

Voilà qui commence à m'intéresser.

Jusqu'ici, malgré la différence des bocaux et des étiquettes, la substance soviétique me paraissait assez semblable à celle qu'on fait, à peu près partout, absorber au bon peuple. Maintenant, on nous présente une boisson, pas très nouvelle mais capiteuse, mais distribuée gratuitement et beaucoup plus abondamment que nulle part ailleurs. L'importance en devient grande.

L'homme, en fait, a toujours été libre de croire ou de ne pas croire, de choisir telle ou telle forme de religion. Il en est qui ne se préoccupent même pas d'un choix sauf lorsque leur apparaît l'implacable Faucheuse, et, devant elle, je ne vois guère comment quelqu'un, à moins d'inconscience morale ou physique, peut éviter de se poser la grave question. C'est donc dire que le problème religieux s'impose un jour ou l'autre. Mais, dans le cours de la vie quotidienne, chacun suit d'ordinaire la croyance insinuée par sa personnelle concupiscense : les uns ayant des appétits pour divers objets offerts par la nature terrestre, tandis que d'autres, n'y trouvant point assez de joies, ni les perfections qu'ils cherchent, portent leurs désirs vers l'immatériel et prennent leur bonheur dans l'intellectuel, le spirituel, le surnaturel.

Et, ici, j'entends l'invective de certains amants du communisme intégral. L'un des plus ardents était Barbusse*. Comme romancier[5], et quand il s'agit de secouer le cœur, les nerfs, les sens, à coup de verbe et d'images, Barbusse avait beaucoup de talent. Pourquoi, délaissant les luxuriantes forêts de l'imagination, voulut-il

[5] Le roman qui obtint le prix Goncourt pour l'année 1916, lu et admiré par les combattants et plus tard par le monde entier, *le Feu* de Barbusse, ose décrire toute la vérité sur la guerre et exprimer les sentiments complexes et douloureux des soldats qui luttent en pensant au foyer délaissé.

Barbusse s'exprime en humaniste, mais Marx, cinquante ans auparavant, avait analysé de telles situations. Lénine préparait la révolution prolétarienne, et selon lui, la guerre ne s'expliquait que par les luttes entre forces capitalistes. Détruire ces puissances, c'était mettre fin aux guerres. Barbusse, marxiste, justifie cette opinion dans *Clarté*, revue littéraire et politique qu'il fonda en 1919.

monter sur les hauts plateaux du pur raisonnement?

D'après lui – mais il n'est qu'un des colporteurs et non l'inventeur de cette poudre-là, déjà employée au temps de Pyrrhon* – d'après lui le surnaturel n'est qu'un mythe. Nos idées ne représentent pas nécessairement des êtres vrais. Si notre pensée conçoit un sphynx, il ne s'ensuit pas que ce sphynx existe; et d'avoir l'idée d'un Dieu n'implique pas sa réalité.

J'admettrais bien ce genre de preuve pour faire plaisir aux amis de Barbusse, mais l'ennuyeux est que ma cervelle tend toujours à suivre les règles, au moins élémentaires, de la logique, tandis que mon Barbusse ne s'en soucie pas le moins du monde. Il ne fait ensuite, tout au long de son très long discours, que parler de justice et de vérité; seulement, ça ne prend plus du tout. Afin d'être conséquent, je suis bien obligé, suivant le procédé Barbusse, d'envoyer promener la justice et la vérité au même endroit inexistant où il a logé Dieu en compagnie du Sphynx. C'est vraiment désastreux parce que, dans ce genre de dialectique, la vérité, la justice, n'étant plus que des idées, d'autres chimères inventées par notre esprit, je me demande aussitôt pourquoi diable Barbusse, et tout le monde, et moi-même, n'allons pas cultiver tranquillement notre jardin au lieu de nous éreinter à vouloir attraper quelque chose qui n'existe pas.

S'il en est de plus habiles que Barbusse, je ne les ai pas rencontrés.

Et il faut croire qu'aujourd'hui non plus qu'hier, et pas plus en Russie qu'ailleurs, aucun n'a pu découvrir une preuve péremptoire qu'il n'est point un Parent et Régent du monde. Une preuve indiscutable écrase toute discussion. Or, même parmi les plus grands savants, le débat continue. Ceci montre fort clairement qu'après au moins vingt-cinq siècles d'argumentation, les plus pénétrants penseurs n'ont pu, ni pour, ni contre, saisir une certitude absolue. Astheure* comme autrefois l'homme demeure capable de créance ou d'incroyance; la foi reste ce qu'elle fut : un don, une vertu, et non un prix de logique. Plus qu'un tintamarre de cervelle, il y faut la volonté, la bonne volonté.

D'ordinaire, quand il s'agit de résoudre un problème, et tant que la solution n'en est pas assurée, on laisse les chercheurs parfaitement libres de suivre leur individuelle inspiration. Un vrai savant, en face d'une question intéressante mais indécise, sait en exposer pleinement les divers aspects. Il n'efface pas les points d'interrogation. Il conclut en admettant qu'il est permis de continuer à chercher.

D'où vient alors chez tant de prosélytes communistes, et qui se piquent de science, ces désirs d'étouffer la liberté d'étudier, ces efforts pour édifier dans tous les esprits une conjecture dont aucun n'est capable d'asseoir la base, une opinion qu'eux-mêmes qualifient de mystique?

Il n'est pas surprenant qu'un visionnaire, tel un Mahomet, s'il arrive à se persuader d'être le porte-parole d'une autorité transcendante, se fasse un devoir d'imposer à tous une doctrine qu'il tient pour surhumaine. Mais quand des hommes, et des hommes habiles, sans se prévaloir d'une autorité supérieure à celle d'autres hommes, placent une clôture autour d'un problème fort important et qui, jusqu'à preuve du contraire, les surpasse; quand ils veulent empêcher qu'on s'en occupe, sauf pour en nier l'existence; on peut alors aisément soupçonner qu'ils ont dans la pensée tout autre chose que le souci de cette justice et de cette vérité dont ils ont toujours plein la bouche. Ils me font un peu l'effet de ce seigneur féodal qui étant un jour, dans une rencontre, parvenu à blesser et chasser le mari, vint assurer à la femme qu'elle était bel et bien veuve, lui promettant monts et merveilles pourvu qu'elle consentît à lui transmettre ses faveurs, et ses biens. Il ne put la convaincre, faute de preuve.

Dans cette lutte pour l'athéisme on découvre parfois de bien curieuses exceptions.

Parmi les républiques soviétiques, il en est une, installée sur un territoire plus grand que celui de la Belgique, dans un pays riche, aux cultures variées. Or, elle s'intitule : République Autonome Juive du Birobidjan*.

Apparemment, le Juif n'est pas considéré comme un ennemi. Loin de le persécuter, on le soutient. Serait-ce parce qu'il ne cherche pas, tout en admettant l'existence de Dieu, à vous déprendre le cœur des biens de ce monde?

Et d'autres déductions aussi se présentent : comment se fait-il qu'une si large contrée, où la population n'atteint pas encore 60 000[6], n'ait pas été immédiatement envahie par tous ces autres Juifs qu'on avait chassés d'Allemagne et d'ailleurs? Serait-ce qu'ils n'ont pas confiance dans la durée de l'expérience russe? Ou serait-ce que les nations dites chrétiennes leur semblent terrain plus propice à nouvelles fortunes? Car, après tout, il faut bien admettre qu'en général l'esprit juif ne ressemble guère à l'esprit de saint François d'Assise. Et l'esprit du Poverello* n'est pas du tout non plus celui des communistes.

D'où il est aisé de percevoir pourquoi socialistes ou communistes s'entendent si bien avec les conceptions juives (et conversement), et pourquoi ils ne peuvent supporter les idées chrétiennes.

– «Ceux que les chrétiens offrent pour modèles, leur Jésus-Christ, leur saint Jean, leur saint Paul, un François d'Assise ou, plus près d'aujourd'hui, un Vincent de Paul, un Curé d'Ars, un Père Damien, une Thérèse de Lisieux, tous ces gens-là se nourrissaient et nourrissaient les autres avec l'opium du peuple[(g)]. Ces gens-là estimaient que de souffrir, sans appointements, pour leur prochain valait mieux qu'un bon dîner. Ces gens-là n'apportaient aucune ferveur à ces inventions qui multiplient nos jouissances.

---

[6] Chiffre de 1942. La population actuelle de la région est de 67 000 habitants.

Au lieu de vous enseigner un bon système pour cultiver et récolter un opulent confort; au lieu de publier des brochures et des journaux illustrant les divers agréments dont l'État doit bientôt combler les citoyens; et au lieu d'étudier soigneusement, pour leur personnel profit, comment un homme, habile à employer les espoirs et la bourse des autres, doit leur persuader qu'on verra sans tarder, si on lui accorde une bonne place, tous les désirs de l'humanité pleinement satisfaits... ces gens-là... ils viennent vous prêcher la modération! Pire encore, ils vous en donnent l'exemple, un très fâcheux exemple: celui du renoncement aux richesses matérielles sous prétexte qu'ils en seront récompensés au centuple dans un autre monde. Et, même si vous leur dites que vous ne croyez pas à cet autre monde, ils vous ripostent avec des citations de vieux auteurs païens, grecs ou latins, qui, s'étant, paraît-il, aperçu déjà que l'homme n'est jamais content de ce qu'il a et repart toujours, et sans répit, à la poursuite de ce qu'il n'a pas, en concluaient qu'il est plus facile d'être heureux en apprenant à désirer moins. Que voulez-vous faire avec ces gens-là? Ils arrêteraient la moitié de nos usines. Les prolétaires viendraient nous chanter qu'il n'y a plus besoin de pomper tant de pétrole, ni d'envoyer en fumées tant de charbon, ni de gaspiller tant de métaux, ni de creuser tant de mines. Ils commenceraient à prendre l'idée de vouloir vivre tranquilles et de laisser en paix la nature au lieu de la dévaster. Ils conseilleraient à tous leurs frères ouvriers d'aller, comme des bourgeois, habiter la campagne et de vivre dans leur jardin. Avec de pareilles maximes on découragerait jusqu'à nos plus vigoureux stakanovistes* (sic). Au lieu de ruisseler de sueurs, notre champion du marteau demanderait à s'asseoir et à réfléchir. Et alors, que deviendrait notre mystique? Et nos promesses d'un ciel terrestre, richement meublé de tous les biens et conforts du monde, empli, comblé de toutes les félicités?»

Je ne m'excuse pas de cette ironie; arme bien inoffensive auprès des méthodes appliquées par les chefs soviétiques à ceux qui ne pensent pas comme eux. Et pourtant, en dépit de leurs cruautés, je ne puis m'empêcher, en les regardant agir, d'apercevoir, au milieu des tristesses, un aspect plutôt plaisant. Non seulement ils ressemblent à ce seigneur féodal désireux de jouir de la femme et des biens du mari blessé et chassé, mais dans leur empressement ils s'y prennent de telle façon qu'ils préparent à peu près infailliblement la déconfiture de leur bonne fortune.

Ils ont parfois des rencontres[(h)] qui leur devraient ouvrir tout grands les yeux.

Il me souvient d'avoir lu dans un de leurs meilleurs périodiques un rapport, très concis, sur le fameux ouvrage de Sir James Jeans* *The Mysterious Universe*. Tout en admettant la haute valeur de cette œuvre au point de vue scientifique, le critique lui reprochait un singulier défaut : celui de porter le lecteur[(i)] à de trop larges réflexions.

C'est bien cela. Ils perçoivent ainsi, par instants, le tréfonds de leur problème.

Cet opium du peuple[(j)] qu'ils confondent avec la religion ou les religions, il est là, partout, dans tout homme, prêt à produire son effet dans chaque cervelle humaine ou dans tout cœur humain dès qu'on prend goût aux calmes et fortes nourritures intellectuelles; et le spirituel, s'il manufacture ce genre de sédatif, n'en détient pas du tout le monopole. Tant qu'on peut occuper un individu à l'intérieur de sa maison, il est assez facile de l'intéresser à l'ameublement des diverses pièces. S'il ouvre la porte, qui sait si le dehors n'offrira pas des plaisirs plus vifs à sa curiosité? Qui sait si toutes ces merveilles, non faites par l'homme, et sur la terre et dans les cieux, ne le détourneront pas de ses propres meubles?

On voulait bien libérer les prolétaires mais à condition, pour le progrès matériel souhaité, qu'ils demeurent prolétaires; c'est-à-dire occupés à des idées pratiques, à des travaux matériels, attachés aux plaisirs des sens, et n'accordant à leur esprit que les jouissances du temporel. Faute d'impartial jugement, les théoriciens du communisme ont cru lui assurer le succès en éliminant ces religions qui tendent à ralentir la poursuite des satisfactions animales. À réfléchir plus à fond ils auraient compris, par l'exemple même de leur ancêtre, Jean-Jacques Rousseau, et par leur personnelle expérience, que le labeur intellectuel s'entend fort mal avec celui du corps. N'est-il pas notoire qu'en immense majorité les penseurs, les inventeurs, les savants, les écrivains, les artistes, ne sont pas des gens «pratiques»; qu'ils sont distraits; qu'ils sont portés à se passer de confort dès qu'il le leur faut acquérir par le travail de leurs propres mains?

Or, sait-on qu'en Russie les Soviets ont dépensé beaucoup plus qu'on ne l'a fait nulle part ailleurs pour l'instruction du peuple?

D'après une de leurs revues où l'on traite tout spécialement des questions scolaires, le nombre des enfants était récemment, dans les écoles primaires, six fois plus grand qu'au temps du dernier Tsar[7]. Dans les collèges ou lycées, alors qu'en 1914 il n'y avait que 97 000 élèves, on en comptait déjà dès 1932 plus d'un demi-million. En 1933, 60 % des jeunes gens suivaient les cours d'enseignement supérieur. Deux ans après, le chiffre passait à 70 %. Qu'on ergote tant que l'on voudra, les Soviets peuvent, dans ce domaine se vanter d'un incontestable avancement, d'un effort vraiment extraordinaire. Ceux qui tiennent le savoir, ou du moins cette sorte de savoir, pour un bienfait, ont donc ici un remarquable modèle à suivre.

Personnellement, j'estime que le savoir, loin d'être toujours un avantage, devient habituellement une perte. Il nous rend orgueilleux, et c'est de cet orgueil que dérivent toutes nos présentes misères. Au lieu d'employer notre science à des améliorations humaines, morales, nous n'avons guère su l'appliquer qu'à des satisfactions sensuelles. Nous sommes devenus, je le crains, d'assez beaux

[7] Le dernier Tsar, Nicolas II, abdiqua en mars 1917.

spécimens de ce que les Anglais dénomment «educated fools». Et, à mon humble avis, les nations «instruites» sont fort plus habiles à commettre le mal que les peuples moins savants. En réalité, nous ne sommes point du tout scientifiques, puisque le véritable savoir ne peut pas s'en tenir qu'à une moitié de l'homme, la plus basse, et qu'il lui faut bien entrer dans l'autre moitié, la plus spécifiquement humaine, la plus importante.

D'où, me plaçant ici au point de vue même où se campent les communistes, il me semble que l'on commet en Russie une très grosse erreur. On paraît escompter, du moment qu'aucune idée religieuse n'est tolérée dans les écoles, que tout ira bien. Assurément, je puis me tromper. Toutefois, aidé par les aperçus précédents, je suis presque certain qu'en poussant tant de jeunes gens vers de fortes et hautes études, en leur apprenant, plus et mieux que chez les autres nations, à goûter les joies de la pensée, en les accoutumant à un régime de substances immatérielles, on leur affadira fatalement le matériel. Sans doute, on espère en tirer des spécialistes, des savants, des découvreurs utiles, des artistes, et c'est fort bien. Seulement, lorsqu'on suscite un travail intérieur, il ne peut plus être imposé, surveillé, dirigé, arrêté, comme le travail externe. Les corps, on les peut astreindre à telle ou telle besogne. Mais les esprits devenus robustes, qui les pourra maintenir à terre? Cet éternel problème qu'on a chassé, ils repartiront à sa découverte.

Car enfin, comment un homme pensant, s'il a dans le cœur quelque décence, peut-il se sentir bien fier de lui-même lorsqu'il se dit : «Je n'ai pas demandé de naître. Non. Mais tout de même j'accepte le présent et je m'en sers; pas toujours comme je devrais, pas toujours comme je voudrais, cependant c'est en somme un cadeau qui en vaut la peine puisque je le garde. Jouissons-en donc, avec ou contre les autres hommes, du mieux possible. Et, du moment que le chèque n'a pas été signé en toutes lettres, empochons toujours l'argent et dépensons-le comme il nous plaît. Puisque le donateur a pris soin de ne pas s'imposer, de ne pas gêner ma liberté, je ne vois pas pourquoi je devrais m'occuper de lui».

En amusant les masses, en cultivant, là-bas comme ailleurs, leur animalité, on peut les détourner des hautes cimes et les attirer aux gras pâturages. Mais si, outre le corps, on se met à stimuler l'esprit, voilà les yeux qui se lèvent. S'ils voient la terre, ils perçoivent aussi bien autrement grand que la terre. Et c'est tout l'homme, reconstitué, qui reprend l'antique lutte de l'esprit contre le corps, du moral contre le social, du spirituel contre le temporel.

Serait-ce qu'après des années de régime soviétique les chefs se sont aperçu qu'il n'y avait, parmi tous ces condamnés, ces concussionnaires tombés sous leurs balles, que peu ou point de croyants? En ont-ils conclu au danger du matérialisme?

Pour ceux d'entre eux qui sont observateurs et méditatifs, ils doivent chaque jour remarquer des demeures où la discorde inflige au père, à la mère, aux enfants, de continuels et quotidiens tourments; d'autres où la maladie, la souffrance, sont installées pendant des semaines, des mois, des années; d'autres où l'implacable main de la mort saisit, au milieu de ceux qui l'aiment, une créature épouvantée et, sans qu'on entende un mot d'espérance, l'étouffe et la jette au charnier. Ont-ils été touchés par tant d'incessantes misères humaines que leur terrestre mystique ne sait ni soulager ni consoler?

Ou serait-ce encore que la vigueur agressive[(k)] des fascistes les aurait fait réfléchir? Apparemment, un idéal de confort et de plaisir rend un peuple moins courageux. C'est, au reste, l'enseignement de tout le passé.

L'histoire, sous la diversité de ses gestes, ne change

guère. Et même, l'humanité se composant d'individus, il suffit d'étudier un homme pour avoir la clé de tout le genre humain. Un homme, sous son perpétuel changement demeure le même homme. Ses variations suivent les alternatives[1] de l'incessante et toujours même lutte : le corps contre l'esprit. À certains moments, et c'est malheureusement à l'ordinaire, la chair l'emporte. À d'autres l'esprit domine. Mais aucun homme ne se sent vraiment homme, vraiment grand, s'il ne possède que la force physique ou de matérielles richesses. Il sait que la véritable puissance, la vraie grandeur, est morale et, plus ou moins bien, il tâche à se l'acquérir. Ainsi en va-t-il des peuples, de leurs ascendances et de leurs régressions.

Pour nous, chrétiens, il est un exemple contre quoi s'émoussent tous les arguments du matérialisme : cette pauvre étable de Bethléem écrasant les palais romains; ce pauvre Ouvrier galiléen qui, demandant aux hommes d'imiter son mépris des richesses terrestres, a fondé la seule Internationale, bientôt deux fois millénaire, où l'on n'adhère point afin d'en obtenir plus hauts salaires ni plus large confort mais, comme nous l'apprend la première page du catéchisme, pour aimer Dieu, le servir, et gagner un monde éternel, un monde immatériel.

Évidemment, il est fort curieux qu'en plein vingtième siècle, et en dépit d'une instruction si «scientifique», on trouve encore, chez les prolétaires comme chez les bourgeois, parmi les grands savants comme parmi les moins savants, chez les Américains, Asiatiques ou Africains comme chez les Européens, tant de gens qui croient en Jésus-Christ, l'aiment, l'admirent comme parfait modèle humain, le considèrent comme leur Sauveur. Les Catholiques surtout forment au milieu des autres chrétiens une société bien singulière en continuant – Dieu sait pourtant combien on le leur reproche de tous côtés – à se nourrir du même suc qu'ils absorbaient il y a des siècles et des siècles, et s'obstinant à rejeter tous les procédés d'une distillerie plus moderne.

Mais enfin, aux yeux d'un communiste capable d'observation, cela devrait du moins indiquer que, partout, des millions et des millions d'hommes s'entêtent à croire qu'il y a un Dieu, et qu'ils ont une âme, et que cette âme est immortelle. Et, de cette croyance, il ne cesse de fleurir des sujets fort éminents. Tous ces hommes-là estiment qu'ils n'auraient pas grand'chose à gagner et beaucoup à perdre en se laissant traiter à la façon d'un troupeau, bien soigné, amélioré, supérieur, c'est entendu, mais qui doit tenir les yeux fixés à terre. Et il faut bien que ces millions soient armés d'énergies valables et durables. Toutes les religions d'ailleurs, à plus ou moins haut degré, peuvent élever les hommes dès qu'elles impriment en eux le baptême de désir qui les fait appartenir à l'âme de l'Église, et il est probable qu'ainsi bien des Russes, pourvu qu'ils soient sincères, sont catholiques sans le savoir.

D'un autre côté, à la décharge des Soviets et expliquant, sans les justifier, en partie leur irréligion, il faut bien dire que les esprits vraiment religieux ne forment pas en ce monde la majorité; que les chrétiens modèles sont plutôt clairsemés. La plupart du temps, surtout dans les discours politiques, le terme de civilisation chrétienne sonne beaucoup trop comme le synonyme d'existence confortable et de progrès matériel. Il était employé en Russie comme ailleurs. Or ceux-là mêmes qui eussent dû donner l'exemple, qu'ont-ils fait, sauf de rares exceptions, dans cette schismatique église, pour que le peuple les ait pu considérer comme les ministres du Sauveur?

Pour autant il demeure que si les chefs soviétiques tiennent à continuer leur propagande en maintenant comme clé de voûte une mystique terrestre, s'ils en veulent assurer le succès, ils feraient mieux de nous démontrer carrément et définitivement que Dieu n'existe pas. Ils se débarrasseraient ainsi de leur plus redoutable ennemi, le spirituel, qui mine l'intérieur et le fondement même de leur édifice.

Aujourd'hui certains communistes paraissent convenir qu'une telle démonstration est au-dessus de leurs forces. Ils préfèrent en venir à composition auprès des croyants. Ce geste de la main tendue est-il tout à fait sincère? Après tant d'hostilité, et parfois tant de haine, le doute est permis.

En tous cas, puisqu'ils tiennent à poursuivre leur expérience, et comme il serait assez curieux de voir ce que peut donner le système soviétique, s'il apportait à son œuvre les corrections nécessaires, il me semble qu'on ferait mieux, en Russie comme ailleurs, de borner les labeurs du politique, de l'économique, au problème qui est leur : le progrès temporel.

S'ils en font une réussite, l'estime du monde leur viendra par surcroît, et les puissances spirituelles ne se sentant plus menacées signeraient, je pense, un traité de paix dès lors qu'on ne chercherait plus à saccager leur propre domaine.

Mais tant que ces innombrables écrits de propagande n'auront pas à nous offrir d'autre aliment, d'autre appât, qu'une faucille et un marteau... non, vraiment, ce menu manque de saveur.

Qu'on nous les serve empaquetés et voilés dans un attrayant tissu mystique, mon estomac n'en a cure. Il me suffit de réfléchir à ce que peut signifier ce merveilleux «futur de l'humanité».

D'abord, entre vous et moi, que nous importe la terrestre et matérielle existence de l'homme dans mille ans d'ici? Ensuite, si plus tard ce sont, grâce à leur forte natalité, des Asiatiques avec, chose encore possible, des Noirs qui remplissent les deux hémisphères et qui s'empiffrent du plantureux confort que nos luttes leur auront amassé?

J'ose le déclarer tout net : devant cette mystique perspective de la future humanité, je ne me sens pas le plus petit sursaut d'enthousiasme. Travailler à préparer l'éternel salut de leurs âmes, passe encore. Puisque nous devons nous loger dans quelque croyance, autant la prendre haute et vaste. Mais s'agiter, se surexciter, nous massacrer les uns les autres dans ce petit coin de l'univers pour une simple question d'élevage, et à seule fin d'incruster sur l'écorce d'une minuscule planète une colonie de microbes perfectionnés et confortables, qu'ils soient blancs, ou jaunes, ou noirs... Où peut-on là-dedans jucher une mystique?

Cependant, au fond, et si j'éprouve, non point grâce à moi mais grâce à Dieu, ces intimes et paisibles douceurs de la foi, il m'est impossible d'être sans compassion pour ceux qui ne les possèdent point[(m)]. Ne leur faut-il pas, pour se contenter d'un aussi pauvre Credo, un cœur bien affamé d'espérance? N'est-ce pas là convenir, avec nous, de cet irrésistible besoin qui force l'homme à chercher sa fin au-delà de soi, au-delà des certitudes, au-delà même du rationnel?

Aussi ai-je confiance que se répétera, avec eux et bientôt peut-être, l'histoire du fils prodigue revenant, après avoir constaté le néant du plaisir du monde, à la bonne maison de son père. Et, par suite, j'en viens à souhaiter de tout cœur qu'après avoir à son tour constaté l'impuissance du terrestre à combler ses aspirations, le peuple russe achève de réaliser[(n)] un jour son rêve d'internationale conquête, en exposant aux regards de tous les peuples de la terre l'excellence d'une surnaturelle humanité.

Variantes

[a] V.O. : New-York, Londres, **Rome** ou Paris;...

[b] V.O. : Ils **passaient** par l'exubérante période...

[c] V.O. : la partie semble bien **perdue** pour la Russie.

[d] V.O. : Et il **me** semble bien...

[e] V.O. : Les mots, **du vêtement**, ont été ajoutés au texte original.

[f] V.O. : une **valeur** très distinctement chrétienne.

[g] V.O. : avec l'**opinion** du peuple.

[h] V.O. : Ils ont parfois des **conjectures**...

[i] V.O. : porter le **peuple des** lectures à ...

[j] V.O. : **Cette opinion** du peuple...

[k] V.O. : la **rigueur** agressive...

[l] V.O. : les **alternations**...

[m] V.O. : ne les possèdent **pas**.

[n] V.O. : le peuple russe **finisse** de réaliser...

19. Les Gardiens de la terre[1]

La guerre, le rationnement, l'attente... «Néanmoins, pendant cette attente, écrit Bugnet, il n'est pas impossible de préparer les voies, ou, si l'on préfère, d'orienter la paix». Vivant dans la nature et avec la nature, il réalise très tôt que certaines espèces animales et végétales sont en voie de disparition et que la diminution des forêts est irréversible. Il s'en inquiète et sonne l'alarme, mais personne n'y prête attention. Bugnet voyait pourtant juste et loin, nous ne le savons que trop bien aujourd'hui. [THÈMES : Botanique. Environnement. Religion.]

En dépit de ce que maints savants auteurs, parfois atteints de logorrhée*, ont exposé sur les origines et les variations du concept de la propriété, du droit pour chacun de jouir et de disposer d'une chose, les hommes, durant de longs siècles, ne s'estimaient point les maîtres absolus de leurs biens. Ne voyaient-ils pas, l'un après l'autre, disparaître les éphémères possesseurs; les doigts des plus riches enfin s'ouvrir, lâcher, et, à jamais raidis, demeurer vides?

Ces hommes-là sentaient, au-dessus d'eux, quelque chose qui ne cédait pas, qui ne mourait point : des êtres plus puissants, immortels, vigilants, les véritables administrateurs et permanents seigneurs du monde. Ces hommes respectaient la Nature. Ils en admiraient l'œuvre constante et l'ordre merveilleux. Ils allaient jusqu'à l'adorer. Les Égyptiens divinisèrent des animaux, des végétaux, le Nil.

[1] *Le Canada Français*, vol. XXXI, n° 8, Québec, avril 1944, pp. 561-566.

L'usage des biens terrestres n'était, pour ce peuple, comme pour la chenille travaillant au cocon de sa chrysalide, qu'un prélude à une autre et plus valable existence. Dans la pensée grecque, les dieux possédaient, surveillaient, et dirigeaient le Cosmos. Les Hébreux croyaient qu'il n'était qu'un seul Être tout-puissant, créateur et monarque du ciel et de la terre.

Mais, à côté, il y avait l'inhumanité des races de proie, Assyriens, Babyloniens, conquérants et dévastateurs, qui ne surent laisser à leurs fils que des ruines au milieu d'un immense désert.

Notre rêve moderne d'une béatitude terrestre, je crains qu'il soit non point devant, mais derrière nous, comme on le pensait autrefois, comme, encore aujourd'hui, sémites et chrétiens le renvoient jusqu'au berceau du genre humain, dans cet Éden, leur paradis perdu. Notre science et ses inventions ont encombré notre logis d'une foule de commodités, satisfactions, divertissements, qui eussent été, pour les Anciens, des miracles. En sommes-nous devenus meilleurs et plus nobles? La vie humaine en est-elle plus humaine? Notre terrestre demeure en est-elle plus saine; en est-elle plus belle? Notre progrès continue-t-il celui des Égyptiens, des Grecs, des Hébreux, ou n'est-ce pas plutôt l'esprit même des races de proie? – «Seuls maîtres du monde, prenons-en toutes les richesses et, tant qu'elles durent, sachons en jouir sans limites!»

Des voix, les voix de ceux qu'on appelle les Sages, ont depuis longtemps proclamé qu'il est plus facile d'être satisfait en désirant moins. L'une surtout est familière chez les nations dites chrétiennes – qui sont les plus opulentes, – celle d'un pauvre ouvrier galiléen appelé Jésus, le Christ, considéré par des millions d'âmes, et depuis près de 2 000 ans, comme le Fils de Dieu, venu pour guider et sauver les hommes. Il a dit : «Aimez Dieu. Aimez, autant que vous-même, vos semblables. Ne vous attachez pas aux biens de ce monde». Il a dit aussi :

«Bienheureux les pauvres en esprit!»

Mais au train où nous allons, on peut se demander si la pauvreté, le dégorgement des richesses, ne sera pas un fait accompli et chose concrète avant qu'il devienne spirituelle sagesse; et si, le dénuement matériel forcément accepté, les hommes n'y rencontreraient pas enfin l'arrêt de leurs avides convoitises, avec un nouvel et plus digne élan vers un progrès vraiment humain, un progrès moral, joint à la compassion des uns pour les autres, parce que chacun connaîtra, de personnelle expérience, la peine des privations.

Peut-être alors comprendront-ils qu'ils se sont conduits comme des pillards, temporairement hébergés dans un magnifique palais et qui, tantôt pour s'amuser, tantôt pour s'entre-tuer, y ravagent et saccagent tout ce que leurs mains en peuvent arracher.

Hormis les nations jeunes et pourvues de territoires assez neufs, pourquoi, chez les autres, cette avidité de conquête et ce désir de «coloniser» les pays où la Nature est encore vierge? – Comme si l'accroissement du commerce et des industries, c'est-à-dire toujours plus d'argent et de plaisirs, était le but primordial de notre fugace existence, nous y tendons toutes nos forces[a], et nous y offrons tout le reste en holocauste.

Dans quelles ruines sanglantes et flambantes en est maintenant logée la vieille Europe!

Une catastrophe plus terrible encore n'est-elle pas à redouter? Une déviation dans l'axe de la terre, par suite du continuel allégement de l'hémisphère nord, et, pour ces contrées où mines et forêts sont le plus rapidement dissipées et réduites en fumées, le retour d'une autre période glaciaire?

L'heure, il me semble, est depuis longtemps passée où nous aurions déjà dû modérer cette folie d'iconoclastes, cette fureur de n'appliquer notre savoir qu'à des jouissances charnelles ou, pis encore, à de mutuelles tueries, d'une brutalité, d'une férocité dont se fût enorgueilli le cœur d'un Assourbanipal* ou du plus sauvage des Vandales*.

Même en cette nôtre demeure, pourtant récente, le Canada, déjà nous sommes inquiets d'une trop rapide diminution de nos forêts. De personnelle connaissance je puis témoigner que le tamarac (*Larix laricina*), l'épinette noire (*Picea mariana*), l'épinette blanche (*Picea glauca*), très communs en Alberta au début du siècle, se font de plus en plus rares à mesure qu'avance la «civilisation». – Récemment, notre grand botaniste, et l'une des gloires de notre jeune littérature, le Frère Marie-Victorin*, nous rappelait qu'un des plus antiques citoyens du Canada, le ginseng, est à présent presque introuvable.

Et que sont devenues ces multitudes de bisons qui peuplaient l'Amérique du Nord? Des pigeons sauvages dont se nourrissaient nos ancêtres pas un seul n'a survécu. Du castor on ne voit plus guère, sauf en quelques asiles protégés, que l'image en guise d'emblème. En nombre d'endroits, ainsi qu'aux États-Unis, nous avons, imitant Assyriens et Babyloniens, râpé la surface du sol pour y installer la poussière et le désert.

Sans nous soucier du lendemain, nous éventrons au plus vite toute sorte de mines, comme si elles n'appartenaient qu'à nous, ne devaient servir qu'à nous, et nous en arrachons or, nickel, alumine, charbon, pétrole, et tout ce que notre voracité en peut engloutir.

Avant longtemps, pour plusieurs de nos précieuses richesses, nous en arriverons à la même pénurie que les «vieux pays» et, comme eux, il nous faudra lutter pour agripper ces nécessaires biens dont jouiront encore les autres, s'il leur en reste.

À quoi beaucoup répondent en assurant que la science

trouvera toujours le moyen de substituer quelque autre matière à celle qu'elle aura exterminée, tout comme un fermier qui, ayant abusé de son terrain, ayant détruit sa naturelle fécondité, la remplace par des engrais artificiels. C'est ce qu'on pensait, c'est ce que l'on fit en Allemagne. Le succès, apparemment, n'a pas suivi l'espoir et, plus l'expérience dure, plus elle paraît démontrer que l'alchimie de la Nature est plus habile que celle de l'homme. J'en trouvai, ces jours derniers, un amusant exemple. Prônant les découvertes modernes, un orateur affirmait qu'avant peu les chimistes nourriraient le monde avec des ingrédients concentrés et savamment dosés. Un des auditeurs l'approuva, disant : «Oui, moi j'ai déjà vu dans une expostion une merveilleuse machine. Il y avait, en avant, une ouverture par où il entrait de l'eau, des herbes séchées, un peu de farine d'avoine et, en arrière, on en retirait du lait authentique, du vrai lait.» – «Du vrai lait?» s'exclamèrent plusieurs voix. – «Oui, du lait, du bon lait. Seulement, cette machine-là, ce ne sont pas les savants qui l'ont inventée et il y a longtemps qu'elle existe. C'est une vache.»

Après un siècle d'une humanité prétendue plus intelligente, scientifique, et où, je le crains, nos descendants ne verront qu'une inhumanité jouisseuse, égoïste, orgueilleuse, rapace; au milieu de la plus épouvantable guerre que la terre ait jamais subie, il serait me semble-t-il, grandement temps que partout où cohabitent les animaux «raisonnables», mais surtout parmi ces nations qui se proclament chrétiennes, on commençât de s'aviser, de sentir, qu'il devient urgent et de couper moins vite, moins larges, les matérielles parts accordées au corps, et de les distribuer plus équitablement.

La guerre nous impose déjà, sans grands inconvénients – on nous assure même qu'il est un bienfait – un rationnement de certaines denrées, encore qu'il soit mal réparti. Tant qu'elle bouillonne furieusement, on ne peut guère qu'attendre. Néanmoins, pendant cette attente, il n'est pas impossible de préparer les voies, ou, si l'on préfère, d'orienter la paix.

Car enfin, si jadis les races de proie pouvaient encore se dire : «Après nous le désert![2]» elles ne dévoraient qu'une minime portion du globe. Mais nous, si nous continuons d'accepter leur devise, c'est cette fois toute la terre que nous léguerons dévastée aux enfants de nos enfants.

Et, plus spécialement quant à ces nations qui se disent chrétiennes, qui regardent la Bible comme un livre saint, pourquoi n'en écoutent-elles pas les enseignements? Et la race juive n'en doit-elle pas aussi accepter les préceptes?

Si le Créateur de l'univers a mis à notre disposition ce somptueux domaine qu'est la terre, jamais, que je sache, Il n'a dit de le mettre au pillage. N'est-il pas étrange que des chrétiens soient moins respectueux que ces anciens païens qui partout percevaient l'adorable activité de puissances supérieures; qui prêtaient à tout, jusqu'au végétal, une âme divine? C'est pour moi un perpétuel étonnement de constater que presque tous aujourd'hui, hypnotisés par leurs propres œuvres, laissent chaque jour s'envoler tant d'occasions d'accroître leur vie en élargissant leurs sens et leur esprit à ces merveilles infiniment plus admirables que prodigue pour eux, dans les cieux et sur la terre, le Père du monde.

Et, si l'on prêche à présent très fort la coopération entre les hommes, pourquoi n'y pas comprendre la coopération avec le principal Coopérateur?

Au premier livre de la Genèse, on peut lire que Dieu plaça l'homme dans le paradis terrestre : «ut operaretur et *custodiret* illum[3]».

---

[2] Bugnet adapte ici le dicton «Après moi le déluge», soulignant ainsi l'esprit de laisser-aller et d'insouciance qui ne peut qu'avoir des répercussions sur l'avenir.

C'est là une donnée que même un païen, je crois, devrait estimer toute simple et pleine de sens. Et ainsi, pourquoi chrétiens, et juifs, et tous, ne la mettraient-ils point en pratique?

L'homme, non plus le vorace tyran, le pillard, mais le gardien, le gérant, le régent des biens de ce monde, et qui, au lieu de s'acharner à dépouiller la Terre pour en tirer et fabriquer tant d'objets inutiles ou meurtriers, songerait à forger d'abord son esprit : un esprit d'administrateur, sagace, intègre, responsable. Voilà, me semble-t-il, une idée digne d'être, et au plus tôt, ensemencée partout.

Et si, dans chaque pays, quelques courageux citoyens se levaient et lançaient le cri d'appel: «Debout, les gardiens de la Terre!» – s'ils s'unissaient pour concentrer leurs forces, élaborer leurs méthodes, planter de toutes parts leur conviction en employant les mille maillets de la publicité, et surtout parmi la jeunesse, dans les écoles, assurément les générations qui nous suivront recevraient de nous, non seulement un sol moins appauvri, mais un meilleur climat, apte à produire des animaux raisonnables, un peu moins animaux et un peu plus raisonnables, des hommes plus vraiment humains.

Variante

[a] V.O. : nous y tendons **de** toutes nos forces...

[3] «Afin qu'il le travaille et le *préserve*.» C'est Bugnet qui souligne.

20. Où l'on rencontre un Canadien

1946. La FIN sur plusieurs fronts. Pour la revue le *Canada Français*, le volume XXXIII – dont le dernier numéro paraît en juin 1946 – marque la fin de son existence. Plus encore, cet article en deux parties, *Où l'on rencontre un Canadien*, termine la série des écrits que Bugnet fait paraître dans des revues[1], et met un point final à cette anthologie. Comme toute fin, celle-ci a son importance. Sachant que la succession des textes dans les *Albertaines* n'est pas chronologique, l'on peut se demander pour quelle raison Bugnet a choisi de placer celui-ci en dernier.

Il s'agit certes d'un compte rendu étoffé de l'ouvrage de Brown, *On Canadian Poetry*. Toutefois, Bugnet élargit les cadres de la critique et établit un parallèle entre les écrivains canadiens d'expressions anglaise et française. Le succès des premiers tient à ce qu'ils accordent une priorité aux valeurs intellectuelles et spirituelles, qu'ils connaissent la littérature canadienne-française, et qu'ils la traduisent pour la rendre encore plus accessible. Bugnet ouvre alors de nouvelles perspectives : pour l'avenir de la littérature canadienne, ne faudrait-il pas ménager un pont entre les deux solitudes? Dans cette conjoncture, ce texte prend figure de testament. [THÈMES : Poésie. Spiritualité. Unité canadienne.]

Première partie[2]

Au mois d'août dernier je fus présenté à un homme dont jusqu'alors je ne connaissais que la renommée. Cet homme porte vigoureusement la quarantaine. Grand,

[1] Des trente-six articles que Bugnet publie entre 1946 et 1966, trente-trois paraissent dans *La Survivance*, et trois dans des publications diverses.

[2] *Le Canada Français*, vol. XXXIII, n° 5, Québec, janvier 1946, pp. 325-332.

charpenté solidement, son visage est attrayant, non tant par la douceur des traits, réguliers, forts plutôt que jolis, mais par l'âme qu'on y découvre, surtout dans les méplats* d'un large front, le front d'un penseur, et dans les yeux, francs, affables, au regard ferme, pénétrant.

C'était à Banff, dans cet admirable site, portail des hautes Rocheuses, où la «Conférence des Écrivains» de notre province tenait ses assises, à quoi l'Université d'Alberta m'avait délégué. Et celui dont je serrais la main était E. K. Brown, docteur ès lettres de l'Université de Paris, professant, cette année, la littérature anglaise à l'Université de Chicago. Mais, à Banff, c'est de littérature canadienne qu'il discourut. L'ayant écouté, il me parut esprit compétent, original, digne de particulière attention.

Né à Toronto, le Dr E. K. Brown[3] y fit ses études, puis à Paris, et fut ensuite chargé de cours en divers centres universitaires du Canada et des États-Unis. Il a publié plusieurs œuvres, dont l'une est en français : *Edith Wharton, étude critique*[4] (1935). Sa dernière, offerte en 1943, retouchée et réimprimée un an plus tard, est intitulée : *On Canadian Poetry* (The Ryerson Press, Toronto). Cet ouvrage me paraît de belle venue, très vivant, et qui vaut d'être présenté aux Canadiens de langue française.

En préface, l'auteur déclare qu'il n'a nullement voulu traiter de la «poésie canadienne», encore qu'il l'admire beaucoup, mais seulement de la «Canadian poetry». Néanmoins, il se trouve que de ces réflexions et commentaires dédiés surtout aux Canadians, les Canadiens aussi peuvent tirer nourriture abondante et substantifique moelle.

Peut-être la première partie de cet ouvrage est-elle la

---

[3] Edward Killoran Brown (1905-1951).

[4] Paris, E. Droz, 1935, 348 pages.

plus intéressante : «The Problem of a Canadian Literature».

Ce problème, plusieurs déjà l'avaient étudié, aucun n'y avait apporté plus sobre jugement ni plus magistrale autorité que Mgr Camille Roy. Mais son attention s'était restreinte aux écrivains de langue française. Brown étend ses regards au Canada tout entier, et, s'il écoute ceux qui parlent anglais, il n'est pas sourd aux autres voix. Il est Canadien complet. Ce qu'il souhaite, ce ne sont pas des œuvres ontariennes, ou québécoises, ou albertaines, ou manitobaines; c'est une littérature largement, pleinement, et clairement nationale; grand et généreux désir, et qu'il craint de ne pas voir d'ici longtemps réalisé.

Au sens où il l'entend, il est en effet bien difficile d'engendrer une œuvre nationale. On peut édifier une métaphysique, des mathématiques, avec de pures abstractions. Les belles-lettres exigent, avec de l'abstrait, du concret. Or, comment sculpter une fidèle image du peuple canadien alors que ce peuple n'est pas réelle entité? Ce n'est pas un corps ordonné, et son âme non plus n'est pas une.

Il arrive qu'elle soit complètement étrangère et là même où l'on s'attendrait à trouver le plus noble patriotisme. Qu'on écoute un instant, au lieu de mes propres réflexions, comment parle E. K. Brown.

«L'accusation d'esprit colonial est la plus grave de toutes celles dont nous charge le Canada français. En 1942, au parlement, M. Louis Saint-Laurent, le principal ministre français du gouvernement, illustra[a] ce qu'il pensait de notre colonialisme en citant une conversation qui aurait eu lieu, il y a peu d'années, entre deux anciens premiers ministres du Canada. L'un, au moment de partir pour l'Angleterre, disait : «I am glad to be going *home*». L'autre répondit : «How I envy you!» Si vraiment ils l'ont dit, le Canada, pour ces deux hommes, n'était point la plus aimée des contrées et, par là, tout Canadien français sentirait justifiée son habitude de nous appeler, non pas *Canadiens anglais*, mais *les Anglais*, ou, s'il est fâché, *maudits Anglais*!... Évidemment, ceux à qui plaît cette attitude chercheront leurs mets préférés, en littérature comme pour leur table, au-delà de l'océan».

Quant à cette dernière phrase, je crains qu'elle n'atteigne pas seulement «les Anglais» du Canada. Combien, en Québec, ne tiennent-ils pas notre culture pour inférieure, incapable de produire une intellectuelle floraison digne d'être la plus aimée. Sont-ils bien nombreux ceux qui estiment que nous devons principalement chercher la nourriture de notre esprit, comme celle du corps, ici même, en cette nôtre terrestre demeure, et non pas outre-Atlantique? – Un des signes, et il est quotidien, que nous sommes encore loin d'être adultes, se rencontre dans l'emploi de nos citations. En Angleterre, en France, et dans toute contrée qui se respecte, pour une citation tirée d'écrivains étrangers il y en a dix ou vingt qui sont cueillies parmi les plus belles fleurs indigènes. En France, par exemple, combien de fois n'entend-on pas des prédicateurs se servir même de ce païen de Musset :

Au fond des vains plaisirs que j'appelle à mon aide
Je trouve un tel dégoût que je me sens mourir[5].

Ici, tout du contraire. Je doute beaucoup que nos auteurs soient cités une fois sur cent. Le sont-ils une fois sur mille?

Il reste après cela qu'on ne saurait accuser le Dr Brown d'être un Anglais. Très certainement il est Canadien, ou, si l'on préfère, Canadian. Ne serait-il pas souhaitable que ce fût, à part la prononciation, même chose; que le peuple canadien devienne un organisme, je ne dirai pas homogène à la façon d'un bloc de plomb, mais vivant, bien que divers, tel un être humain doué d'un corps, d'un corps composé d'une multitude de parties tout à fait différentes, chacune avec sa forme, son rôle spécial, mais toutes

[5] Musset, *Poésies nouvelles*, «L'Espoir en Dieu», v. 67-68.

coordonnées et coopérantes, doué aussi d'un esprit, d'un esprit sien, assignant à cet être humain sa personnalité propre; et que ce peuple, en tant que peuple canadien, ait ainsi communauté d'âme comme, à leur heure, ont su l'acquérir toutes les grandes nations?

E. K. Brown regrette que ce ne soit pas déjà fait accompli. Il constate que notre pays n'a point encore subi l'une de ces violentes crises d'où sort l'unité nationale. À mon avis, il est presque forcé qu'il en survienne un jour, moins entre Québec et l'Ontario, qu'entre l'Est et l'Ouest. Sans doute les oppositions morales ou religieuses sont un danger mais, à notre époque matérialiste, les rivalités économiques le sont bien davantage. On a dit que le Canada est un contre-sens géographique. Je n'irai pas si loin : si c'est un contre-sens, il n'en poursuit pas moins, et non sans progrès, son chemin. Toutefois il demeure fort évident que l'Ouest canadien n'est point satisfait de la part qu'on lui accorde. À tort ou à raison il estime que, profitant de ce qu'il est encore trop faible, les provinces de l'Est continuent à se tailler les plus amples tranches dans le pâté national. Il ne faut pas oublier que l'Ouest est peuplé surtout de «nouveaux Canadiens», et de toutes races. Le jour où ils se croiront assez forts, il suffira d'une bévue fédérale pour mettre le feu aux poudres. En sortira-t-il l'unité, ou la séparation? Personne, je pense, ne le pourrait prédire.

Sans entrer dans les mêmes considérations, E. K. Brown conclut que nous sommes pour le moment condamnés à l'art régionaliste. Il l'analyse. Il y trouve «une autre force opposée à la prompte croissance d'une littérature nationale». Province par province, il en esquisse, d'un trait, les caractères. Il reconnaît d'ailleurs qu'il peut s'orner d'admirables qualités, et, notamment, l'exactitude, non seulement dans les faits mais dans le ton. Nos écrivains (ils ne sont pas les seuls) ont une tendance «à forcer la note, à faire paraître la vie, plus noble, ou plus gaie, ou plus intense – j'y ajouterais : ou plus basse – que n'est en réalité la vie canadienne». Voilà qui me plaît, car c'est précisément mon opinion, expliquée, il y a dix ans, dans cette même revue[6]. La suite me satisfait moins : «Finalement, l'art régionaliste échouera parce qu'il s'appuie sur le superficiel et le particulier aux dépens, sinon à l'exclusion, du profond et de l'universel». Il est possible que l'auteur ait raison. Je n'en suis pas sûr. Naturellement, si l'on pense que le Canada est, ou pourrait être, un tout, Québec n'est plus qu'une région, l'Alberta ou l'Ontario ne sont que des régions. Mais l'Attique aussi n'était qu'une région et, comparée à celles que je viens de mentionner, une bien infime région. Pourtant, quelle magnifique littérature y germa, grandit, couvrant le monde! L'Italie du Moyen Âge ne connaissait guère l'unité; elle n'en donna pas moins naissance à la *Divine Comédie* et à d'autres beaux ouvrages du génie humain. La question est sans doute assez complexe, et je n'ignore pas que ces pays réagissaient sous des impulsions[(b)] qui nous manquent. Et cette question alors se pose : avec les mêmes mobiles, serions-nous aussi puissamment émus? Ce qui nous manque, ne serait-ce pas ces plus hautes valeurs humaines qui dans ces «régions» étaient moins rares que chez nous? – Néanmoins il reste que notre auteur a tout de même raison et l'on peut en effet douter qu'un écrivain, surtout en Québec, puisse parvenir à composer un chef-d'œuvre nettement et pleinement national.

Quant à ceux qui veulent justifier notre générale inattention littéraire et s'excuser du petit nombre de nos auteurs vraiment dignes d'admiration par cette raison que les Canadiens étaient trop occupés à bâtir un nouveau monde pour trouver loisir d'écrire des livres importants, E. K. Brown répond en citant les noms qui avaient déjà, avant 1844, rendu célèbres nos voisins du sud : Edwards, Franklin, Jefferson, Irving, Cooper, Poe, Hawthorne, Emerson.

[6] Référence à son texte, *Du Roman,* paru en 1935.

Et cela ramène la question que je posais : ne serait-ce pas, en Canada, l'initiale pénurie des plus hautes valeurs humaines?

Il ne s'agit point ici seulement de valeurs morales. Certes, on peut être un héros, un saint, sans large culture intellectuelle, mais il n'est pas non plus défendu d'être un saint à la façon de ces maîtres du verbe et de la pensée qu'étaient les Pères de l'Église, tel un saint Augustin ou un saint Thomas d'Aquin. Le domaine de l'intelligence n'exclut pas celui du cœur, ni celui de la volonté; et rien n'empêche un homme, ni un peuple, d'exploiter les trois, plutôt que d'en laisser un, ou deux, en friche.

Il me semble qu'en cette question de travaux littéraires, d'œuvres non matérielles mais spirituelles, les États-Unis ont eu sur nous des avantages.

En Canada, au début, vinrent, il est vrai, des missionnaires, des religieux et religieuses, dont plusieurs sont devenus des martyrs, des saints, et ils ont laissé, du moins dans Québec, de fortes empreintes surmatérielles. Malheureusement ces pionniers-là étaient sans postérité et, surtout, ils ne formaient dans l'ensemble qu'une très faible part. Le but principal des rois de France et de leurs ministres, en poussant à la colonisation du Canada, c'était le gain matériel, et, pour un Brébeuf*, nous avions cent travailleurs manuels, cent coureurs de bois, et cent trafiquants. – À plus forte raison si, avec E. K. Brown, je regarde tout le Canada, où puis-je apercevoir, aux origines, nombreuses semences d'intellectualité et de spiritualité ? Il faut bien, si l'on veut être franc, reconnaître que presque tous les immigrants, sauf inopérantes exceptions, sont venus, non pour cultiver leurs vertus, ni pour sauvegarder leur personnalité, leur conscience ou leur foi, mais tout platement pour faire fortune. Chez à peu près tous les soucis du corps primaient et, trop souvent, annihilaient ceux de l'âme. Et chez à peu près tous domina longtemps l'esprit colonial, l'esprit de subordination. Nous récoltons ce qui fut semé.

Aux États-Unis ce fut tout autre. Une solide phalange des premiers fondateurs s'y vint établir, conduits par des mobiles à la fois intellectuels et spirituels : intellectuels, parce que ces expatriés étaient des protestants, et des protestants qui protestaient, grands raisonneurs, déduisant de la Bible des idées leurs, et qui par la suite n'ont fait que se multiplier, en quantité sinon en qualité; spirituels, parce qu'ils étaient croyants. On peut me dire qu'ils se trompaient; mais s'ils étaient de bonne foi? En tous cas, s'ils avaient abandonné leur patrie, ce n'était point tant par espoir de lucre, mais surtout pour trouver la liberté et sauvegarder leurs personnelles idées. En ce Nouveau Monde ils avaient avec eux, autour d'eux, installé un climat neuf, un climat très peu colonial, un climat de fierté, ou, si l'on veut, d'orgueil, l'orgueil de la raison. Orgueil, fierté, ne sont pas des appétits matériels. Et sitôt qu'à ces appétits spirituels vinrent s'adjoindre les cupidités temporelles, l'hésitation ne dura pas longtemps. Dès le 4 juillet 1776, la Déclaration d'Indépendance, préludant à la république des États-Unis, était proclamée par les «colonies» révoltées. Il est après cela facile de comprendre pourquoi, là-bas, écrivains et lecteurs pouvaient, avant 1844, être plus vigoureux que les nôtres.

Au reste, E. K. Brown admet que leur milieu à cette époque «offrait aux belles-lettres hospitalité plus généreuse qu'en accorda jamais le nôtre». Mais il ajoute : «On ne peut mettre en doute qu'avant 1844 ils étaient au moins autant que nous occupés à construire la matérielle structure nationale».

C'est en effet indéniable. Il est évident aussi qu'ils y ont beaucoup plus promptement et bien plus grandement réussi. Et je me demande si, là encore, leur succès n'est pas dû en bonne partie à ce qu'ils avaient de prime abord mieux que nous compris et ordonné les valeurs humaines, posant l'intellectuel et le spirituel à leur vraie place, qui est la première. On peut soutenir que cela n'a pas duré. Tout de même il en reste aujourd'hui encore quelque chose. Si le spirituel, le surnaturel, ne comptent plus autant chez nos voisins, on ne leur est du moins pas hostile, on n'a pas expulsé le Créateur des mondes, comme il est arrivé ailleurs, et les États-Unis demeurent un des assez rares pays où officiellement et, en dépit des jeux de mots et de la moquerie, jusque sur la monnaie nationale, on fait ouvertement un acte de foi en Dieu. Peut-être aussi pourrait-on soutenir que la littérature des États-Unis devient de moins en moins spiritualiste. Toutes données où je n'ai point nettes clartés.

Dans cela Brown n'entre pas. Il s'en tient strictement à son sujet. Mais on peut voir par les idées que ses phrases font accourir à leur passage combien il suscite et excite la pensée.

Il a une grande page que j'aimerais soigneusement commenter. Il y faudrait tout un chapitre. Je me bornerai à l'essentiel. C'est, parmi les obstacles qui contrecarrent en notre contrée la production littéraire en anglais, un reproche adressé aux Canadiens : formant près du tiers de la population, ils ont un esprit national plus énergique, et de beaucoup, mais cet esprit est canadien-français et non pas canadien «tout court». Sauf une minorité, ils ne s'inquiètent point des œuvres de leurs compatriotes d'autre langue et, même chez cette minorité, plus bellement cultivée, peu connaissent bien les noms de nos meilleurs auteurs qui ont écrit en anglais; peu de nos livres sont traduits en français et, dans ces rares versions, aucun n'a mis l'amour qu'apporta W.-H. Blake à son admirable traduction de *Maria Chapdelaine* ou (et c'est moi qui ajoute) Constance Davies Woodrow, dans *Nipsya*.

Si l'on trouve dur de s'entendre dire ainsi quelques vérités, qu'on lise E. K. Brown, et l'on verra qu'il n'y va pas non plus de main morte lorsqu'il s'agit de ses concitoyens anglo-saxons. L'important ici est de savoir s'il a raison ou s'il se trompe, et il me paraît fort évident qu'il a raison. Mais on peut en partie retourner le reproche et répondre que nos littérateurs français en Canada ne se font pas non plus larges rentes avec le public de langue anglaise[(c)].

Deuxième partie[7]

Supposant à mon lecteur une intelligence éveillée, curieuse, je ne m'excuserai point de passer au chapitre suivant : «Development of Poetry in Canada».

Pour le détail je renvoie à mon auteur. Personnellement je le trouve très instructif, très judicieux, beaucoup plus judicieux que d'autres par qui fut traité ce même sujet. E. K. Brown me rappelle souvent Mgr Camille Roy. Tous deux ont la lucidité de l'observation, un solide bon sens, l'impartialité; mais tandis que celui-ci était d'ordinaire assez indulgent – pas toujours – celui-là est plutot exigeant.

Il a des silences révélateurs. Si j'emploie ce mot, ce n'est point à la façon de nos journalistes qui ont sans cesse à nous faire d'innombrables révélations : «On révèle que le général de Gaulle vient de prononcer un discours public... On a révélé que Staline s'était couché dans son lit». Quand je parle de silences révélateurs, c'est parce qu'ils nous laissent deviner une pensée voilée, et elle est quelquefois bien amusante. Parmi la liste des poètes qu'il présente l'un après l'autre on s'étonne, ici et là, d'une absence inattendue. N'étant point moi-même assez qualifié pour juger des valeurs poétiques en anglais, je m'étais fié jusqu'alors à l'opinion de ceux dont cette langue est leur. Il faut croire, d'après E. K. Brown, qu'un bon nombre de célébrités étaient usurpées, car, et sans un mot d'excuse, il les ignore absolument, comme s'il n'en avait jamais entendu parler. Il s'est bien douté qu'il y aurait des protestations – *genus irritabile vatum*[8] – mais ayant dûment réfléchi, tout pesé et

---

[7] *Le Canada Français*, vol. XXXIII, n° 6, Québec, février 1946, pp. 438-446.

[8] Traduction : la race irritable des poètes.

soupesé, il n'en a cure.

Si j'entends bien ces silences, ils signifient qu'à son avis un poète canadien doit être canadien. Plusieurs en notre pays ont composé des pièces de vers non sans valeur, mais elles auraient pu être écrites à peu près de même façon en Angleterre, en Écosse, en Irlande, à New-York ou en Nouvelle-Zélande. Rien n'y révèle, ou trop peu, un cœur canadien. Et c'est la «Canadian poetry» qu'il étudie et non point la «British or English poetry». Tout évidemment il n'a rien d'un impérialiste.

Des premiers aux derniers, ce qu'il veut trouver dans ces poètes c'est que : «le lecteur puisse conclure : à présent je comprends le milieu où je vis, et moi-même, plus pleinement et plus clairement». Si bien qu'il n'accorde approbation et admiration qu'à ceux dont le talent, simple ébauche ou puissante fresque, a su enrichir notre domaine intellectuel d'un art distinct, neuf, d'un art proprement nôtre.

Certains pourront estimer ce critère trop sévère, trop rigoureux. Brown ne s'en émeut pas, et il a raison. Cette rigueur est éminemment salutaire, et elle est logique. Si quelqu'un veut récolter du blé canadien, un blé d'où sorte un pain de supérieure qualité, aimerait-il voir proliférer dans ses champs des plantes d'un blé inférieur, des tiges d'avoine, d'orge ou de seigle? Celles-ci n'ont pas besoin d'être encouragées, elles n'apparaissent déjà que trop spontanément.

Des poètes qu'il tient pour bons ou excellents je donnerai, à peu près dans leur ordre chronologique, ces noms du moins que nous devrions tous connaître : Oliver Goldsmith, Sangster, Heavysege, G.-F. Cameron, Isabella Valancy Crawford, C.G.D. Roberts, Bliss Carman, Lampman, D.C. Scott, Tom MacInnes, E. J. Pratt, Marjorie Pickthall, W. H. Drummond, A.J.M. Smith, Earle Birney, A.M. Klein, Dorothy Livesay, Leo Lennedy.

Notre auteur met en relief leurs qualités spécifiques,

surtout pour les meilleurs d'entre eux.

Charles G.D. ROBERTS*, né en 1860 près de Frédéricton, dans le Nouveau-Brunswick, publie à vingt ans, *Orion*. Il ouvre les portes jusqu'alors à peine entrouvertes. Le premier, il s'aperçoit qu'il habite un pays qui ne ressemble pas à d'autres et, de plus, que ses concitoyens forment un peuple qui s'étend de l'Atlantique au Pacifique. Son style est plus neuf, plus riche. Cependant, s'il sait voir et sait peindre ce qu'il voit, son regard en reste aux surfaces, il ne pénètre pas au fond des choses, ni de l'homme. Mais en prose, dans ses admirables livres de nature, il est à mon avis l'un des plus grands artistes qui soient au monde.

Bliss CARMAN, son cousin et ami, a fait de belles réussites en ciselant aussi des vers superbes, remarquables par leur musicalité et qui rendent quelquefois une note toute personnelle.

Isabella Valancy CRAWFORD, sans avoir d'amples idées nationales, a composé un récit à la fois poétique et vrai de la vie des pionniers en Ontario. Aucun avant elle n'était parvenu à faire sentir combien notre nature canadienne est immensément et terriblement vivante. Douée d'une imagination extraordinaire, tout en subissant l'influence de Tennyson, elle est plus ardente, plus nerveuse que lui, sans cependant atteindre à la même perfection.

Marjorie PICKTHALL, nous a laissé un assez bon héritage dans ses œuvres tirées de notre histoire ou de nos légendes, tel l'émouvant monologue du Jésuite martyr, Gabriel Lalemant. Son inspiration lui vient du passé et néanmoins, subissant les secrètes et puissantes présences de la terre canadienne, lorsqu'elle cherchait à brosser un tableau de l'humaine civilisation, l'image devenait celle de la nature.

Je me suis souvent demandé si la province de Québec s'aperçoit bien clairement de l'influence qu'elle a, qu'elle pourrait avoir davantage encore, sur tout le reste du

Canada. Et ici je ne parle point d'influence politique, matérielle, mais d'influence intellectuelle, artistique, spirituelle, morale. Y sait-on combien d'écrivains de langue anglaise l'ont regardée, étudiée, avec sympathie, avec admiration, avec un enthousiasme qui leur inspira plus d'une fois leurs meilleures œuvres, et n'y fait-on pas de temps en temps d'inexplicables quiproquos?

Voici, par exemple, W.H. DRUMMOND. Grâce à lui, jusque dans l'Ouest canadien, jusque chez nos petits écoliers de toutes races, on admire, on aime, certains types d'humanité en Québec, d'une humanité simple, naïve, soit, et ce n'est pas un crime, mais en même temps vaillante et de cœur généreux. Où est le mal? Certains ont cru devoir vilipender le poète sous prétexte qu'il répandait la croyance au «patois» québécois. On se devrait douter que les Canadians n'ignorent pas qu'il y a, en Québec aussi, des écoles, voire des universités, et que cette province a produit des hommes éminents. Quant au reste, même si des ignorants continuent à croire au «patois», leur opinion est-elle de quelque importance?

Citons encore un court chef-d'œuvre : *In Flanders Fields*, du colonel McCRAE.

Finalement, pour ceux qui désirent se faire une idée de la plus récente poésie, je les convie au texte du Dr Brown.

Où tous les lecteurs peut-être ne s'accorderont pas avec l'auteur – et déjà, sur certains points, il a eu maille à partir avec d'autres critiques, – c'est dans son dernier chapitre : «The Masters» (Les Maîtres).

Pour lui, ces maîtres de la poésie canadienne de langue anglaise, c'est Archibald Lampman, c'est Duncan Campbell Scott, c'est Edwin John Pratt. Il leur consacre près de 80 pages.

Il est des gens qui jugent de la poésie comme ils jugent de la musique : par les excitantes émotions sensuelles qu'ils en peuvent extraire. Dernièrement je prenais mon repas dans un de ces restaurants où l'on peut aujourd'hui, en plus de la nourriture, acheter des sons du dernier cri. Une jeune fille se dirigea vers le meuble illuminé et enluminé de ces couleurs criardes (parfaitement d'accord avec l'art interne) qui sont si appréciées des sauvages et des bébés. Ayant fixé son choix, elle introduisit sa pièce de nickel et alla se rasseoir à table. J'admirai le plaisir qu'elle éprouva. En même temps qu'elle mangeait, tout son corps dansait, de la tête aux reins mais surtout des jambes et des pieds, au rythme d'un jazz où les hurlements éperdus des saxophones[d] vous secouaient tous les nerfs de trépidations mécaniques. Comme jouissance infantile et animale, c'était apparemment très satisfaisant. Il y en a aujourd'hui des quantités qui appellent cela : de la belle musique.

E. K. Brown ne juge pas du tout comme ces gens-là. Sans doute il a des nerfs, des muscles, et même un cœur. Il connaît, comme tout le monde, l'utilité des sentiments et des sensations; mais il lui semble aussi que si nous avons un cerveau, un cerveau humain, c'est pour l'employer humainement, rationnellement, c'est-à-dire mieux que les bêtes. Or ceci n'est pas toujours bien apparent parmi les hommes, ni même chez les critiques littéraires, où, pour l'instant, si l'on y tient, je me range.

Chez Brown c'est très apparent. S'il a choisi ces trois-là comme les maîtres, il défend son choix moins en se servant de sensuelles émotions que de grave et pénétrante logique.

Pour LAMPMAN (1861-1899) il commence par constater qu'il n'est célèbre ni en Angleterre, ni aux États-Unis. Ceci, dit-il, ne signifie rien. Il n'a jamais cessé d'être hautement prisé en Canada par toute personne intelligente. Cela suffit, j'en conviens. Ce qui, dans un pays, décerne à une œuvre l'immortalité, ce n'est pas la présente opinion[e] des autres nations; et ce n'est pas non plus, dans ce pays, le «succès populaire», la quantité des lecteurs. Je ne sache pas que Platon ait jamais fait fortune avec ses *Dialogues*, ni *Criton*, ni *Phédon*. Il n'empêche qu'il est toujours imprimé, réimprimé, étudié, commenté, discuté, en toutes parties de ce terrestre monde qui, après tout, n'est pas uniquement peuplé de sans-cervelles.

Brown cite de Lampman des lignes, écrites dès 1891, qui nous montrent comment il savait comprendre son pays, tout son pays : «Ici nous avons l'impitoyable rigueur du climat de la Suède avec le soleil et les cieux du nord de l'Italie... l'Europe du nord a des hivers redoutables, pénibles; ici, c'est une saison d'étincelantes splendeurs... on découvre dans notre contrée toute la gamme des grandeurs et de la beauté... ces beautés de la nature, les aspects des activités primitives, sont toujours pour le poète suffisante inspiration».

Lampman souffrit ce dont souffrent toutes les âmes tourmentées du désir de trouver autour d'elles une société plus humaine. Il vivait à Ottawa, simple employé de bureau où, les pouvant examiner de près, il acquit le dégoût des politiciens et de leurs ambitions, d'un envol lourd, presque toujours à rez-terre[9]. Affamé de vie supérieure, il l'allait chercher loin des sempiternelles vulgarités d'une société qui ne sait courir qu'un gibier : l'argent. En Canada surtout, il n'est pas difficile, en le considérant en entier, de percevoir que si le spectacle de son humanité n'est pas toujours réconfortant, si l'humaine conduite n'est d'ordinaire guère plus édifiante que celle d'une colonie de fourmis, la substance du Canada, celle qui ne vient pas de l'homme, cette nature primitive et si merveilleusement puissante et belle, ce modèle d'ordre permanent, ces créations d'un art divin, si fécond, si varié, infiniment supérieur au nôtre, oui, là réside une nourriture intellectuelle, spirituelle, autrement appétissante, autrement fortifiante que le grossier salmigondis* chaque jour placé devant nous

[9] Rez (préposition): tout contre, en rasant. «Rez terre» s'écrit sans trait d'union.

avec cette traître étiquette : «Civilisation».

Ces réflexions ne sont pas exactement copiées de mon auteur. Il est moins inhumain. Il nous assure que le pessimisme de Lampman était «purement social».

Mais il tient aussi que Lampman savait admirer l'homme – quand il est homme.

Récemment, E. K. Brown découvrit et publia, avec le Dr Scott, un manuscrit inédit qu'il n'hésite pas à proclamer chef-d'œuvre. C'est un poème inspiré par l'héroïque résistance, en 1660, «de Daulac avec sa petite troupe de Canadiens tenant, durant dix jours, contre une horde d'Iroquois, un fort démantelé où, sauf quatre survivants grièvement blessés, tous luttèrent jusqu'à la mort».

N'ayant point encore lu cette pièce, je n'en puis juger qu'à travers les lunettes du critique. Le sujet, assurément, est canadien. La façon, d'après les citations présentées, me semble l'être aussi. Il y a une comparaison – la peinture nette, forte, très vivante, d'un orignal mâle tenant tête à une bande de loups affamés, – qui n'est certes pas tirée d'outre-Atlantique. Et seul, je pense, un cœur canadien pouvait ainsi s'enthousiasmer pour un exploit depuis si longtemps passé.

Ce qui me pousserait à accepter, les yeux fermés, la haute opinion qu'il a de ce poème, c'est que, par tout son livre, le Dr Brown ne me paraît pas le moins du monde homme à se contenter de l'à-peu-près. Et ce qu'il voit de supérieur chez Lampman ce n'est pas seulement la conscience de l'artiste, le souci de l'achevé, c'est, comme dans Scott et dans Pratt, outre une pensée et une expression nouvelles et personnelles, un accent d'authentique sincérité. Lampman n'est certes pas de ceux qui ont écrit pour «faire de la littérature» et, non plus, pour «faire de l'argent».

Duncan Campbell SCOTT restera comme un des exemples de notre myopie intellectuelle. Né en 1862, à

Ottawa, il ne cessa de produire depuis 1893. Et cependant, trente ans après, en 1924, l'une des meilleures études sur les écrivains du Canada ne mentionne même pas son nom parmi nos poètes. On s'était toutefois aperçu qu'il existait. Lighthall en parlait dès 1889. Garvin lui fit bonne place en 1926. Son œuvre commençait à paraître d'assez grande envergure. Elle peut à présent, avec E. K. Brown, planer tout au sommet.

Pour Brown la raison de cette persistante demi-éclipse est que Scott écrivant durant les années où Roberts, Carman et Lampman avaient lancé les premiers beaux modèles, il s'habillait, lui, de tout autre étoffe et ne pouvait ainsi concourir parmi les modes alors adoptées. Si les trois premiers se sont bien vêtus à la canadienne, leurs idées, comme leur style, subissent encore très évidemment l'influence des grands auteurs anglais. Scott comprend mieux son pays, tout son pays. Il en trace un dessin plus ressemblant, avec des traits plus accentués, plus rudes et, nous dit le critique, l'impression qu'on en ressent est caractérisée par ce signe : l'intensité contenue.

Avant lui, ou plutôt en même temps que lui, ses confrères concevaient généralement le Canada comme une nouvelle Angleterre, un prolongement des mœurs et des campagnes anglaises ou écossaises. Scott, attaché au bureau des Affaires Indiennes, put visiter, observer, et l'Est, et l'Ouest, et le Nord, (il n'y a pas beaucoup de Sud en notre demeure). De métier, forcément, il dut s'intéresser aux aborigènes, examiner leur milieu. Dès lors, les normes européennes ne lui parurent plus assez justes. Il ne pouvait plus regarder, ainsi que le faisaient la plupart des Blancs, les Indiens «comme des créatures d'autre sorte et d'autre couleur, il les voyait comme des êtres humains».

De cette perception germèrent : *Forsaken, Powassan's Drum, In Memory of Edmund Morris*, où notre peuple primitif et notre primitive contrée prennent des reliefs véhéments, comme gravés à l'eau-forte. Scott, ainsi, créa un art qui nous est propre, libéré des tutelles d'Europe, adulte, maître de ses destins.

À propos de PRATT, E. K. Brown commence par dire que nos écrivains n'ont guère encore réussi à toucher au plus profond du cœur humain, ni à faire jaillir des idées impressionnantes. Là-dessus, je ne vois pas le moyen de le contredire. J'aimerais lui pouvoir citer le nom de quelqu'un dont les hautes pensées auraient forcé le monde à lever les yeux pour concentrer sur elles une générale admiration. Je cherche en vain.

Né en 1883 à Western Bay, Terre-Neuve, Pratt vint en 1907 habiter Toronto. Les vers qu'il publia jusqu'à ses quarante ans sont ceux d'un homme «qui continue à s'agripper à la tradition, malgré qu'elle l'étouffât». Il s'en dégagea.

Si Pratt est bien tel que Brown nous le présente, c'est un type de robuste humanité, qui sait penser, d'une pensée sienne, haute, ardente. Il a composé, entre autres, trois beaux poèmes : *The Cachalot, The Titanic, Brébeuf and His Brethren.*

On éprouve avec lui cette sorte de sentiment qui sourd de l'épopée, celui d'une action vaste, où l'on sent, au-dessus des gestes terrestres, une grandeur et des forces surhumaines. «Ce que voit Pratt dans son Cachalot qui défonce le baleinier, c'est la nature imposant sa force pour détruire les constructions compliquées d'une société artificielle, c'est le primitif triomphant sur l'intellectuel». Et, en Canada, il suffit d'un coup d'œil sur la carte de notre immense contrée pour voir en effet combien l'homme est faible contre les puissances naturelles en ce pays.

C'est encore cette même pensée, avec un autre tableau, qui anime le *Titanic*, cette catastrophe de l'énorme paquebot, où toute la science humaine s'était ingéniée pour en faire un invulnérable titan, et qui, tout de suite, rencontre un autre Titan[f], soudaine apparition d'un être des anciens âges. En voici la fin, traduite, faute de mieux, en prose : «Silencieux, tranquille, escorté de sa couvée de glaçons, l'iceberg aux formes grises, à la face paléolithique, demeurait le maître des mers».

Dans *Brébeuf et ses Frères*, Pratt se tourne cette fois vers les puissances et les grandeurs spirituelles. On sera, je crois, heureux de voir comment en sait parler E. K. Brown : «Tout ce poème devrait plaire aux cœurs canadiens. Brébeuf, et ses frères martyrs, sont les types canadiens de la sainteté – les seuls Canadiens canonisés par Rome. Leur rôle fut grand, peut-être suprême, à notre époque héroïque – *Ton histoire est une épopée* nous dit un hymne national[10], même si parfois nous l'oublions».

Je n'ai pu en ces pages qu'indiquer à vol d'oiseau certains aspects du bel ouvrage de Brown. Le lecteur en aura plus de plaisir à les tous découvrir dans le détail – le lecteur qui sait l'anglais. Et ne serait-ce pas action utile et sage si quelque bon traducteur s'avisait de mettre au service de tous les Canadiens cet intelligent travail d'un bon Canadian?

---

[10] Référence à l'hymne national canadien, Ô Canada.

Variantes

[a] V.O. : illustr**e**...

[b] V.O. : ces pays réagissaient **alors** sous des impulsions...

[c] Ici, s'ajoutait au manuscrit, le texte suivant :

Supposant à mon lecteur une intelligence éveillée, curieuse, je ne m'excuserai point de passer prochainement au chapitre suivant : «Development of Poetry in Canada».

[d] V.O. : **de** saxophones...

[e] V.O. : ce n'est pas l'opinion des autres...

[f] V.O. : rencontr**a** un autre Titan.

Conclusion

N'oublions pas l'horticulture

Est-il légitime de faire une place à l'horticulture dans une anthologie d'œuvres littéraires? D'entrée de jeu, l'on pourrait répondre par la négative. Cependant, il y a derrière toute création artistique un individu qui s'exprime, un individu que l'on ne pourrait saisir qu'à travers les événements qui l'ont marqué et les témoignages qu'il nous a laissés de ses expériences.

Il suffit de jeter un coup d'œil sur les titres des écrits que Bugnet a publié en France, puis sur ceux qu'il a fait paraître au Canada, pour se rendre compte qu'une nouvelle source d'inspiration a jailli en lui : la Terre, la Nature, la Nature canadienne. Pour le Bugnet de Rich Valley, la plume et la bêche sont indissociables. On pourrait même aller plus loin et avancer que sa passion pour les plantes a stimulé ses dons d'écrivain.

Il serait justifié de rappeler brièvement ici certains faits qui ont donné à Bugnet sa physionomie particulière.

Un jeune journaliste français de vingt-cinq ans, accompagné de sa femme enceinte de sept mois, arrive au Canada en plein hiver prêt à devenir cultivateur. Tout juste pour une dizaine d'années, pensait-il, le temps de faire fortune pour s'établir ensuite confortablement en France. Le vieux dicton «l'homme propose et Dieu dispose», n'aura jamais été aussi vrai que pour ce jeune Georges Bugnet. Rien alors ne le prédisposait à devenir cultivateur, encore moins horticulteur.

Sa première expérience en Alberta, comme ouvrier salarié, est dans la ferme d'Oscar Terreault à Saint-Albert où il ne passe que deux mois. Fidèle à son projet initial de faire fortune le plus rapidement possible, il décide d'acquérir un «homestead». Mais où? Pendant des jours et des jours il arpente la région du Lac Ste-Anne, car des rumeurs circulent au sujet d'une éventuelle ligne de chemin de fer entre Rivière-la-Paix et Edmonton. Bugnet prend alors une carte, trace un trait entre les deux villes et fait son choix à partir de la proximité de la voie ferrée.

Le 25 octobre 1905, il prend possession de son lot de 160 acres. Les Bugnet étaient alors les premiers colons de cette région qui voit naître quatre ans plus tard le village de Rich Valley. «C'était comme un paradis [dira Bugnet]. Nous avions trois lacs sur notre terre, la forêt était dense et verte, et les arbres merveilleux[1]». Sans le savoir, Bugnet était au seuil d'une remarquable carrière d'écrivain et d'horticulteur. Là, dans ce décor virginal et majestueux, se trouvait le champ empirique commun où l'union de la nature et de la littérature devait se réaliser.

Sa première maison étant construite[2], Bugnet cherche à embellir sa propriété en y plantant des fleurs et quelques arbres.

> *Nos fermes expérimentales [écrivait-il] prônaient ce type de progrès pour les homesteads[3]. Elles dis-*

---

[1] Mary B. Mark, *Georges Bugnet,* [s.d., s.p.]. Dossier Bugnet, Archives de l'Université de l'Alberta, p.2. (Notre traduction.)

Ce que Bugnet ignorait alors c'est qu'il avait misé sur deux tableaux qui se sont avérés piégés: contrairement à ce que le nom pouvait suggérer, le sol de Rich Valley était pauvre et de plus, la nouvelle ligne de chemin de fer a contourné la région pour passer 37 km plus loin.

[2] La maison faisait 15 pieds sur 20.
Lettre de Bugnet à Mgr Camille Roy, le 12 janvier 1924.

> *tribuèrent la liste des espèces qui, selon elles, résistaient au froid. Nous nous rendîmes à Brandon et à Indian Head, les bourgs les plus proches à l'époque, pour nous procurer de jeunes plants, des boutures et des graines mûries dans l'ouest; ce fut le point de départ d'une pépinière*[4].

Mais une autre mauvaise surprise attendait Bugnet. Ces plantes dites vivaces ne résistaient pas au climat de Rich Valley. Bugnet ne se décourage pas pour autant; il emprunte quelques ouvrages de l'Université de l'Alberta, s'attelle à l'étude de la distribution géographique des plantes, et passe à l'expérimentation.

> *[...] Contre des timbres de cinquante-trois sous, je recevais tous les ans des milliers de semences venues des climats les plus ingrats du monde. Si la plupart d'entre elles ne produisaient pas de descendants satisfaisants, certaines se sont avérées très précieuses. Mais ce n'était encore qu'un travail préliminaire. Ayant découvert les plantes,* j'en forgeai bientôt de nouvelles[5].

En plus d'un nouveau lilas et de deux variétés de chèvrefeuille qu'il nomme Georges Bugnet et Julia Bugnet[6], il «forge» «une prune d'une espèce nouvelle, nommée Claude Bugnet (*fig.* 3), fruit d'un croisement entre une prune choisie pour sa saveur et une cerise des sables sélectionnée pour sa résistance au froid[7]» .

Ce n'est que vers 1925 que Bugnet commence les

---

[3] Le terme est employé par Bugnet à maintes reprises.

[4] COLLECTIF. *West of the Fifth*, étude présentée par le comité des archives de la Société historique du Lac Ste-Anne. Edmonton, Institute of Applied Arts, 1959, p. 52. Toutes les citations tirées de ce Collectif ont été traduites par nos soins.

[5] Ibid., p. 53. C'est nous qui soulignons.

[6] Brian Dawson, «Report submitted to Historic Sites Services», 1984, pp. 18-19.

[7] *The Country Guide*, «Northern Plant Breeder», December 1949. Traduit et cité par Jean Papen dans *Georges Bugnet*, p. 39.

Figure 3
Georges Bugnet à Rich Valley devant l'un de ses pruniers hybrides. Photographie, été 1966, [s.n]., n° A.11978. Archives provinciales de l'Alberta.

croisements de roses. Il a produit dix variétés[8] dont la plus célèbre est la Thérèse Bugnet (*fig. 4*) qui lui «demanda vingt-cinq années de croisement continu entre l'églantine de l'Alberta, la rose rugueuse du Kamtchatka et la rose sauvage de la Sibérie et du Japon[9]».

Ces découvertes qui lui ont valu les honneurs de la «Western Society of Horticulture» et de l'Université de l'Alberta, n'ont jamais renfloué son budget. Il aurait pu gagner des milliers de dollars, mais à cette époque les brevets d'invention n'étaient pas encore institués au Canada. Bugnet a expliqué à maintes occasions la motivation qui le poussait à poursuivre patiemment ses recherches en horticulture.

> *Mon but [écrivait-il] n'est pas tant d'ajouter de nouvelles variétés aux jardins des citadins que de produire des espèces résistantes*[10]*, au profit des cultivateurs. [...] D'où ma conviction aussi qu'elles sauront [...] apporter aux générations futures non seulement du plaisir mais encore – certains arbres forestiers, surtout – un revenu très appréciable*[11].

Les débuts extrêmement difficiles se reflètent dans son roman, *La Forêt*, à travers les tribulations vécues par le couple Bourgouin. De la fiction? Non point, puisqu'il en parle ailleurs en ces termes:

> *[...] nous commençâmes à réaliser que le gouvernement du Dominion avait été plutôt optimiste en présentant la colonisation agricole de l'Ouest du Canada comme un moyen rapide de s'enrichir. Chez nous, le blé – «Club» ou «Red Fife» – était habituellement pris par le gel. Nous essayâmes d'améliorer notre sort, fîmes un emprunt de 500 $ et achetâmes onze jeunes*

---

[8] Brian Dawson, op. cit., p. 21.

[9] Papen, op. cit., p. 39.

[10] Bugnet avait fait de la «résistance» des plantes la caractéristique essentielle de sa théorie de la génétique.

[11] *West of the Fifth*, op. cit., p. 53.

Figure 4

Georges Bugnet à Legal devant l'un de ses rosiers hybrides. Photographie, été 1966, [s.n]., n° A.11979. Archives provinciales de l'Alberta.

> *bêtes. Neuf d'entre elles périrent immédiatement. Un trappeur ivre avait semé des boules de* strychnine *partout [...]. Nous poursuivîmes cependant nos travaux de défrichement et d'ameublissement [...] choisissant de tirer de nos terres du plaisir plutôt que du profit*[12].

Cette expérience malheureuse lui inspire son premier poème, dans lequel il fait subir au coyotte le sort de ses bêtes :

> *C'est fait... Au fond des bois, dans la sombre ravine,*
> *Il râle sourdement, sur la neige étendu,*
> *Le cœur triste, ulcéré, lourd du fruit défendu,*
> *Le corps arqué, roidi par l'amère* strychnine[13].

Certes, les expériences horticoles de Bugnet furent marquées de déceptions et de dures épreuves. Néanmoins, elles lui ont appris à comprendre et à respecter les lois de la Nature, «maîtresse parfois redoutable, mais d'un charme et d'une beauté considérables». Aucun écrivain albertain n'a su mieux que lui, avec autant de vérité et d'amour, peindre la Nature canadienne à l'état sauvage. Aucun écrivain canadien n'a prévu la menace dont elle était l'objet, ni milité pour sa protection. Elle est l'inspiration et l'essence même de son œuvre.

> *En tant qu'écrivain, disait-il, c'est seulement par une longue vie et une réflexion solitaire, au cœur même de notre puissante et magnifique nature canadienne, que je suis parvenu à découvrir les sentiers secrets et à les décrire dans les livres qui sont, aux dires des lecteurs anglais et français, les produits authentiques du sol canadien*[14].

Ces «sentiers secrets» de la Nature, on les retouve dans *Nipsya, La Forêt* et dans d'autres textes où l'on a pu

---

[12] *West of the Fifth*, op. cit., pp. 51-52. C'est nous qui soulignons.

[13] *Le Coyotte* paru en mai 1908, a été inclus dans le recueil de poésie *Voix de la solitude*, 1938.

[14] *West of the Fifth*, op. cit., p. 53.

noter la fréquence des termes de botaniques et des métaphores liées au domaine de l'horticulture. Si certains lecteurs sont parfois irrités des attaques constantes de Bugnet contre les Romantiques et leur «sentiment de la Nature», il suffit de visiter son ancien homestead pour se rendre compte de la justesse de ses propos.

Ce «paradis» de Bugnet a été racheté par le Gouvernement de l'Alberta en février 1965, et dénommé : la Plantation Bugnet (*fig.* 5). En août 1986, le Ministère de la Culture et du Multiculturalisme de l'Alberta est chargé de son administration et, en juin 1987, la plantation est déclarée site historique.

Source de ses découvertes d'horticulteur et berceau de ses succès littéraires, ce qui était jadis «la Plantation» est aujourd'hui une terre en friche. Rien n'indique le passage de Bugnet dans la région, même l'ancienne pancarte du département des Terres et Forêts a disparu. Aussi, avons-nous fait une demande officielle auprès du Service des Sites Historiques pour réhabiliter sa mémoire. Une plaque est déjà en préparation avec une inscription rendant hommage à Georges Bugnet pionnier, journaliste, écrivain et horticulteur.

Gamila Morcos

Figure 5

Georges Bugnet à Rich Valley dans sa «Plantation» reconnue site historique. Photographie, été 1966, [s.n]., n° A,.11977. Archives provinciales de l'Alberta.

Glossaire

Acarie (Mme) : Barbe Jeanne Avrillot, épouse de Jean-Pierre Acarie, Marie de l'Incarnation [1566-1618]. Dame puis religieuse française, avec Bérulle elle installe en 1604 les Carmélites réformées puis, devenue veuve, elle entre au Carmel en 1615.

Alpha : Première lettre de l'alphabet grec.

Andromède : Princesse légendaire d'Éthiopie. Sa mère Cassiopée s'est vantée d'être plus belle que les Néréides. Pour se venger de cette insulte, Poséidon envoie un monstre marin ravager le pays. Andromède, attachée sur un rocher, est livrée au monstre pour apaiser le dieu offensé, mais Persée* la délivre.

Apocryphe : Dont l'authenticité est douteuse.

Articulets : Petits articles; entrefilets.

Assourbanipal : Roi d'Assyrie [˜669-˜627 av.J.-C.]. Par la conquête totale de l'Égypte, la soumission de Babylone et la destruction de l'Empire élamite, il porte à son apogée la puissance assyrienne.

Astheure : Archaïsme, contraction de «à cette heure». Équivalent du canadianisme : *asteur*.

Atacas : Ou «atocas». Canadianisme : canneberges.

Barbusse : Henri Barbusse, écrivain français [1873-1935]. Idéaliste exalté par la révolution russe, il milite, après 1920, en faveur du communisme. Il séjourna fréquemment en Russie, où il mourut.

Bérulle : Pierre de Bérulle [1575-1629]. Il établit en France l'ordre des Carmélites avec Mme Acarie en 1604, et devient cardinal en 1627.

Bille : Pièce de bois prise dans la grosseur du tronc ou de grosses branches.

Birobidjan : Ville et région fondées en 1928, dans le territoire autonome de Sibérie orientale, pour accueillir les Juifs apatrides chassés de Russie.

Brébeuf (Saint Jean de) : [1593-1649] Jésuite français, arrivé au Canada en 1625 comme missionnaire. Il contribue aux *Relations des Jésuites* de 1635 à 1636, surveille la rédaction d'une grammaire et d'un dictionnaire hurons, et traduit un catéchisme en «langage canadais». Il est l'un des huit Jésuites français missionnaires au Canada, massacrés par les Iroquois entre 1642 et 1649, et canonisés ensemble le 16 octobre 1930.

Brossette (Claude) : [1671-1743] Érudit français, correspondant et éditeur de Boileau dont il publie les *Œuvres* en 1716, cinq ans après la mort de l'auteur. Il fonde en 1724 l'Académie de Lyon.

Buriner : Graver au burin, au ciseau d'acier.

Cardinal : Référence au cardinal de Richelieu [1585-1642], fondateur de l'Académie française en 1634, et protecteur de Corneille.

Carrare : Ville d'Italie centrale, centre d'exploitation et de commerce du marbre, de réputation mondiale et connu depuis la plus haute antiquité. Par extension : nom donné à ce marbre dur.

Cécil Hôtel : Cet hôtel d'Edmonton existe toujours, situé au centre ville : 10406 avenue Jasper. À noter l'orthographe française et la syntaxe anglaise.

Céphée : Époux de Cassiopée et père d'Andromède.

Cham : Deuxième fils de Noé et père de Canaan. Lorsque Noé apprend que Cham a dévoilé à ses frères – Sem et Japhet – la nudité de leur père, il maudit Canaan et condamne sa race à la servitude.

Chapelain : [1595-1674] Poète français, raillé par Boileau. Il rédige *Les sentiments de l'Académie sur «le Cid»* et un poème épique, *La Pucelle* [1656].

Chaucer : Geoffrey Chaucer, poète anglais [1340-1400]. Ses *Contes de Canterbéry* – «Canterbury Tales», 1526 – ont contribué à fixer la grammaire et la langue anglaise.

Chrysoprase : Variété de calcédoine (pierre dont certaines variétés sont précieuses) d'un vert pomme.

Ciguë : Poison que l'on extrait de la plante du même nom. Allusion à Socrate, père de la philosophie et maître à penser, qui a été condamné à boire la ciguë pour impiété et corruption de la jeunesse.

Cimeterre : Sabre oriental, à lame large et recourbée.

Circé : Magicienne de la fiction homérique, fille d'Hélios – le soleil – et sœur de Pasiphaé.

Combinat : En U.R.S.S., groupement de plusieurs industries connexes.

Conspuer : manifester bruyamment et en groupe contre quelqu'un.

Coureur de bois : Au Canada, nom de celui qui faisait la traite des fourrures, et par extension celui qui vagabonde ou qui se déplace souvent.

Créance : Foi religieuse.

Damien (Saint Pierre) : Le Père Damien [1007-1072]. Son *De divina omnipotentia* est une défense des dogmes de l'Église chrétienne contre la dialectique et la philosophie.

Daniel-Rops : Henri Petiot dit Daniel Rops, écrivain français [1901-1965]. Catholique, il a exprimé dans ses essais et romans l'opposition entre la civilisation technique et les valeurs traditionnelles du véritable humanisme chrétien.

Dialectique : Qui utilise l'ensemble des moyens mis en œuvre dans la discussion en vue de démontrer, réfuter et convaincre.

Djebel Ahaggar : Ou Hoggar. Massif cristallin du Sahara central, peuplé par les Touareg*. Littéralement : la montagne de pierres.

Edmonton Journal : Quotidien qui existe encore.

Educationalists : Mot anglais : experts en théorie de l'éducation.

Effulgence : Mot littéraire et rare signifiant : lueur, clarté.

Emmanché : Familier : bien ou mal commencé. Langue de la campagne : une terre bien emmanchée est une bonne terre, une terre susceptible de produire.

Emmi : Ancien français : parmi.

En Canada : Archaïsme, voir texte n° 9, note 4.

Essaimer : se dit d'une collectivité dont se détachent certains éléments pour émigrer et fonder de nouveaux groupes.

Étiage : Niveau bas d'un cours d'eau, à partir duquel on mesure les crues.

Eugénique : Science des conditions les plus favorables à la reproduction et à l'amélioration de la race humaine.

Évanescent : Qui s'amoindrit et disparaît graduellement.

Faconde : Élocution facile, abondante.

Faire pièce à : S'opposer à.

Frémont (Donatien) : [1881-1967] Journaliste d'origine française qui s'établit au Canada en 1904, dans une ferme en Saskatchewan. Rédacteur du *Patriote de l'Ouest* de 1916 à 1923, il devient ensuite directeur de *La Liberté* de Winnipeg (Manitoba) de 1923 à 1941.

Gaules : Nom donné par les Romains à deux régions occupées par les Celtes, la Gaule cisalpine, en deçà des Alpes et la Gaule transalpine ou Gaule proprement dite, située, par rapport à eux, au-delà des Alpes, et comprenant non seulement la France actuelle, mais la Belgique, la Suisse et la rive gauche du Rhin.

Gautier (Théophile) : Écrivain français [1811-1872]. Maître et précurseur de la poésie parnassienne, Théophile Gautier est salué par Baudelaire comme le «poète impeccable», le «parfait magicien ès lettres françaises».

Giberne : Boîte recouverte de cuir, portée à la ceinture ou en bandoulière, où les soldats mettaient leurs cartouches.

Gorgerette : Au sens propre, collerette de femme.

Gorgones : Monstres fabuleux de la génération pré-olympienne, avec une chevelure de serpent, des dents de sangliers et des ailes d'or. Elles étaient trois sœurs, Sthéno, Euryalé et Méduse.

Gréer : Terme de marine : garnir, équiper un voilier, un bateau. Gréer ou gréyer : pourvoir, munir du nécessaire.

Habitant : Canadianisme populaire : paysan, cultivateur.

Hagiographe : Auteur qui traite de la vie et des actions des saints.

Hébert (Maurice) : [1888-1960] Poète et critique né à Québec, il collabore au *Canada Français* comme critique littéraire de 1925 à 1939. Père d'Anne Hébert.

Hercule : Demi-dieu romain dont le nom est la forme latine du grec Héraclès. Reconnu par sa force et son courage, il accomplit douze travaux extrêmement difficiles dont deux sont mentionnés dans ce texte : il tue l'hydre* de Lerne et il sort vainqueur de la lutte contre les redoutables Centaures (chevaux à tête et à torse d'homme).

Hérodote : Historien grec [-484--425 av. J.-C.] et premier prosateur dont l'œuvre nous soit parvenue.

Histrion : Charlatan, comédien au sens péjoratif.

Homesteader : De l'anglais : celui qui possède un *homestead*, c'est-à-dire une concession de 160 acres faite par l'État à un colon.

Hudson's Bay : Nom anglais de la Compagnie de la Baie d'Hudson. À la demande de deux beaux-frères explorateurs Radisson et Des Groseillers, alors au service des Anglais, l'Angleterre accorde son appui financier et fonde, en 1670, la Compagnie de la Baie d'Hudson pour le commerce des fourrures. De 1682 à 1713, les Français essayent de chasser les Anglais de ce territoire. Malgré quelques tentatives fructueuses, le traité d'Utrecht (1713) accorde à l'Angleterre l'entière possession de la baie. Le gouvernement canadien en racheta les droits en 1869.

Hydre de Lerne : Monstre fabuleux de la mythologie qui ravageait l'Argolide; elle est représentée comme un serpent à sept têtes, auquel il en renaissait plusieurs dès qu'on lui en coupait une. Elle fut tuée par Héraclès.

Hyperboré : ou hyperboréen : de l'Extrême Nord; qui existe dans les lieux très froids.

Idoine : Terme vieilli : approprié à un certain usage, à une certaine fonction.

Immarcescible : Botanique, qui ne peut se flétrir.

Indian Love Song : Musique du compositeur anglais d'origine allemande, Frédérick Delius [1862-1934], accompagnant un texte du poète anglais Percy Bysshe Shelley [1792-1822]. Paru en 1930.

Institut de France : Fondé en 1795, il se compose des cinq Académies : française, des inscriptions et belles-lettres, des sciences, des beaux-arts, des sciences morales et politiques.

Jason : Élevé par le Centaure Chiron, Jason réclame le trône paternel à son oncle, l'usurpateur Pélias. Celui-ci le charge de s'emparer d'abord de la *Toison d'or*. Médée, magicienne célèbre pour ses crimes et éprise de Jason, l'aide dans cette entreprise. Jason la répudie dix ans plus tard, s'attirant ainsi sa vengeance.

Jeans (Sir James) : Astronome, mathématicien et physicien anglais [1877-1946]. Il démontre l'inexactitude de la théorie de Laplace et, l'un des premiers, expose au grand public les théories de la science moderne (relativité, transmutation des éléments, quanta, énergies atomiques).

Kitsé-manito : Pour les Cris, c'est l'esprit du bien.

La Vérendrye : Pierre Gaultier de Varennes de La Vérendrye [1685-1749]. Explorateur français du Canada. De 1731 à 1743, il explora l'intérieur du pays, du lac Supérieur aux montagnes Rocheuses.

Lachaise (Père de) : François d'Aix de La Chaise ou La Chaize, jésuite français, conseiller spirituel et confesseur de Louis XIV. Le cimetière du Père-Lachaise, à Paris, porte son nom.

Lambda : Onzième des vingt-quatre lettres de l'alphabet grec.

Le Cid : Tragi-comédie de Pierre Corneille (1636), d'inspiration espagnole. Cette pièce provoque une querelle où intervient l'Académie française, récemment constituée, qui trouve qu'elle n'est conforme ni aux règles, ni aux bienséances.

Lisières : Au sens figuré, tenir en lisières : exercer une tutelle, un empire sur quelqu'un.

Litvinof : Maxim Litvinov [1876-1951], diplomate soviétique. Au cours de sa carrière, il a, entre autres, représenté l'U.R.S.S. à la Société des Nations, et a été nommé ambassadeur à Washington.

Logorrhée : Flux de parole inutiles ; besoin irrésistible de parler.

London (Jack) : John Griffith, dit Jack [1876-1916]. Romancier américain, auteur entre autres de *Martin Eden* (1909), *L'Appel du désert* (The Call of the Wild, 1903) et *Croc-Blanc* (White Fang, 1907).

Lutrin (Le) : Poème héroï-comique (1674), en six chants, de Boileau où un événement vulgaire qui met en scène des personnages ridicules est traité en un style épique grandiloquent «burlesque nouveau» d'où naît le comique.

MacKenzie (Alexandre) : Sir Alexander MacKenzie [1764-1820]. Voyageur écossais qui explore, en 1789, les régions boréales de l'Amérique du Nord et découvre le fleuve qui porte aujourd'hui son nom.

Macphail (Sir Andrew) : [1863-1938] Écrivain canadien d'expression anglaise qui a, entre autres, traduit *Maria Chapdelaine* de Louis Hémon.

Magnitogorsk : Ville d'U.R.S.S. fondée en 1929 et grand centre d'industrie sidérurgique.

Malandrin : Terme vieilli ou littéraire qui désigne des voleurs ou des vagabonds dangereux.

Malherbe : François de Malherbe [1555-1628]. Poète français. Sa théorie littéraire soutient qu'un bon «artisan» du vers doit exprimer des thèmes éternels dans une forme rigoureuse et pure où des rythmes et des rimes réglés soutiennent les images.

Mandingue : Sans être le nom d'une langue comme telle, ce mot désigne plutôt une région ou un groupe ethnique. Les Mandings, ou Mandingues, sont un groupe ethnique de l'Afrique occidentale.

Marie-Victorin : Conrad Kirouac [1885-1944]. Religieux canadien qui fonda le Jardin botanique de Montréal.

Marotte : Au sens figuré : idée fixe, manie.

Matimanito : Pour les Cris, Matimanito est l'esprit du mal. Les esprits, du bien et du mal, se nomment «manitou» chez certaines peuplades amérindiennes.

Médée : Magicienne célèbre pour ses crimes, dont la légende appartient au cycle des Argonautes.

Méduse : L'une des Gorgones, la seule mortelle des trois. Son regard pétrifiait quiconque osait la fixer.

Méplat : Partie relativement plane.

Mésintelligence : Désunion, mésentente.

Minotaure : Monstre fabuleux de la Crète, au corps d'homme et à la tête de taureau. Il fut tué par Thésée*.

Mouver : Déménager. Anglicisme. Au Moyen Âge, se mouver : se déplacer, bouger (cf. se mouvoir).

Mystères : Au Moyen Âge, genre théâtral qui mettait en scène des sujets religieux.

Nécromancie : Science occulte qui prétend évoquer les morts pour obtenir d'eux des révélations de tous ordres, particulièrement sur l'avenir.

Nicolle (Charles) : Bactériologiste français [1866-1936], élève de Pasteur, puis directeur de l'Institut Pasteur de Tunis (1903-1936). Prix Nobel de médecine en 1928.

Nivéen : Néologisme, probablement de nivéal (du latin *nivis*, neige) : qui fleurit pendant l'hiver.

Objurgations : Paroles vives par lesquelles on essaie de détourner quelqu'un d'agir comme il se propose de le faire.

Occulte : Mystérieux et qui échappe à toute explication rationnelle.

Ouaskouaï : Ce nom, comme tous les autres noms de ce conte, provient de la langue crie.

Paladin : Chevalier errant du Moyen Âge, en quête de prouesses et d'actions généreuses.

Pallas : Surnom de la déesse grecque Athéna, identifiée par les Romains avec Minerve. Déesse guerrière, mais également déesse de la raison et de l'intelligence.

Passe-pied : Danse à trois temps d'un mouvement vif, semblable au menuet.

Patagon : Sans être le nom d'une langue comme telle, ce mot désigne plutôt une région. Le Patagon se rattache à la Patagonie, région du Sud du Chili et de l'Argentine.

Pécule : Somme d'argent économisée peu à peu.

Pelletier (Albert) : Critique littéraire québécois [1896-1971]. Fondateur de la maison d'édition Le Totem (1933) et créateur de la revue *Les Idées* (1935), où furent publiés plusieurs des écrits de Bugnet.

Pemmican : Viande séchée selon la pratique amérindienne.

Péremptoire : Catégorique, absolu, qui n'admet aucun doute.

Pérenne : Terme didactique et vieux qui signifie : durable.

Péribonka : Rivière du Québec qui se jette dans le lac Saint-Jean. Petit village où habita la famille Chapdelaine

Persée : Le groupe formé de Persée, Pallas, Méduse et Andromède illustre la lutte entre les forces positives et les forces négatives.

Pimbinas : Fruit rouge, venant par grappes, de la viorne pimbina ou trilobée. Canadianisme.

Police montée : Nom familier donné à la Gendarmerie royale du Canada, provenant d'une traduction de son nom anglais : Royal Canadian Mounted Police.

Poverello : Surnom de saint François d'Assise, qui signifie «le petit pauvre».

Prolétariat : Classe sociale des personnes qui ne possèdent pour vivre que les revenus de leur travail, qui exercent un métier manuel ou mécanique et qui n'ont aucun contrôle sur leur production.

Protée : Fils de Poséidon, il garde les troupeaux de monstres marins appartenant à son père.

Pyrotechnique : fig., Explosif. La pyrotechnie est la technique de la fabrication et de l'utilisation des matières explosives : feux d'artifice, etc.

Pyrrhon : Philosophe grec [¯365-¯275 av. J.-C.]. Considéré comme le fondateur du scepticisme (ou pyrrhonisme), il nie la possibilité pour l'homme d'atteindre la vérité et préconise le doute.

Radisson : Pierre-Esprit Radisson [1636-1710]. Explorateur français et coureur des bois, il parcourt les régions de l'Amérique du Nord des rives du Mississippi jusqu'à la Baie d'Hudson, et contribue à la fondation de la Compagnie de la Baie d'Hudson. Il collabore sans aucun scrupule tantôt avec l'Angleterre, tantôt avec la France, et voit sa tête mise à prix par le Canada. Il se retire et meurt à Londres.

Récuser : Refuser de prendre une responsabilité, de donner son avis.

Relations : *Les Relations des Jésuites*, ensemble des rapports faits par les missionnaires jésuites en Nouvelle-France (Canada), réunis par le supérieur général de Québec et publiés à Paris de 1632 à 1671. Le Père Paul Le Jeune a écrit les *Relations* de 1632 à 1640.

Roberts (Sir Charles George Douglas) : Poète et romancier canadien [1860-1943]. Reconnu surtout pour ses histoires d'animaux et ses descriptions de la nature. Il a de plus traduit *Les Anciens Canadiens* de Philippe Aubert de Gaspé.

Rôdailler : Rôder, flâner en errant çà et là (suffixe «ailler» péjoratif).

Rossinante : De l'espagnol «Rocinante», nom du cheval de Don Quichotte. Employé ici dans le double sens de «être à cheval sur...» = tenir fermement à..., et «monter sur ses grands chevaux» = s'emballer.

Roy (Camille, Monseigneur) : Prélat, éducateur et critique littéraire canadien-français [1870-1943]. Plusieurs fois recteur de l'Université Laval, il a été un pionnier de l'étude de la littérature canadienne. Il a publié régulièrement dans *Le Canada Français* à la même époque que Bugnet.

Sachem : Mot iroquois. Vieillard, «ancien» qui faisait fonction de conseiller et de chef chez les peuplades amérindiennes du Canada et du Nord des États-Unis.

Salmigondis : Mélange, assemblage disparate et incohérent.

Sapience : sagesse et science.

Saskatouns : Baies sauvages. Canadianisme.

Sentence : Sens vieilli. Pensée, surtout sur un point de morale, exprimée d'une manière dogmatique et littéraire.

Sirènes : Démons marins ayant une tête et une poitrine de femme et une queue de poisson. Remarquables musiciennes, elles attiraient par leur chant les marins sur les récifs pour les dévorer.

Soviet : Du russe *soviet* = Conseil. En Union Soviétique, ce terme désigne l'assemblée des délégués élus.

Sovkose : S'écrit : sovkhoz ou sovkhoze = en U.R.S.S., ferme pilote appartenant à l'État.

Stakanoviste : S'écrit : stakhanoviste, du nom du mineur russe Stakhanov = qui applique le principe de l'augmentation du rendement du travail par des initiatives des travailleurs.

Suzanne : Héroïne d'un des suppléments grecs au livre de Daniel, elle est l'objet de peintures du Tintoret (1560) et de Rembrandt (1647).

Tâcheron : Personne qui accomplit une tâche avec assiduité mais sans éclat. Péjoratif.

Tannant : Fatigant, exaspérant. Canadianisme.

Tarzan : Personnage fictif, créé par le romancier américain Edgar Rice Burroughs [1875-1950]. Le premier volume de la série des *Tarzan* parut en 1915.

Thésée : Héros de l'Attique, fils d'Egée ou de Poséidon et d'Aethra. Parmi ses nombreux exploits, il tue le Minotaure.

Touareg : Population nomade du Sahara, d'origine berbère.

Tripoli de Barbarie : Ancien nom de cette ville de Libye, pour la distinguer de Tripoli au Liban.

Vandales : Peuple germanique qui envahit la Gaule, l'Espagne puis l'Afrique romaine et fonda par la piraterie et le pillage un royaume qui s'étendit à la Sicile.

Vassales : Personnes tenues en état de dépendance, d'infériorité.

Wigwams : Mot de l'indien (algonquin). Village, hutte ou chaumière des Indiens de l'Amérique du Nord.

Yakoute : Sans être le nom d'une langue comme telle, ce mot désigne plutôt un groupe ethnique. Les Iakut ou Yakoutes sont les habitants de la Iakutie ou Yakoutie, une des seize républiques autonomes de la république soviétique fédérative socialiste de Russie, située dans le Nord-Est de la Sibérie.

Résumé chronologique

Georges Bugnet en France

1879 Le 23 février à Chalon-sur-Saône, naissance de *Georges-Charles-Jules Bugnet*, premier des cinq enfants de Claude-François Bugnet (1848-1937) et Joséphine Marie-Anne-Elizabeth Sibut-Plourde (1859-1952).

1881 Les Bugnet déménagent à Beaune pour gérer sans succès une épicerie. Après la banqueroute, C.-F. Bugnet se lance dans le commerce du vin. Naissance de *Maurice Bugnet*, qui entre dans l'Ordre des Jésuites en 1907 et meurt sur le champ de bataille au début de la Première Guerre mondiale.

1884 Naissance de *Charles Bugnet* qui rejoindra plus tard son frère, Georges, au Canada, pendant quelque temps. Rentré en France en 1914, il prend part à la guerre, puis se marie. Après un second séjour au Canada, il rentre et meurt en France en 1934.

1886 La famille Bugnet déménage à Mâcon où Georges commence ses études à l'école publique, puis chez les Frères des Écoles Chrétiennes. Naissance [date incertaine] de *Marie Bugnet* qui meurt à l'âge de cinq mois.

1890 Georges commence ses études classiques. Enthousiasmé par la lecture du livre du père oblat Émile Petitot sur la vie des autochtones de l'Ouest canadien, il rêve de devenir missionnaire.

1891 Pendant quatre ans Georges poursuit ses études classiques comme externe au Collège des Oblats de Saint-François de Sales. Ces années marqueront sa pensée et son œuvre.

1892 Naissance de *Thérèse Bugnet*, sœur de Georges. Elle passe quelques années au Canada, mais retourne en France avant la Première Guerre mondiale pour entrer au Carmel de l'Incarnation à Paris sous le nom de Sœur Marie-Thérèse de Gonzague. Elle meurt au Carmel de Dijon le 29 décembre 1961.

1894 La famille déménage à Dijon. Georges rentre pensionnaire au Petit Séminaire de Plombières. Il y fera sa seconde et sa rhétorique.

1896 Il complète la première partie du baccalauréat et, par obéissance à sa mère, il entre en septembre au Grand Séminaire de Dijon.

1897 Doutant de sa vocation et suivant les conseils de son directeur de conscience, il rentre chez ses parents pour réfléchir sur son avenir. Il étudie alors tout seul sous la surveillance autoritaire de sa mère.

1898 Encore une fois sur l'insistance de sa mère, il entre au séminaire de Brou, près de Bourg en Bresse (Ain). Mais il a tôt fait d'abandonner le sacerdoce, et en juin, il «jette» sa soutane et s'enfuit vers la Suisse. Il se réconcilie ensuite avec sa mère, et grâce à l'appui de son père, décide d'entrer à l'université.

1899 Il s'inscrit à la Faculté des lettres de l'Université de Dijon et s'engage le 13 novembre dans l'armée. Ce stratagème lui permet de réduire à un an son service militaire.

1900 Libéré du service militaire, il reprend ses cours à l'université. C'est le début d'une période d'action militante, durant laquelle il joint les rangs de l'ACJF (Association Catholique de la Jeunesse Française) pour protéger la jeunesse de l'influence laïcisante qui imprègne les écoles françaises depuis les réformes de Jules Ferry. Son intérêt pour les problèmes socio-politiques se reflétera plus tard dans ses articles.

1903 Il quitte l'université pour un séjour de quelques mois à Karlsruhe (Baden) en Allemagne. Il y étudie l'allemand et donne des leçons de français. En automne, il rentre à Paris où il obtient un poste au service des abonnements et des relations publiques du journal *La Croix*. Il fréquente irrégulièrement la Sorbonne.

1904 Le 28 février il devient rédacteur en chef de l'hebdomadaire *La Croix de la Haute-Savoie* et il y reste en fonction jusqu'à son départ le 26 décembre pour le Canada[1]. En avril de cette même année, il épouse Julia Ley (née le 24 juin 1882) qu'il avait rencontrée à Dijon à sa sortie du séminaire.

Georges Bugnet au Canada

1905 Le 5 janvier, le couple Bugnet débarque à Saint-Jean (Nouveau-Brunswick) et arrive à Saint-Boniface (Manitoba) quelques jours plus tard. Il passe trois mois dans la famille Béron et travaille au couvent des Sœurs Grises.

Le 17 février naissance de son premier fils : *Charles*. En avril, la famille se rend à Letellier et Georges Bugnet s'initie au métier de cultivateur sur la ferme Boiteau.

En août, les Bugnet partent pour Edmonton (Alberta), s'engagent sur la ferme d'Oscar Terreault à Saint-Albert.

Le 25 octobre, ils prennent possession de leur «homestead» à Rich Valley, une centaine de kilomètres au nord-ouest d'Edmonton.

[1] D'après la chronologie de Bugnet dans *Poèmes* (p. 26), il ne reste à *La Croix de la Haute-Savoie* que jusqu'en octobre et quitterait la France le 24 décembre, non pas le 26.

Sa vie

1906 – La famille s'installe sur sa terre en mars. Le 14 septembre, naissance de *Paul* Bugnet.

1907 – Paul meurt brûlé le 25 novembre.

1908 – Le 3 mai, naissance de *Joseph*.

1910 – Le 3 janvier, naissance de *Marie*.

1911 – Le 1er décembre, naissance de *Marthe*.

1913 – Le 13 mars, naissance de *Jean*.

1915 – Le 15 décembre, naissance de *Marie-Thérèse*.

1916 – Élu d'abord secrétaire, puis nommé Commissaire à Rich Valley, il sera ensuite nommé au Conseil scolaire du Lac Sainte-Anne jusqu'en 1949, date de sa démission.

1917 – Le 23 janvier, naissance de *Maurice*.

1920 – Le 25 juin, naissance de *Madeleine*.

Son œuvre

1908 – Le 14 mai, parution du poème «Le Coyote» dans *Le Courrier de l'Ouest*.

1920 – Rédige *Le Lys de sang* en mars et avril.

1922 – Rédige le *Pin du Maskeg* et *Nipsya*.

Le Lys de sang, signé Henri Doutremont, paraît par tranches dans *l'Union* d'Edmonton.

1923 – Le 22 juillet, naissance de *Louise*.

1923 – Parution du *Lys de sang*, signé Henri Doutremont, chez Garand.

1924 – Georges Bugnet devient rédacteur en chef de l'hebdomadaire albertain : *l'Union* (fondé en octobre 1917; M. Feguenne, propriétaire). Il conservera ce poste jusqu'en 1928. Durant cette période, il passait régulièrement quatre jours par semaine à Edmonton, et trois à Rich Valley, ce qui l'obligeait à faire 37 km à pied chaque fois qu'il prenait le train.

1924 – Parution de *Nipsya*, signé Henri Doutremont, chez Garand.

«Le Pin du Maskeg» paraît dans *Le Canada Français*.

1925 – Fondation de l'Association canadienne française de l'Alberta (A.C.F.A.), Georges Bugnet nommé membre du comité provisoire.

1926 – En janvier, il est nommé pour présider le premier congrès général de l'A.C.F.A.. Lors du Congrès, en juillet, il est élu trésorier, poste dont il démissionnera en 1928. L'un des deux délégués franco-albertains au «Pélerinage de la Survivance», il visite Ottawa, Montréal et Québec; ce sera son seul voyage dans l'Est.

1928 – Quitte *l'Union* au printemps pour y revenir de l'hiver au 19 avril 1929, date de parution du dernier numéro.

1929 – Parution de la traduction anglaise de *Nipsya*.

1932 – De janvier à novembre, il rédige «Hymne à la nuit».

«Le Conte du bouleau, du mélèze et du pic rouge» et «Un Maître de style», paraissent dans *Le Canada Français*.

Il commence la rédaction du poème «Des Voix dans la nuit».

1934 – Parution d'un extrait du poème «Hymne à la nuit» dans *La Revue des poètes*, Paris; de *Siraf* aux Éditions du Totem; et de «La Défaite» dans *Le Canada Français*.

1935 – Parution de *La Forêt* aux Éditions du Totem. «Du Roman» paraît dans *Le Canada Français*, «Dialogue des morts», dans *Les Idées* et «Une Grande âme» dans *La Survivance.*

1936 – Parution de «Canadiana» et «Montaigne et les Canadiens» dans *Les Idées.*

1937 – Le conte «Une Vision», et l'essai «Une lettre», paraissent dans *Les Idées.*

Réédition de «Une grande âme» dans *Le Canada Français* et de «Canadiana» dans *La Survivance.*

1938 – Parution de «Pour l'esprit canadien» dans *Les Idées*; «Science et Foi» et «Yvan et Fédor» dans *Le Canada Français.*

Publication de *Voix de la solitude* aux Éditions du Totem.

Réédition de «Dialogue des morts» dans *La Survivance.*

1940 – Parution de «La Forêt» et «Des Valeurs littéraires» dans *Le Canada Français.*

1945 – Invité à la Conférence des écrivains albertains à Banff.

1945 et 1946 – Mgr Arthur Maheux, historien, et Donatien Frémont, rédacteur de *La Liberté* à Winnipeg, proposent sans succès sa candidature à la Société Royale du Canada.

1947 – Vend une partie de sa terre à Rich Valley et se contente des revenus des treize acres qui lui restent, ainsi que de quelques articles, de sa pension de vieillesse et de son salaire au Conseil scolaire.

1949 – Invité à nouveau à la Conférence des écrivains albertains à Banff.

1954 – Ayant tout vendu, il quitte Rich Valley pour s'installer à Legal le 5 novembre, où il se consacre à la lecture et à l'horticulture.

1967 – Intéressé à l'horticulture depuis 1923, il reçoit un prix spécial de la «Western Society of Horticulture» et en devient membre honorifique.

1942 – Parution de «Propagande soviétique» dans *Le Canada Français;* et partiellement, en 4 tranches, dans *La Survivance.*

1944 Parution de: «Les Gardiens de la terre», dans *Le Canada Français*, et «Une Version de l'Atlantide» dans *Gants du Ciel.*

1945 – Parution de «Ce pauvre Boileau» dans *Le Canada Français.*

1946 – Parution de «Où l'on rencontre un Canadien» dans *Le Canada Français.*

De mai 1946 à juillet 1966, Georges Bugnet publie trente-six articles dont trente-trois dans *La Survivance* et trois dans d'autres publications. Voir Bibliographie.

1969 – La santé de sa femme s'affaiblissant, ils déménagent au Château Sturgeon à Legal, maison de retraite qu'il appelle «le Château».

1970 – Décoré «Chevalier de l'Ordre des Palmes Académiques», il écrit dans son journal : «Tout le tralala, voir les journaux».

Le 22 octobre, Julia Bugnet meurt à l'âge de 88 ans.

1972 – Il reçoit du Gouvernement de l'Alberta un «Certificate of Achievement Award», en reconnaissance de son travail littéraire et scientifique.

1976 – Parution de la traduction anglaise de *La Forêt*.

1977 - *Nipsya,* part III, chap. 1 : «Mahigan's Atonement», repris par D. Carpenter dans *Wild Rose Country*...

1978 – Le 3 juin, les membres du Bureau des Gouverneurs de l'Université de l'Alberta se rendent à Legal pour lui remettre un doctorat honorifique. La cérémonie a lieu à l'église Saint-Émile.

Le 4 novembre, il va à «Youville Nursing Home», maison de repos à Saint-Albert. Il y reste jusqu'à sa mort.

1981 – Georges Bugnet meurt le 11 janvier à Saint-Albert, à cinq semaines de son cent deuxième anniversaire. Les obsèques eurent lieu à l'église Notre-Dame de Lourdes au Lac La Nonne; l'inhumation au cimetière du Lac La Nonne. Il laissa dans le deuil quatre fils et six filles, ainsi que cinquante-quatre petits-enfants, quatre-vingt-neuf arrière-petits-enfants et six arrière-arrière-petits-enfants.

Index des thèmes

Table des illustrations

Bibliographie

1. Œuvres de Bugnet[1]

1.1 ROMANS

Le Lys de sang, ◆ *L'Union*, du 21 décembre 1922 au 11 octobre 1923; ◆ Montréal, Éditions Édouard Garand, Collection du Roman canadien inédit, 1923, 60 pages [Signé Henri Doutremont].

Nipsya, ◆ Montréal, Éditions Édouard Garand, Collection du Roman canadien inédit, 1924, 67 pages [Signé Henri Doutremont]; ◆ Saint-Boniface (Man.), Éditions des Plaines, 1988, 216 pages; ◆ Édition critique par Jean-Marcel Duciaume et Guy Lecomte, Saint-Boniface (Man.), Éditions des Plaines et Éditions universitaires de Dijon, 1990, 333 pages.

---

[1] Dans cette bibliographie, les œuvres de Bugnet sont classées par genre et les articles, par maison de publication. Les losanges indiquent les rééditions. Les abréviations suivantes sont utilisées : *Ab* = *Albertaines; CF* = *Le Canada Français; Id* = *Les Idées; Sv* = *La Survivance*.

[Sources : *Documents de travail du CRCCF*, n° 13, Bibliographie de la critique de la littérature québécoise dans les revues des XIXe et XXe siècles, tome II, P. Cantin, N. Harrington, J.-P. Hudon, Ottawa, 1979. *Dictionnaire des œuvres littéraires du Québec* sous la direction de Maurice Lemire, tome II, 1900-1939, Montréal, Fidès, 1980. *Dictionnaire des auteurs de langue française en Amérique du Nord*, R. Hamel, J. Hare, P. Wyczynski, Fidès, 1989. J. Papen, *Georges Bugnet : homme de lettres canadien*, Saint-Boniface, Éditions des Plaines, 1985, bibliographie pp. 219-230.]

Siraf, ◆ *Le Canada Français*, vol. XIX, n° 3, novembre 1931, pp.181-194 [Note de Bugnet : Ouvrage en préparation. Nous en publions les chapitres I et VI]; ◆ *Siraf. Étranges Révélations : Ce qu'on pense de nous par-delà la lune*, Montréal, Éditions du Totem, 1934, 187 pages.

La Forêt, ◆ Montréal, Éditions du Totem, 1935, 239 pages; ◆ Saint-Boniface (Man.), Éditions des Plaines, 1984, 239 pages.

1.1.1 Traduction

Nipsya, New York/London/Montréal, Éditions Louis Carrier et Co., translated from the French by Constance Davies Woodrow, 1929, 286 pages.

The Forest, Montréal, Harvest House, translated from the French by David Carpenter, 1976, 168 pages.

1.1.2 Manuscrits

«Téhôm-La-Noire» : version du *Lys de sang*, révisée vers 1934, 194 feuilles, et un appendice resté inédit.

«The Blood Lily of Téhôm» : traduction anglaise par W.A.R. Kerr [Voir *Journal* de Bugnet, 11 août 1966; voir aussi la correspondance Bugnet/Kerr, Archives de l'Université de l'Alberta]. Nous n'avons pas pu localiser le manuscrit.

«Defeated. A play in one act» : version anglaise de *La Défaite*, (s.d.), 31 feuilles [Archives de l'Université de Montréal, et du Centre de recherche en civilisation canadienne-française à l'Université d'Ottawa].

1.2 POÉSIE ET JOURNAL

«Le Coyote», poème, ◆ *Le Courrier de l'Ouest*, 14 mai 1908; ◆ *Canadian Bookman*, Toronto, vol. IV, n° 12, New series, December 1922, p. 335; ◆ *Les Annales politiques et littéraires*, n° 2079, 29 avril 1923, p. 440; ◆ *Lectures littéraires*, tome II, les Frères de l'Instruction Chrétienne, 1961, p. 303; ◆ *Voix de la solitude et* ◆ *Poèmes* (Voir infra).

Voix de la solitude, Recueil de poésie et prose, Montréal, Éditions du Totem, 1938, 145 pages.

«De la poésie», *Le Canada Français*, vol. XXI, n° 2, octobre 1933, pp. 137-143; ◆ *Voix de la Solitude*, «Introduction».

«Mission du Nord» et «Vierge et Mère», *À Notre-Dame de Lyre. L'Hommage des poètes canadiens-français*, Poèmes réunis par Sœur Paul-Émile, Ottawa, Les Sœurs Grises de la Croix, 1939, pp. 24-26.

Poèmes, Présentation de Jean-Marcel Duciaume, Edmonton (Alberta), Éditions de l'Églantier, 1978, 102 pages. [Réédition de la première partie des *Voix de la solitude* (Rythmes en vers), ainsi que des deux poèmes édités par les Sœurs Grises.]

Journal (1954-1971), Édité et annoté par Georges Durocher et Odette Tamer-Salloum, Edmonton, Institut de recherche de la Faculté Saint-Jean, Université de l'Alberta, 1984, 187 pages.

1.3 CONTES

«The Tale of the Larch, the Birch and the Red-Headed Woodpecker», *Edmonton Bulletin*, 18 May - 19 June 1922.

«Le Conte du bouleau, du mélèze et du pic rouge», ◆ *Le Canada Français*, mars 1932, vol. XIX, n° 7, pp. 526-538; ◆ *Albertaines*, texte n° 3.

«Mahigan's Atonement», ◆ *The Edmonton Journal*, 30 May 1921, Magazine section, p. 2; ◆ *Toronto Star Weekly*, 25 May 1929; ◆ *Wild Rose Country/Stories from Alberta*, X-14-11, David Carpenter, ed., 1977, pp. 45-55 [Conte extrait de la version anglaise de *Nipsya*, Part III, chap. 1].

«Le Pin du Maskeg», ◆ *Le Canada Français*, vol. XII, n° 2, octobre 1924, pp. 95-103, et n° 3, novembre 1924, pp. 176-185 [Signé Henri Doutremont]; ◆ *Voix de la Solitude*, «Rythmes en prose», 1938, pp. 107-145.

«Une Vision», ◆ *Les Idées*, vol. V, n° 2, Montréal, Éditions du Totem, février 1937, pp. 91-101; ◆ *Albertaines*, texte n° 1.

«Une Version de l'Atlantide», ◆ *Gants du Ciel*, Montréal, Édition Fidès, septembre 1944, n° 5, pp. 17-31; ◆ *Albertaines*, texte n° 2.

1.4 THÉÂTRE

«La Défaite», *Le Canada Français*, vol. XXII, n° 1, septembre 1934, pp. 40-58; présentée à la radio CKUA le 30 avril 1934 [Pièce extraite de *La Forêt*]; ◆*Albertaines*, texte n° 4.

«Ivan et Fédor», ◆*Le Canada Français*, vol. XXVI, octobre 1938, pp. 166-184; ◆*Albertaines*, texte n° 5.

1.5 ARTICLES ET ESSAIS

1.5.1 Parus dans *La Croix de la Haute-Savoie*

Riposte à tort et à travers, Annecy, 28 février 1904.

Faisons l'union, 6 mars 1904, p. 1.

M. l'Instituteur pérore, 20 mars 1904, p. 1.

Est-ce qu'on bouge? 27 mars 1904.

Chien de temps, 3 avril 1904.

Pharisiens, 10 avril 1904.

Promesses, 17 avril 1904.

Les libres penseurs, 24 avril 1904.

À choisir, 1er mai 1904.

Au travail, 15 mai 1904.

Le vieux, 22 mai 1904.

Dans les bois, 29 mai 1904.

L'Esprit démocratique, 5 juin 1904.

Monsieur Lejeune, 12 juin 1904.

La Grève des Cluses, 19 juin 1904.

Les Idées d'un Chinois, 26 juin 1904.

Mutualités scolaires, 3 et 10 juillet 1904.

Pour le peuple, 7 juillet 1904.

Les Travailleurs, 7 août 1904.

Un bon chez-soi, 14 août 1904.

Une richesse, 21 août 1904.

Urgent, 28 août 1904.

L'impôt sur le revenu, 4 septembre 1904.

L'École libre de demain, 18 septembre 1904.

Les Points sur les "i", 25 septembre 1904.

Lettre de Rome, 9 octobre 1904.

1.5.2 Parus dans *Le Canada Français*

Quelques marques distinctives de la littérature canadienne, vol. XIII, n° 4, décembre 1925, pp. 260-266 [Signé Henri Doutremont].

◆ *Un maître de style*, vol. XX, n° 4, décembre 1932, pp. 317-323 [*Ab*, texte n° 10].

◆ *Du roman*, vol. XXIII, n° 3, novembre 1935, pp. 217-225 [*Ab*, texte n° 11].

◆ *Une Grande âme*, vol. XXIV, n° 8, avril 1937, pp. 778-783 [*Sv*, 1935; *Ab*, texte n° 15].

◆ *Science et foi*, vol. XXV, n° 10, juin 1938, pp. 1059-1067 [*Ab*, texte n° 12].

◆ *La Forêt*, vol. XXVII, n° 5, janvier 1940, pp. 389-401 [*Ab*, texte n° 16].

◆ *Des Valeurs littéraires*, vol. XXVIII, n° 4, décembre 1940, pp. 346-360 [*Ab*, texte n° 13].

◆ *Propagande soviétique*, vol. XXIX, n° 9, mai 1942, pp. 701-712, et n° 10, juin 1942, pp. 865-877 [*Sv*, 1942; *Ab*, texte n° 18].

◆ *Les Gardiens de la terre*, vol. XXXI, n° 8, avril 1944, pp. 561-566 [*Ab*, texte n° 19].

◆ *Ce pauvre Boileau*, vol. XXXII, n° 9, mai 1945, pp. 655-668 [*Ab*, texte n° 17].

◆ *Où l'on rencontre un Canadien*, vol. XXXIII, n° 5, janvier 1946, pp. 325-332 et février 1946, pp. 438-446 [*Ab*, texte n° 20].

1.5.3 Parus dans *Canadian Bookman*

An Answer to Lionel Stevenson's Manifesto, vol. VI, n° 4, April 1924, pp. 85-86.

Nature is not sad, vol. VI, n° 9, September 1924, p. 199.

One Way to write «Canadian», vol. VI, n° 10, October 1924, pp. 209-210.

Nature again, vol. VII, n° 2, February 1925, p. 36.

Two New Western Books, vol. VII, n° 12, December 1925, p. 203.

Who's who in Canadian literature, vol. XII, n° 1, January 1930, pp. 3-4.

French Writers of the Canadian West, vol. XIII, n° 3, March 1931, pp. 53-54.

Nationalism and literature, vol. XIV, September 1932, pp. 91-92.

1.5.4 Parus dans *Les Idées*

Inventons des arbres, vol. I, n° 4, avril 1935, pp. 240-249 et vol. II, n° 5, nov. 1935, pp. 257-269.

Propos d'un Albertain, vol. I, n° 2, février 1935, pp. 75-84.

◆ *Dialogue des morts*, vol. II, n° 3, juillet 1935, pp. 1-12 [*Sv*, 1938; *Ab*, texte n° 7].

Le Crédit Social en Alberta, vol. II, n° 3, septembre 1935, pp. 134-145.

◆ *Canadiana*, vol. III, n° 1, janvier 1936, pp. 13-23 [*Sv*, 1937; *Ab*, texte n° 6].

◆ *Montaigne et les Canadiens*, vol. III, n° 4, avril 1936, pp. 208-222 [*Ab*, texte n° 8].

Encore une idée, vol. V, n° 4, avril 1937, pp. 217-228.

◆ *Une lettre*, vol. VI, n° 6, décembre 1937, pp. 327-341 [*Ab*, texte n° 9].

◆ *Pour l'esprit canadien*, vol. VII, n° 1-2, janvier-février 1938, pp. 1-16 [*Ab*, texte n° 14].

Le R.P. Carmel Brouillard, o.f.m., vol. VII, n° 5-6, mai-juin 1938, pp. 268-279.

1.5.5. Parus dans *La Survivance*

Un projet gigantesque, 20 novembre 1930.

Une œuvre unique, 24 décembre 1930.

Mais oui, ça paye! 2 juillet 1931.

Celle d'hier, 7 octobre 1931.

En voulez-vous? 19 septembre 1934.

Sous le signe des Muses, 24 avril 1935.

◆ *Une grande âme*, 11 décembre 1935 [*CF*, 1937; *Ab*, texte n° 15].

Un produit très rare, 24 décembre 1935.

Les Vikings du Christ, 31 décembre 1935.

Double route, 4 mars 1936.

Le verrons-nous? 6 mai 1936.

◆ *Canadiana*, 14 avril 1937 [*Id*, 1936; *Ab*, texte n° 6].

◆ *Dialogue des morts*, 13 avril 1938 [*Id*, 1935; *Ab*, texte n° 7].

Un mur qui s'élève, 10 décembre 1941.

◆ *Propagande soviétique*, en 4 tranches, juillet les 8 (pp. 7 & 3), 15 (p. 6) et 29 (p. 6), et le 5 août 1942 (p. 6) [*CF*, 1942; *Ab*, texte n° 18].

Sommes-nous homogènes? 30 juin 1943.

Comment obtenir de nouvelles plantes, 2 et 9 mars 1944.

Humanisons la géographie, 22 mai 1946.

Catholicisme et langue française, 2 avril 1947.

L'Homme et la Bête – La Chair et l'Esprit, 15 février 1950.

Contre la vulgarité, 15 mars 1950.

À l'aube de l'ACFA, 3 mai 1950.

Figures de l'Ouest, 17 juin 1953.

Les citons-nous? 9 décembre 1953.

Ce mal est-il incurable? 10 février 1954.

D'où vient et où va le monde? 24 mars 1954.

Ce titre d'Albertain, 27 octobre 1954.

◆ *Précisions au sujet de Hemingway*, 15 décembre 1954. Signé «Bouquineur» [*Ab*, texte n° 11, annexe].

Un grand Albertain, 9 mars 1955.

Réflexions sur les élections, 13 juillet 1955.

Notre Alberta, 7 septembre 1955.

L'Apostolat des laïcs en Alberta, 21 septembre 1955.

Pourquoi n'aurions-nous pas nos historiens? 7 mars 1956.

Ces choses mortes, 24 octobre 1956.

Une bonne leçon, 30 janvier 1957.

Ce qu'il nous faut, 14 août 1957.

Le Merveilleux Fétiche Moderne, 8 octobre 1957.

Un nouveau roman albertain, 12 novembre 1958.

Un ouvrage qui deviendra de plus en plus utile, 12 août 1959.

In the Modern Manner, 28 October 1959.

Ô Canada, mon pays, mes amours, 13 janvier 1960.

Enfin! Enfin! 11 mai 1960.

Des planètes et des savants, 1er février 1961.

Dans la formation du monde, ne devrait-on pas parler de croissance au lieu d'évolution? 8 mars 1961.

Une fête spéciale pour Dieu le Père, 14 février 1962.

Bugnet répond, 24 octobre 1962.

Un apologue, 11 décembre 1963.

Supplantés, 11 mars 1964.

Quand l'Ouest était bilingue, 5 mai 1965.

La Hiérosphère, 20 juillet 1966.

1.5.6 Parus dans *L'Union*

Reconnaissance, [s.d.] 1925.

Réponse au R.P.B.I. Kennedy, o.m.i., Trois lettres successives parues en janvier, février et mars 1927.

Est-ce là du catholicisme? 10 mars 1927.

Mauvaise réclame, [s.d.] 1928.

Où en sommes-nous? janvier 1928.

Pourquoi il ne pouvait pas y en avoir, février 1929.

Dernier numéro de «L'Union», 18 avril 1929.

1.5.7 Parus dans des publications diverses

«Hymne à la Nuit», ♦ *La Revue des poètes*, extraits, tome XXXIX, n° 318, 36e année, 15 mars 1934, p. 57-58 [Fera partie des ♦ *Voix de la solitude* et de ♦ *Poèmes*].

«Better Education», *Today and Tomorrow*, Edmonton, 31st December 1936, pp. 3 and 6.

«A Dream», *Alberta Teachers Association Magazine*, Edmonton, November 1938, p. 17.

«The Family Compact», *Today and Tomorrow*, Edmonton, October 26 1939.

«The Search for Total Hardiness», *American Rose Annual*, The American Rose Society, Shreveport, LA, 1941, pp. 111-115.

«Message d'un vieil écrivain aux jeunes de son pays», *Xavier*, Edmonton, vol. I, n° 6, avril 1941, p. 11.

«Frères ennemis», *Relations*, février 1942, p. 404.

«Why not grow them full sized?» ♦ *Alberta School Trustees' Magazine*, vol. XII, n° 4, April 1942, p. 19; ♦ *Alberta Teachers Association Magazine*, March 1942, pp. 11-12.

«Is this printable?» *Alberta School Trustees' Magazine*, vol. XVIII, n° 7, July-August 1948, pp. 20-23.

«Autobiography», *Wings*, the first year book published by the students of Sangudo High School, Lac Ste-Anne Division, Sangudo, Alberta, 1944, pp. 8-12.

«Le Jubilé de deux provinces canadiennes», *Le livre de l'année 1956*, Montréal, La Société Grolier du Québec Ltée, pp. 93-98.

«Hardy Children of the West», *The Lac Ste-Anne Chronicle*, [n.d.].

«Vanity of langage», *The Edmonton Journal,* 26 May 1964.

2. Études sur Bugnet

2.1 AU SUJET DE L'ÉCRIVAIN

2.1.1 Ouvrages

PAPEN, Jean, *Georges Bugnet : homme de lettres canadien*, Saint-Boniface (Manitoba), Éditions des Plaines, 1985, 230 pages.

COLLET, Paulette, *L'Hiver dans le roman canadien-français*, Québec, Presses de l'Université Laval, 1965, 281 pages.

COLLET, Paulette, *Les Romanciers français et le Canada (1842-l98l) – Anthologie*, Sherbrooke, Éditions Naaman, l984, 166 pages.

2.1.2 Articles et chapitres

ANONYME, «Author is Sure Canadians Can Write Lasting Works», Interview, *The Edmonton Journal*, l2 February l942.

BRUNET, Berthelot, «Le Philosophe d'Alberta», *L'Ordre*, 1er décembre l934, p. 4.

BRUNET, Berthelot, «Georges Bugnet et son œuvre», *Les Idées*, vol. VIII, n° 1-2, juillet-août 1938, pp. 1-8.

CARPENTER, David, «Georges Bugnet : An Introduction», *Journal of Canadian Fiction*, vol. I, n° 4, Fall l972, pp. 72-78.

CARPENTER, David, «A Canadian Fête Mobile : Interview with Georges Bugnet», *Journal of Canadian Fiction*, vol. II, n° 2, Spring l973, pp. 49-53.

COTÉ, Madame Jean, «Conférence», *La Survivance*, 20 décembre 1939.

DICTIONNAIRE des œuvres littéraires du Québec, Montréal, Fides, 1978, vol. II, (1900-1939) [Analyse de l'œuvre de Bugnet par Jean Papen].

DIONNE, René, «Georges Bugnet : poésie albertaine», *Le Droit*, 66e année, n° 250, 20 janvier 1979, p. 21.

DUROCHER, Georges, «Coup d'œil bibliographique récent sur l'œuvre de Georges Bugnet», *L'état de la recherche et de la vie française dans l'Ouest canadien*, Actes du deuxième colloque du Centre d'études franco-canadiennes de l'Ouest : Faculté Saint-Jean (Edmonton) les 3 et 4 décembre 1982, Edmonton, Université de l'Alberta, 1983, pp. 61-66.

GIRARD, Henri, «Montaigne et les Canadiens : article de Georges Bugnet», *Le Canada*, 9 mai 1936, p. 2.

GIROUX, Alice, *Bio-bibliographie de Georges Bugnet*, École de Bibliothéconomie, Université de Montréal, Préface par Arthur Maheux, 1946, 27 feuilles.

KAPETANOVICH, Myo, «La nostalgie du surnaturel chez Georges Bugnet», *L'état de la recherche et de la vie française dans l'Ouest canadien*, Actes du deuxième colloque du Centre d'études franco-canadiennes de l'Ouest : Faculté Saint-Jean (Edmonton) les 3 et 4 décembre 1982, Edmonton, Université de l'Alberta, 1983, pp. 37-48.

LACROIX, Fernand, «Voltaire à Montréal», *Vivre*, 2e série, n° 2, 22 mars 1935, p. 6.

Le CLERC, Normand Ferrier, «Un homme, une femme, une vie!» *Le Franco-Albertain*, vol. III, n° 2, 8 avril 1970, pp. 1-3 & 7.

LECOMTE, Guy, «Georges Bugnet et le sens de la minorité : de l'exil à l'intégration», *Écriture et Politique*, Actes du septième colloque du Centre d'études franco-canadiennes de l'Ouest : Faculté Saint-Jean (Edmonton) les 16 et 17 octobre 1987, Edmonton, Université de l'Alberta, 1989, pp. 35-45.

LECOMTE, Guy, «Le lac et la rivière : leurs fonctions dans l'œuvre romanesque de Georges Bugnet», *Études Canadiennes/Canadian Studies*, n° 27, 1989, pp. 75-84.

«Marginal Notes», *Saturday Night*, Toronto, 14 March 1930.

MARK, Mary B., «Naturalist, botanist, writer, poet... Georges Bugnet», (s.d.), pp. 1, 2 & 16 [Article reçu par le Sénat de l'Université de l'Alberta le 1er décembre 1974. Dossier Bugnet, Archives de l'Université de l'Alberta].

METHERAL, Ken, «Pioneer Alberta Farmer Is Leading Author For French-Canadian Field», *The Edmonton Journal*, 6 November 1939.

PAPEN, Jean, «L'originalité de l'œuvre de Georges Bugnet», *L'état de la recherche et de la vie française dans l'Ouest canadien*, Actes du deuxième colloque du Centre d'études franco-canadiennes de l'Ouest : Faculté Saint-Jean (Edmonton) les 3 et 4 décembre 1982, Edmonton, Université de l'Alberta, 1983, pp. 17-35.

ROY, Mgr Camille, *Histoire de la littérature canadienne*, Québec, Imprimerie de l'Action sociale, 1930, p. 24.

TOUGAS, Gérard, *Histoire de la littérature canadienne-française*, Paris, PUF, 1960, pp. 124-128.

2.2 AU SUJET DE L'HORTICULTEUR

COLLECTIF, *West of the Fifth*, Edmonton, Institute of Applied Arts, 1959, 233 pages. [Étude présentée par le comité des archives de la Société historique du Lac Ste-Anne. On y mentionne les travaux de Bugnet en maints endroits].

DAWSON, Brian J., *Georges Bugnet and the Bugnet Plantation,* Report submitted to Historic Sites Service, Ministry of Alberta Culture, 20 April 1984, 43 leaves.

FELLMORE, Roscoe A., *Roses for Canadian Gardens,* Toronto, Ryerson Press, 1959, pp. 288-89.

MARK, Mary B., voir section précédente, p. 397.

McDONALD, Hugh, «French Author Develops Hardy Thornless Rose», *The Edmonton Journal*, 13 November 1948, p. 6.

«Northern Plant Breeder», *The Country Guide*, December 1949, p. 21.

VICK, Roger, «Georges Bugnet», *Kinnikinnick - Newsletter of the Friends of the U. of A. Devonian Botanic Garden*, vol II, n° 5, January 1979, pp. 123-126 [À l'occasion du centième anniversaire de Bugnet].

WRIGHT, Percy H., «Two Roses of Hardy Breeding», *Family Herald and Weekly Star,* 13 May 1954.

2.3 AU SUJET DU *LYS DE SANG*

CLAUDE, Louis, «Le Lys de sang», *La Revue moderne*, 5e année, n° 4, février 1924, p. 47.

«Le Lys de sang», *La Presse*, 10 janvier 1924, p. 6.

MALCHELOSSE, Gérard, «"Le Lys de sang" par Henri Doutremont», *Le Canada*, 26 février 1924, p. 4.

2.4 AU SUJET DE *NIPSYA*

«A Cree Idyll», *New York Time Book Review*, 22 December 1929, p. 6.

«A Genuine Alberta Story», *The Edmonton Journal*, December 1929.

«A Tale of the Edmonton Country», *The Edmonton Journal*, 4 May 1925, p. 4.

CLAUDE, Louis, «Un roman canadien par le cousin de Bazin», *La Revue Moderne*, février 1925, p. 16.

COLLET, Paulette, «Échecs et pièges du langage dans "Nipsya"», *Langue et communication*, Actes du neuvième colloque du Centre d'études franco-canadiennes de l'Ouest : Collège universitaire de Saint-Boniface, 12-14 octobre 1989, C.U.S.B., 1990, pp. 65-72.

DEACON, William Arthur, «"Nipsya" The Indian Idyll is Kin to "Maria Chapdelaine"», *The Mail and Empire*, Toronto, 21 December 1929, p. 2.

HARVEY, Carol, «Une âme troublée», *Vie Française*, Québec, vol. XLI, n° 1, janvier à décembre 1989, pp. 97-99.

INNIS, Mary Quale, «Culture of the Wilderness», *The Canadian Forum*, vol. X, n° 114, March 1930, p. 216.

MACPHAIL, Sir Andrew, «Child of Celt and Indian», *Toronto Saturday Night*, Christmas 1929, pp. 1 and 16.

MALCHELOSSE, Gérard, «Nipsya», *Le Canada*, 3 octobre 1924, p. 4.

MARQUIS, T.G., «Nipsya», *Canadian Bookman*, vol. XII, n° 1, January 1930, p. 9.

«Nipsya», *La Presse*, 24 septembre 1924, p. 6.

THE BELLAMN, «Nipsya», *The Halifax Chronicle*, 22 February 1930.

«Western Canada Resents Lurid Tales of Prairies», *Willison's Monthly*, Toronto, vol. 1, n° 5, October 1925, p. 186.

2.5 AU SUJET DE *SIRAF*

ANONYME, «Siraf», ◆ *La Revue Moderne*, Montréal, 16e année, n° 6, avril 1935, p. 13; ◆ *Les Cahiers Franciscains*, vol. IV, 2 février 1935, pp. 143-146.

BÉGIN, Émile, «Siraf», *L'Enseignement secondaire au Canada*, vol. XIV, n° 7, avril 1935, pp. 452-456.

BROUILLARD, Carmel, o.f.m., «Siraf», *Les Cahiers Franciscains*, vol. IV, n° 2, février 1935, pp. 143-146.

DUPINGOUIN, J., «Siraf», *L'Action Catholique*, 1er mars 1935, p. 4.

FRÉMONT, Donatien [Signé Le Liseur], «Siraf», *La Liberté*, Winnipeg, MAN., vol. XXII, n° 38, mercredi 30 janvier 1935, p. 3.

GRIFFON, Hervé, «Siraf», *L'Action Nationale*, vol. V, n° 5, mai 1935, pp. 303-308.

GRIFFON, Hervé, «Siraf», *La Survivance*, 19 juin 1935, p. 7.

HARVEY, Jean-Charles, «La vie des idées», *Le Canada*, 8 janvier 1935, p. 2.

HÉBERT, Maurice, «Siraf», *Le Canada Français*, vol. XXII, n° 7, mars 1935, pp. 676-683.

PARIZEAU, Lucien, «Georges Bugnet», *L'Ordre*, 28 novembre 1934, p. 4.

SAINT-PIERRE, Albert, o.p., «Jugement sur Siraf», *La Revue Dominicaine*, février 1935, pp. 156-160.

2.6 AU SUJET DE *LA FORÊT*

ANONYME, «La Forêt», ◆ *Le Devoir*, 1er juin 1935, p. 7 (Communiqué); ◆ *La Revue des livres*, vol. I, n° 4, juin 1935, p. 55; ◆ *Le Bien public*, 6 juin 1935, p. 12; ◆ *La Revue populaire*, vol. XXVIII, n° 7, juillet 1935, p. 54; ◆ *The Edmonton Journal*, 23 octobre 1939, p. 4.

BARD, Paul, «La Forêt», *Les Idées*, avril 1935, 2 pages de garde.

BARRETTE, Jean-Marc, «Représentation de la femme et influence de l'Église dans "La Forêt"», *CEFCO*, n° 28, juin 1988, pp. 22-25.

BÉGIN, Émile, «Bibliographie canadienne. "La Forêt"», *L'enseignement secondaire au Canada*, vol. XV, n° 3, décembre 1935, pp. 205-209.

BERTAULT, Philippe, «Billet littéraire du Parisien», *Vers l'avenir,* 20 juin 1939.

BROWN, E.K., «Causerie», *La Survivance*, 14 avril 1948, p. 6.

BRUCHÉSI, Jean [Signé B.J.], «En feuilletant les livres. "La Forêt"», *La Revue Moderne*, août 1935, p. 8.

BRUNET, Berthelot, «La vie littéraire. Les colons trop lettrés», *Le Canada*, 3 juin 1935, p. 2.

CHARBONNEAU, Robert, «Sur un livre de M. Bugnet», *La Renaissance*, 17 août 1935, p. 6.

COLLET, Paulette, «Portrait de l'immigrant français dans l'Ouest et l'Est canadiens selon les romanciers français (1900-1940)», *L'Ouest canadien et l'Amérique française*, Actes du huitième colloque du Centre d'études franco-canadiennes de l'Ouest : Centre d'études bilingues, Université de Regina, 21-22 octobre 1988, Centre d'études bilingues, 1990, pp. 203-223 [quelques références à "La Forêt"].

COTÉ, Jean R., «"La Forêt" et "Maria Chapdelaine" : une nature, deux visions, deux signes», *Langue et communication,* Actes du neuvième colloque du Centre d'études franco-canadiennes de l'Ouest : Collège universitaire de Saint-Boniface, 12-14 octobre 1989, C.U.S.B., 1990, pp. 73-88.

GAGNON, Jean-Louis, «La Forêt», *Vivre*, 2e série, n° 5, 15 mai 1935, p. 8.

IMBERT, Patrick, «"La Forêt", de Georges Bugnet ou le drame nature-culture non résolu», *Lettres Québécoises*, n° 12, novembre 1978, pp. 28-29.

KERR, Dean, W.A.R., «Georges Bugnet's "La Forêt"», *The Edmonton Journal*, 12 February 1936.

MORCOS, Gamila, «"La Défaite" de Bugnet : illustration des liens entre langue, pensée et communication», *Langue et communication*, Actes du neuvième colloque du Centre d'études franco-canadiennes de l'Ouest : Collège universitaire de Saint-Boniface, 12-14 octobre 1989, C.U.S.B., 1990, pp. 181-195.

PAPEN, Jean, «Relecture de "La Forêt" de Georges Bugnet», *Livres et Auteurs Canadiens*, Montréal, Éditions Jumonville, 1968, pp. 209-219.

PARIZEAU, Lucien, «La Forêt», *Les Idées*, vol. I, n° 5, mai 1935, pp. 313-315.

ROGERS, David F., «Le lexique "canadien" dans "La Forêt" de Georges Bugnet», *L'état de la recherche et de la vie française dans l'Ouest canadien*, Actes du deuxième colloque du Centre d'études franco-canadiennes de l'Ouest : Faculté Saint-Jean (Edmonton) les 3 et 4 décembre 1982, Edmonton, Université de l'Alberta, 1983, pp. 49-52.

SAINT-PIERRE, Albert., o.p., «L'Esprit des livres. Georges Bugnet, "La Forêt"», *La Revue Dominicaine*, vol. XLI, 1935, pp. 470-473.

2.7 AU SUJET DES VOIX DE LA SOLITUDE

ANONYME, «Voix de la Solitude», ◆*La Survivance*, 4 décembre 1940, p. 4; ◆*La Revue Moderne*, 19e année, n° 11, septembre 1938, p. 35.

BRUNET, Berthelot, «Voix de la Solitude», ◆*Le Devoir*, mars 1938, p. 11; ◆*Le Mauricien*, vol. II, n° 7, juillet 1938, p. 8; ◆*La Revue populaire*, vol. XXXI, n° 8, août 1938, p. 50.

DANTIN, Louis, Critique des livres, *L'Avenir du Nord*, 15 juillet 1938, pp. 1-2.

DUCIAUME, Jean-Marcel, Présentation et édition, *Georges Bugnet, Poèmes*, Edmonton, les Éditions de l'Églantier, 1978, pp. 7-23.

DUHAMEL, Roger, «Voix de la Solitude», *L'Action Nationale*, vol. XII, octobre 1938, pp. 165-166.

SAINT-PIERRE, Albert, «Georges Bugnet – "Voix de la solitude"», *La Revue Dominicaine*, vol. XLIV, n° 2, 1938, pp. 102-103.

SYLVESTRE, Guy, «Georges Bugnet et la poésie», *Quartier latin*, Montréal, 16 février 1940.

SŒUR PAUL-ÉMILE, «Notre pays et le lyrisme religieux», *Carnets viatoriens*, [Joliette, Québec], 5e année, n° 2, avril 1940, pp 75-76.

3. Thèses sur Bugnet

3.1 THÈSES DE DOCTORAT

BOSCO, Monique, *L'Isolement dans le roman canadien-français,* thèse de doctorat, Université de Montréal, 1953, 205 feuilles.

CORBERT, Edward M., *Les Contes du terroir depuis 1900,* thèse de doctorat, Université Laval, 1948, 193 feuilles.

TUCHMAÏER, Henri S., *Évolution de la technique du roman canadien-français,* thèse de doctorat, Université Laval, 1958, 369 feuilles.

3.2 THÈSES DE MAÎTRISE

FARQUHAR, Simone Paula, *Anthée ou l'Ouest canadien dans l'œuvre de Maurice Constantin-Weyer et de Georges Bugnet*, thèse de maîtrise, Université de la Colombie-Britannique, 1966, 150 feuilles.

GRAVEL, Ghislaine, *L'Ouest canadien dans le roman de langue française*, thèse de maîtrise, Université de Montréal, 1949, 122 feuilles.

PICARD, Louise, *Évolution du roman canadien 1920-1940;* thèse de maîtrise, Université de Montréal, 1960, 104 feuilles.

VALLÉE, Claire Annette, *L'Archétype du voyage dans l'œuvre de Georges Bugnet,* thèse de maîtrise, Université de la Colombie-Britannique, 1979, 126 feuilles.

4. Film / vidéo / audiocassettes sur Bugnet

4.1 AUX ARCHIVES DE L'UNIVERSITÉ DE L'ALBERTA

- "Special Convocation", 1978. Programme [78-72].
- "Special Convocation", 1978. Video-tape [80-109-53].

- "Entrevue sur l'horticulture". Vidéocassette [80-123].
- "Special Convocation", 1978. Film 16 mm [83-2].

4.2 AUX ARCHIVES DE L'INSTITUT DE RECHERCHE DE LA FACULTÉ SAINT-JEAN

- "L'Association", 1986. Vidéocassette [Voir Société Radio-Canada, paragraphe 4.3].
- "Au Naturel", 14 janvier 1981, Edmonton. Vidéocassette [79-32202-0001]. Réalisée à l'occasion du 100e anniversaire de Bugnet, cette émission a été diffusée dans la semaine qui a suivi sa mort. L'auteur parle de sa vie et de son œuvre; témoignages de ses enfants; commentaires de Jean-Marcel Duciaume et de Jean Papen.
- "Gens de mon pays", 1978. CHFA accueille Georges Bugnet et Jean Papen; animatrice Chantal Taylor. Audiocassette.
- "Entre vous et moi", 23 février 1978. Émission spéciale de CHFA avec une reprise de l'émission "Voix et rythmes du pays", consacrée à Georges Bugnet. Animatrice, Chantal Taylor; invité, Guy Pariseau. Audiocassette.

4.3 AUX ARCHIVES DE LA SOCIÉTÉ RADIO-CANADA À EDMONTON

- "L'Association", 1986. Radio-Canada et l'ACFA. Vidéocassette [79-32220-6001]. Émission à l'occasion du 60e annniversaire de l'ACFA; enregistrement 4 octobre 1986, diffusion 21 octobre 1986.

- "Le Conte du bouleau, du mélèze et du pic rouge", 1991, CHFA Edmonton. Adaptation de Jocelyne Beaulieu. Audiocassette. [En préparation pour diffusion en septembre 1991.]

Table des matières